Die finnische Originalausgabe »Ariel ja hämähäkkinainen« erschien 2005
bei Werner Söderström Corporation (WSOY), Helsinki, Finnland

Deutsche Erstausgabe

Chemnitzer Str. 31, 44139 Dortmund
Internet: http://www.grafit.de
E-Mail: info@grafit.de

Umschlaggestaltung: Dorothea Posdiena
Umschlagfoto: bit.it/photocase.de
Druck und Bindearbeiten: CPI books, Leck
ISBN 978-3-89425-664-7
1. 2. 3. 4. 5. / 2013 2012 2011

Harri Nykänen

Ariel

Tod der Spinnenfrau

Kriminalroman

Aus dem Finnischen von
Regine Pirschel

grafit

Die Personen

Polizei

Ariel Kafka – jüdischer Kriminalkommissar in Helsinki

Arja Stenman – Ariels Kollegin mit pfadfinderischen Fähigkeiten

Mika Simolin – Ariels Kollege, der von Natur aus alles bezweifelt, was er nicht mit seinem eigenen Verstand erklären kann

Jari Oksanen – Ariels Kollege mit einem ausgeprägten Faible für Autorallyes und Spionagetheorien

Huovinen – Hauptkommissar; ein in die Jahre gekommenes Männermodel und Ariels Vorgesetzter

Aimo Ikonen – Ariels toter Exchef

Kauka Salo – Expolizist und Ikonens Nachbar

Erkki Laurila – pensionierter Kollege, der mit Ikonen auf dessen Ausstandsfeier einen Streit vom Zaun brach

Die düstere Seite

Maija Orvokki Erkkilä – einst bildhübsche, jetzt tote, allen nur als ›Spinnenfrau‹ bekannte Schönheit mit einem Faible für Männer aus der Unterwelt

Kari Petteri Väistö – alias ›Rohr-Petteri‹; Rohrleger; berühmt-berüchtigter Einbrecher und Exmann der Spinnenfrau

Heikki Tapani Isaksson – Elektroingenieur und lange Zeit unauffindbarer Ehemann Nummer zwei der Spinnenfrau

Ari Ilari Sippola – im Gefängnis verstorbener Blechschmiedemeister, der gemeinsame Sache machte mit Väistö und Isaksson

Keijo ›Keke‹ Sakari Lappalainen – gewalttätiger Drogendealer und der Einzige, vor dem die Spinnenfrau Angst hatte

Tuula Anneli Uotila, jetzt: Wahlman – ehemalige Freundin der Spinnenfrau; wird trotz ihres jetzt bürgerlichen Lebens von ihrer Vergangenheit eingeholt

Tuulikki ›Tupu‹ Ruohonen – einst Zimmerkameradin der Spinnenfrau, arbeitet heute ganz legal in einer Autovermietung

Sonstige

Eli Kafka – Ariels Bruder; erfolgreicher Anwalt, der das Bravsein satthat und sich an seinem zweiten Frühling versucht

Tarja Ikonen – Ikonens ältere Tochter, die aufgrund ihres jahrelangen Drogenmissbrauchs starb

Saara Ikonen – Ikonens jüngere Tochter und Künstlerin, die Ariels Blut in Wallung bringt

Petri Isaksson – ›Sohn‹ der Spinnenfrau

Nikutin – Exmann der Spinnenfrau mit einem guten Herz

Onkel Dennis – Ariels Onkel; immer hilfsbereit und jederzeit zur Stelle mit Tipps in allen Lebenslagen

Matti Uolevi Matinoja – ehemaliger Außenminister, der einst im Hotel *Marski* Opfer eines Überfalls wurde

Esko Kaipio – ehemaliger Generaldirektor der Sozialversicherung und das zweite Überfallopfer im Hotel *Marski*

Heimo Marjamaa – Haushandwerker im *Marski* während des Überfalls auf den Außenminister und den Generaldirektor

Elina Sippola, geborene Marjamaa – Exfrau des Haushandwerkers aus dem *Marski* und Exgeliebte von Esko Kaipio

Kotala – Expolizist, der seine gesamte Familie umbrachte und jetzt auf seine Verhandlung wartet

Kapitel 1

Man sollte in den unruhigen Momenten des Abends nicht die Sexseiten im Internet anschauen, erst recht nicht, wenn man diensthabender Kriminalkommissar und Jude und wenn außerdem Sabbat ist. Danach fühlt man sich wie ein angeleinter Dorfköter, der hinter den Hündinnen herjault. Bei mir kam als zusätzliche Erschwernis noch ein so gut entwickeltes Schuldbewusstsein hinzu, dass ich fürchtete, der scharfäugige Rabbiner Liebstein könnte auf meinem Gesicht Brandmale infolge des heimlichen Treibens entdecken. Sexfotos zu betrachten, wurde in der Thora zwar nicht verboten, aber als Sünde rangierte es garantiert noch vor dem Verzehr von Schweinefleisch …

Vielleicht lag es am Frühling, dass die unruhigen Gedanken immer noch in meinem Kopf kreisten, obwohl ich inzwischen mit meinen Mitarbeitern Arja Stenman und Mika Simolin zu einem Tatort unterwegs war, an dem zwei Tote warteten. Gott hatte den Menschen nun mal so geschaffen, dagegen war ich machtlos.

»An der nächsten Ausfahrt nach rechts«, forderte Stenman ihren Kollegen auf. Er bog routiniert in die Tapaninkyläntie ein. Stenman saß neben ihm und studierte die Karte im Schein einer LED-Taschenlampe.

Ich saß auf der Rückbank und betrachtete die vorbeigleitende Landschaft. Der Vollmond, der bei dem schwachen Frost klar leuchtete, schien auf schneefreie Felder, Eigenheime, in denen nach und nach die Lichter erloschen, schmucklose, trist wirkende Mehrfamilienhäuser. Auf der Straße herrschte kaum mehr Verkehr. Es war weit nach elf Uhr und somit Schlafenszeit für gewissenhafte, arbeitende Menschen.

»Fahr weiter geradeaus, bis die Tapaninkyläntie zur Tapanilankaari wird«, lautete Stenmans nächste Anweisung.

»Beim Tatort handelt es sich um die Wohnung der getöteten Frau. Sie hat angeblich unter dem Namen *Lappland-Hexe* einen Telefonservice als Hellseherin und Fernheilerin betrieben«, sagte Simolin. »Was es nicht alles für Humbug gibt!«

Ich wusste, dass Simolin zum Skepsis e.V. gehörte, das heißt, er bezweifelte schon von Natur aus alles, was er nicht mit dem eigenen Verstand erklären konnte.

Mir fiel dazu lediglich ein, dass die Lappland-Hexe wohl keine besonders gute Hellseherin gewesen war, da sie nicht einmal ihren eigenen Tod hatte voraussehen können.

»Und das zweite Opfer?«, fragte ich.

»Ein älterer Mann, er wurde noch nicht identifiziert. Der Arzt war schon da, momentan ist die Technik vor Ort. Wie ich hörte, sind beide Opfer erstochen worden.«

Die Geschichte roch nach einer typisch finnischen Bluttat, einer Messerstecherei am Ende eines wüsten Besäufnisses. Mein Interesse hielt sich in Grenzen. Dennoch arbeitete ich lieber draußen an der Basis, als dass ich allein und unruhig in meinem Zimmer saß.

Stenman drehte sich zu mir um. Aus ihrem blonden Haar wehte mir ein blumiger Duft in die Nase.

»Gestern habe ich im Gerichtsgebäude deinen Bruder gesehen.«

Ich antwortete nicht, sondern drückte mein Gesicht so dicht ans Fenster, dass ich die Kälte spürte, die das Glas ausstrahlte.

»Ich wusste gar nicht, dass er Kotalas Anwalt ist«, fuhr Stenman fort.

Das hatte auch ich nicht gewusst.

»Übernimmt er sonst nicht eher Streit- als Strafsachen?«

Ich bestätigte ihr, dass sie recht hatte.

»Weißt du, wie Kotala an ihn gekommen ist?«

»Keine Ahnung. Wenn ich Eli treffe, frage ich ihn.«

Stenmans Interesse war verständlich. Kotala war ein ehemaliger Polizist, der seine ganze Familie getötet und anschließend versucht hatte, sich selbst umzubringen, was ihm aber missglückt war. Das Motiv war typisch. Seine Frau hatte einen neuen Partner gefunden, hatte die Scheidung eingereicht und das alleinige Sorgerecht für die Kinder verlangt.

Ich wunderte mich, dass Eli mich nicht kontaktiert hatte, obwohl ich der leitende Ermittler gewesen war. Ich kannte Kotala halbwegs. Er hatte früher in der Brandabteilung des Dezernats für Gewaltdelikte gearbeitet und war dann zur Drogenfahndung der Espooer Kriminalpolizei gewechselt. Die Geschichte hatte sämtliche Kraft aus mir gesogen. Zu allem Überfluss war sie gerade zu einer Zeit passiert, als es mir endlich gelungen war, den Tod meines Kindheitsgefährten Dan Kaplan zu vergessen.

»Schreckliche Tat, ich hätte nie gedacht, dass Kotala zu so etwas fähig ist«, sagte Simolin.

Ich war nicht ganz seiner Meinung, äußerte es aber nicht laut. Kotala war einer von den gewissenhaften, stillen und biederen Menschen, die kein eingebautes Sicherheitsventil haben. Er trank nicht und er konnte nichts mit Humor nehmen. Als der Druck stark genug war, kam es zur Explosion. Das hatte man schon oft genug bei anderen erlebt.

Wegen Dan und zum Teil auch wegen Kotala hatte ich im Frühjahr öfter die Synagoge besucht als in meinem ganzen bisherigen Leben. Ich hatte mich wie ein Kind gefühlt, das sich im Bett der Eltern verkriecht, um der Angst vor der Dunkelheit zu entfliehen. Dabei war es mir so vorgekommen, als ob durch Rabbiner Liebsteins echtes Mitgefühl eine gewisse Zufriedenheit hindurchschimmerte. Er war offensichtlich überzeugt gewesen, endlich Zugriff auf meine flüchtige Seele zu haben.

Darin irrte Liebstein allerdings. Wenn man lange genug im Dunkel der Synagoge in Kummer und Reue gebadet hatte, wünschte man sich anstelle der endlos langen und eintönigen hebräischen Litaneien frische Frühlingsluft und fröhliche Stimmen. Obwohl Hiob mit harter Hand auf beide Wangen geschlagen worden war, verwandelte Gott die Trauer am Ende in Freude. Auch ich wollte nun Hiobs Los teilen, wollte den Kummer vergessen und irgendeinen Anlass zur Freude finden. Wäre ich eine Hebamme gewesen, hätte ich mich über das Wunder der Geburt freuen können, oder als Arzt hätte mich die Genesung meiner Patienten glücklich gemacht. Leider wurde man als Kommissar des Dezernats für Gewaltdelikte selten mit fröhlichen Dingen konfrontiert.

»Und wohin jetzt?«, fragte Simolin, als wir eine große Kreuzung erreichten.

»Fahr weiter geradeaus.«

Der Mond begleitete uns auf unserer Fahrt durch die Dunkelheit. Diese Beständigkeit war so tröstlich, dass sie mich fast rührte.

»Vollmond«, sagte ich.

»Schön«, bestätigte Stenman.

»Noch nicht richtig voll, erst morgen«, fügte Simolin hinzu. Ihm fehlte einfach der Sinn für Nuancen.

Das Haus war alt, ziemlich klein und aus Holz gebaut. Das Grundstück war allerdings weitläufig und von einem lichten Zaun aus Fichten umgeben. Falls die getötete Frau Eigentümerin des Hauses war und Erben hatte, ließ sich der weitere Verlauf der Geschichte absehen: Die Hütte würde abgerissen, das Grundstück geteilt und drei Ziegelhäuser würden errichtet, in die drei glückliche Familien mit ihren lärmenden Kindern und deren klappernden Skateboards einziehen würden. Auf jedem Hof stünde ein Gasgrill, von dem ab Frühjahrsbeginn bis in den späten Herbst hinein der Opferrauch von Grillwürstchen mindestens der Güteklasse A aufsteigen würde.

Der Zufahrtsweg war asphaltiert, im Scheinwerferlicht schimmerte seine Oberfläche von gefrorenen Kristallen, die unter meinen Füßen knirschten, als ich ausstieg. Ich nahm die drei Stufen zur Haustür und trat ein. Aus dem Flur führte eine rotbraun gestrichene Treppe ins Obergeschoss. Die erste Leiche, es war die Frau, lag im Flur am Fuße der Treppe, der tote Mann zwischen Küche und Wohnzimmer. Die

Frau im Flur lag auf dem Bauch, mit der rechten Wange auf der Fußmatte, ihre Arme waren am Körper entlang ausgestreckt wie bei einem Skispringer. Ein schwarzer Rock und eine dunkelrote Hemdbluse, die sich hochgeschoben hatte, sodass über dem Rock ein Speckröllchen weißer Haut sichtbar wurde. Die braune Strumpfhose war über dem Oberschenkel zerrissen. Auf dem Rücken hatte die Tote einen großen, bereits getrockneten Blutfleck und drei Stichwunden. Die Hände wiesen die typischen, durch Abwehr entstandenen Schnittverletzungen auf. An den Blutspuren war zu erkennen, dass die Frau bereits im Wohnzimmer niedergestochen worden war, der Tod hatte sie jedoch erst im Flur ereilt.

›Lappland-Hexe‹ war ein selten irreführender Name für eine Frau in mittleren Jahren, die im Helsinkier Stadtteil Kallio geboren worden war, in Kallio gelebt hatte und in Puistola gestorben war und vermutlich nie einen Fjäll aus der Nähe gesehen hatte. Statt durch klare Bergbäche war sie ihr Leben lang durch den Morast der städtischen Gosse gewatet.

»Ich kennen sie, ihr Name ist Erkkilä, Maija Orvokki.«

Die Erkkilä hatte zeitlebens mit Kriminellen verkehrt, war mit einem Bankräuber verheiratet gewesen und hatte wegen Totschlags und gefährlicher Körperverletzung im Gefängnis gesessen. Ich hatte in dem Fall ermittelt, die Erkkilä hatte ihrem Freund mit einem Filetiermesser in den Bauch gestochen und er war im Krankenhaus gestorben. Sie war mit drei Jahren Haft davongekommen, weil das Gericht überzeugt gewesen war, dass es sich um Notwehr gehandelt hatte.

In Wahrheit war die Erkkilä in betrunkenem Zustand gewalttätig und griff schnell einmal zum Messer. Es hatte nur nicht genügend Beweise gegen sie gegeben.

»Der Saftsack hat das gekriegt, was er haben wollte!«, hatte Maija Erkkilä gekreischt, als sie vom Tatort abgeführt wurde.

Vor Gericht war sie zurückhaltender gewesen. In ihrem Kleid, das bis über die Knie reichte, und mit dem streng geknoteten Haar hatte sie kaum wie eine vulgär fluchende Messerstecherin gewirkt.

Unsere letzte Begegnung lag fast zehn Jahre zurück und war ebenfalls nicht angenehm gewesen, obwohl Maija Erkkilä damals wesentlich schöner ausgesehen hatte. Die älteren Kollegen wussten zu berichten, dass sie in ihrer Jugend eine auffallende Schönheit im Arbeiterviertel Söörnäinen gewesen war. Jetzt war sie bereits in den Fünfzigern und die Spuren ihres wüsten Lebens zeigten sich in ihrem aufgedunsenen Gesicht. Die Teilprothese des Oberkiefers war ihr aus dem Mund gerutscht und lag auf dem Fußboden, sie wirkte irgendwie wie ein scheues Exemplar aus der Familie der Taschenkrebse, das im Begriff war, unters Sofa zu kriechen und sich zu verstecken.

Hätte ich nicht draußen am Briefkasten den Namen gelesen und jetzt die Tätowierungen auf den Händen der Toten gesehen, wäre ich hinsichtlich der Identifizierung unsicherer gewesen. Auf dem Handrücken hatte sie das Tattoo eines Spinnennetzes, das bis zu den Gelenkknöcheln reichte. Außerdem war die Tote für eine Finnin ungewöhnlich dunkelhaarig. Ich erinnerte mich an ein Gerücht, demzufolge Maija Erkkiläs Vater ein libanesischer Prinz gewesen war. Allerdings wusste niemand, in welchem Zusammenhang ein Wüstensohn edlen Blutes Maija Erkkiläs Mutter abgeschleppt hatte. Wahrscheinlicher war, dass irgendein Teilnehmer oder Besucher der Olympischen Spiele von Helsinki Maija als lebendes Souvenir hinterlassen hatte. Zumindest der Zeitpunkt der Geburt passte.

»Sie wurde Spinnenfrau genannt«, sagte ich.

Wir gingen in die Wohnküche. Dort stand ein altmodischer Backofen, davor eine Holzkiste mit Birkenscheiten. Die Atmosphäre war wie bei Oma auf dem Lande, obwohl wir uns immer noch auf Helsinkier Stadtgebiet befanden. Ich fasste an den Ofen, er war lauwarm.

Der tote Mann lag auf dem Bauch zwischen der Küche und dem kleinen Wohnzimmer, die Beine im einen, der Oberkörper im anderen Raum. Allem Anschein nach war er beim Kriechen zusammengebrochen, denn er hatte einen

Blutstreifen hinterlassen, der wie ein breiter Pinselstrich aussah. Andere Blutspuren gab es nicht, aber das erklärte sich durch die Straßenkleidung des Mannes. Das Blut sammelte sich unter der Kleidung des Opfers und Spritzer waren nicht entstanden, weil das Messer beim Herausziehen quasi abgewischt worden war. Der Mörder hatte dadurch unter Umständen überhaupt keine Blutrückstände an den Händen oder der Kleidung.

Der Mann war groß und edel ergraut. Er trug dunkle Stoffhosen, unter dem halblangen, senfgelben Popelinemantel ein dezent grünes Tweedjackett. An den Füßen hatte er braune, gut geputzte Straßenschuhe. Es fiel mir schwer, eine Verbindung zwischen Maija Erkkilä und dem gepflegten Herrn herzustellen.

»Kann man ihn schon umdrehen?«, fragte ich den anwesenden Spurentechniker.

»Nur zu. Der Tod trat vor mindestens einem Tag, aber höchstens vor zwei Tagen ein. Die Leichenstarre ist voll ausgeprägt, hat sich aber noch nicht gelöst, und die Totenflecke verschwinden nicht mehr, wenn man mit dem Finger draufdrückt.«

Simolin fasste mit an und es gelang uns, den Toten umzudrehen. Simolin stand am Kopfende und sah als Erster das Gesicht des Mannes. Er stieß einen erstaunten Pfiff aus. Ich starrte auf die Leiche und hätte beinah ebenfalls gepfiffen.

»Ikonen«, es war Stenman, die als Erste reagierte.

Auch Simolin hatte die Sprache wiedergefunden. »Was in aller Welt hat er hier gemacht?«

Stenmans und Simolins Verwunderung war begründet. Die Erkkilä war eine Kriminelle und Ikonen ein ehemaliger Polizist, und zwar keiner aus der dritten Reihe, sondern Vizepolizeichef. Er war vor gut drei Jahren pensioniert worden. Erst vor etwa einem Monat hatte er seine ehemaligen Kollegen in der Dienststelle besucht und dabei frisch und munter gewirkt. Jetzt sah er ebenso tot aus wie jede x-beliebige Leiche.

Kapitel 2

»Was zum Teufel hat Ikonen hier getrieben?«, wunderte sich auch Hauptkommissar Huovinen, als er sich prüfend über den Toten beugte. »Er war ja wohl nicht so bekloppt, dass er zu einer Wahrsagerin ging.«

Huovinen sah aus wie ein in die Jahre gekommenes Männermodel, und genau das war er auch. Während der Ausbildung an der Polizeischule hatte er nebenbei für ein Modelabel gearbeitet und 1976 war er Zweiter in einem landesweiten Wettbewerb für Männermodels geworden. Wir hatten gemeinsam einen der Grundkurse besucht und so waren mir seine Jugendsünden bekannt.

Huovinen war ein guter Polizist und ein guter Vorgesetzter. Er war zu allen Tages- und Nachtzeiten erreichbar und scheute keine Verantwortung. Auch jetzt war er sofort nach meinem Anruf nach Puistola gekommen, er wohnte nur wenige Kilometer entfernt in Maunula und hatte lediglich zwanzig Minuten gebraucht.

Ich erzählte ihm von der Erkkilä.

Er ging in den Flur und betrachtete die Tote genau. »Stimmt, es ist die Spinnenfrau, aber sie ist nicht mehr sehr schön. Hat Ikonen sie ebenfalls gekannt?«

»Mit Sicherheit. Die Erkkilä bewegte sich schon in jungen Jahren unter harten Gangstern und Ikonen kannte diese Kreise gut. Erkkiläs Exmann Petteri Väistö war Geldschrankknacker und Bankräuber, ihn kannte Ikonen auf jeden Fall.«

»Weißt du, ob dieser Väistö noch am Leben ist?«

»Wahrscheinlich, ich habe jedenfalls nicht gehört, dass er gestorben wäre.«

»Wer hat den Mord gemeldet?«

»Wir erhielten einen anonymen Hinweis, eine Frau, schätzungsweise in mittleren Jahren, rief von einer Telefonzelle im Einkaufszentrum Pukimäki an.«

»Was wissen wir bisher?«

»Beide wurden bereits gestern getötet, sehr wahrscheinlich abends. Ikonen wurde anscheinend zuerst und überraschend angegriffen. Die Frau versuchte zu fliehen, aber der Täter holte sie im Flur ein. Beide Leichen weisen mehrere tödliche Messerstiche auf, die Erkkilä auch im Rücken. Dass Ikonen überrascht wurde, zeigt sich daran, dass er an den Händen keine Abwehrverletzungen hat. Das Messer wurde nicht gefunden und auch sonst nichts, was vom Täter stammen könnte. Der Täter hat Ikonen wahrscheinlich die Brieftasche geraubt, da er keine mehr bei sich trug. Deshalb konnte er nicht gleich identifiziert werden, zumal auch sein Mobiltelefon und die Schlüssel fehlen. In seinen Taschen befindet sich gar nichts.«

»Ikonen benutzte kein Handy, brüstete sich immer damit«, wusste Huovinen.

»Wie es scheint, wurde aus der Wohnung nichts entwendet, außerdem dürfte es hier kaum Wertsachen geben, also müssen wir über ein anderes Motiv für die Tat nachdenken.«

»Und keiner der Nachbarn hat etwas gesehen?«

Simolin hatte mit dem Streifenpolizisten gesprochen, der die Nachbarn befragt hatte, und bestätigte Huovinens Vermutung.

»Richtig. Das Haus liegt ziemlich versteckt und auf der anderen Straßenseite befindet sich ein großes, leeres Grundstück. Laut Aussage des Nachbarn hat die Erkkilä das Haus vor etwa vier Jahren von ihrer Tante geerbt. Seither haben Erkkiläs Saufkumpane die Gegend unsicher gemacht. Mehrmals musste die Polizei anrücken und für Ruhe sorgen. Für einen Streit unter Säufern könnte man auch das hier halten, wenn nicht ...«

Stenman kam herein und brachte einen Hauch frischer Nachtluft mit.

»Wir haben sämtliche benachbarten Straßen kontrolliert, aber Ikonens Auto ist nirgends zu finden. Er muss mit dem Taxi oder mit dem Zug gekommen sein. Der Bahnhof von Puistola ist nur einen halben Kilometer entfernt.«

»Ich tippe auf den Zug«, sagte Huovinen. »Ikonen war so geizig, dass er niemals ein Taxi benutzte, wenn er es selbst bezahlen musste.«

»Warum ist er dann nicht mit dem eigenen Wagen gekommen?«, wunderte sich Stenman. »Er wohnte in Myllypuro. Von dort wäre er bequem mit dem Auto hierher gelangt, bei einer Fahrt mit öffentlichen Verkehrsmitteln hätte er erst die Metro ins Stadtzentrum nehmen müssen.«

»Ihr könntet euch gleich noch Ikonens Wohnung vornehmen. Meines Wissens lebte er nach dem Tod seiner Frau allein. Du warst ja schon mal dort«, sagte Huovinen, an mich gewandt.

»Ja, stimmt, aber es ist schon ein paar Jahre her.«

»Du findest wohl trotzdem hin? Ari, du übernimmst diesen Fall. Gleich morgen früh um acht Uhr machen wir ein kleines Meeting. Wir müssen uns genau überlegen, was wir den Journalisten erzählen. Ikonen ist in Ehren pensioniert worden und mir liegt daran, dass sein Ruf auch nach seinem Tod nicht beschmutzt wird. Außerdem müssen wir auch an die Angehörigen denken, er hat ja zwei Kinder. Zu ihnen sollten wir möglichst rasch Verbindung aufnehmen, allerdings glaube ich, dass es schwer werden könnte, sie zu erreichen. Ich möchte trotzdem nicht, dass sie vom Tod ihres Vaters aus der Zeitung erfahren, egal, wie ihr Verhältnis zu ihm gewesen sein mag. Hatte die ältere Tochter nicht ein schlimmes Drogenproblem?«, erinnerte er sich.

»Ja«, bestätigte ich. »Und die jüngere lebte, zumindest vor ein paar Jahren noch, im Ausland.«

»In jedem Fall eine traurige Geschichte, man weiß nie, wer als Nächster dran ist. Ruf an, wenn du etwas Neues erfährst. Gute Nacht.«

»Nacht«, rief ich Huovinen nach.

Ikonen wohnte in einem Einfamilienhaus in Myllypuro, in der Nähe des Wärmekraftwerks, man konnte die Warnlichter des Schornsteins hinter dem Wald erkennen. Das Ziegelhaus mit Flachdach repräsentierte Siebzigerjahrestil in Reinkultur. Das Grundstück war so groß, dass ohne Weiteres noch ein zweites Haus darauf Platz gefunden hätte. Die Front ging nach Süden und die Schneedecke des Hofes war bereits in der Frühlingssonne geschmolzen. Es gab einen mit wildem Wein umrankten, leicht verfallen wirkenden Patio und eine windschiefe Spielhütte, die sicherlich zwanzig Jahre lang nicht mehr benutzt worden war, ferner ein kleines Gewächshaus und einen aus Brettern gezimmerten Geräteschuppen. Die Gartenmöbel waren aufgestapelt und mit einer durchsichtigen Plastikplane bedeckt. Auch der hintere Teil des Hofes war beleuchtet und durch den Rasen führte ein schiefergedeckter Weg.

Ich war einige Male bei Ikonen gewesen, zuletzt vor drei Jahren, als er seinen Ausstand gefeiert hatte – eine triste Veranstaltung. Ikonen war Abstinenzler und als geizig und wortkarg bekannt gewesen. Alle drei Eigenschaften hatten sich bei der Bewirtung bemerkbar gemacht. Als dann noch ein betrunkener Gast, einer von Ikonens früheren Mitarbeitern, mit ihm über einen uralten Fall zu streiten begann, hatte ich es für das Beste gehalten zu gehen.

Ikonens Frau war vor gut einem Jahr gestorben. Ich wusste, dass er zwei Töchter hatte, die mit ihrem Vater nicht gut auskamen. Die eine war schwer drogenabhängig und die andere eine Art Künstlerin, die sich viel im Ausland aufhielt. Ich ahnte, dass es nicht leicht sein würde, sie aufzuspüren.

Zumindest die älteren Kollegen bei der Kriminalpolizei wussten von Ikonens Junkietochter. Sie war mehrmals wegen Drogendelikten festgenommen worden. Ein Mal hatte ich sie selbst verhören müssen, nachdem ihr Freund an einer Überdosis Heroin gestorben war. Ich erinnere mich an jedes Wort des Gesprächs, das ich mit Ikonen in seinem Zimmer geführt hatte.

»Das Mädchen steckt wieder mal in Schwierigkeiten.«

Ikonen hatte durchs Fenster in die Ferne geblickt, die Hände tief in den Hosentaschen vergraben. Sein Anzug war tadellos korrekt und die Schuhe glänzten. Er begnügte sich nicht damit, auf sein eigenes Äußeres zu achten, sondern hielt auch nicht mit seiner Meinung hinter dem Berg, wenn ihm die Kleidung eines seiner Mitarbeiter nicht gefiel. Reicht das Gehalt eines Konstapels nicht für anständige Sachen?, lautete seine Standardbemerkung. Auch ich hatte diesen Satz als junger Polizist zu hören bekommen, als ich Woche für Woche Jeans und eine abgeschabte Lederjacke getragen hatte.

Als Ikonen lange genug auf den Horizont gestarrt hatte, stieß er aus: »Sie sterben wie die Fliegen und die vermisst auch niemand.«

»Vielleicht doch jemand.«

»Die Mutter oder der Vater?«, fragte Ikonen, ohne sich umzudrehen. »Wenn Süchtige nicht clean werden wollen, ist Sterben das Beste, was sie machen können. Es ist für die anderen nur eine Erleichterung.«

»Wollen sie nicht alle clean werden?«

»Wer es wirklich will, der schafft es auch. Andernfalls handelt es sich um Machtausübung und Rache, Rache an den Eltern, und das ist das Schlimmste, was ein Kind seinem Vater und seiner Mutter antun kann.«

Ich war schon im Gehen, als Ikonen fragte: »In welchem Zustand ist sie?«

Seine Tochter hatte geschrien, geweint, getobt, gespuckt und gedroht. Schließlich hatte ich einen stockenden Bericht über die Ereignisse des Abends aus ihr herausquetschen können. Anschließend hatte ich sie in die Nervenklinik Hesperia geschickt.

»In einem ziemlich schlechten.«

»Hast du Kinder?«, wollte Ikonen wissen.

»Nein.«

»Dann fragst du dich sicher, welche Fehler meine Frau und ich bei ihrer Erziehung gemacht haben. Ich kann sagen, dass wir sie erzogen haben, so gut wir es mit diesem bisschen menschlichen Verstand vermochten. Besser konnten wir es nicht. Sie bekam hundertmal mehr Aufmerksamkeit, als ich je bekommen habe. Wenn das nicht reicht, dann kann man nichts machen. Vielleicht gibt es Menschen, denen einfach nichts reicht.«

Ich mochte Ikonen nicht, aber für einen Moment hatte ich Mitleid mit ihm. So böse war er nicht, dass er ein drogensüchtiges Kind verdient hatte, niemand hatte das.

»Hat sie nach mir gefragt?«

»Nein.«

Ikonen zuckte mit keiner Miene. »Vielleicht ist es besser so.«

Ich umrundete das Haus, aber alle Türen und Fenster waren geschlossen, und kein Lebenszeichen war zu erkennen.

Falls wir hineinwollten, müssten wir einbrechen. Ich ging wieder nach vorn und sah, dass jemand bei Simolin stand und mit ihm sprach.

Das Verbrechen hinterlässt immer ein Spur, egal, ob man Opfer, Täter oder Ermittler ist. Ich behaupte, ich hätte gewusst, dass Simolins Gesprächspartner ein ehemaliger Polizist war, auch wenn ich den Mann nicht gekannt hätte. Einen Polizisten erkennt man nicht am Rasierwasser, an der Frisur oder an der Kleidung, sondern an der misstrauischen Miene und an kleinen eingefleischten Gesten und Gewohnheiten. Der Mann auf dem Hof war ein pensionierter Kommissar namens Kauko Salo aus der Diebstahlabteilung.

Wir schüttelten uns die Hand.

»Was machst du denn hier um diese Zeit?«

Salo zeigte auf das Haus auf der anderen Straßenseite. »Ich wohne in der Nachbarschaft, habe gesehen, dass ihr gekommen seid, ich besitze einen guten Feldstecher«, sagte er mit einem Lächeln.

»Es ist schon fast zwei Uhr.«

»Einmal Polizist, immer Polizist. Außerdem reichen in diesem Alter ein paar Stunden Schlaf und Mutter schreibt einem nicht mehr vor, wie lange man wachen oder schlafen soll.«

»Klingt beneidenswert. Hat Simolin erzählt, warum wir hier sind?«

»Dazu ist er noch nicht gekommen.«

Ich erzählte ihm von Ikonens Tod, aber nur so viel, wie unbedingt nötig war.

Salo wirkte ernst, aber nicht erschüttert. In seinem Alter wurde der Tod zur vertrauten und alltäglichen Angelegenheit.

»Ich ahnte, dass etwas passiert ist, als Aimo gestern nicht zur Versammlung des Schachklubs kam, obwohl er persönlich den Referenten besorgt hatte. Heute am frühen Abend habe ich nachgesehen, ob er daheim war, aber das war er nicht. Ich war sogar drinnen im Haus.«

»Wie bist du reingekommen?«

»Ich weiß, wo der Reserveschlüssel liegt. Aimo hat es mir gesagt, für den Fall, dass ihm etwas passiert. Sein Herz machte ihm zu schaffen und er wohnte allein. Er hatte Angst, dass er einen Anfall bekommen und dass man ihn erst nach Wochen finden könnte. Wir haben uns zwei, drei Mal die Woche angerufen, und wenn der eine nichts von sich hören ließ, ging der andere nachsehen, was los war.«

»Wann hattet ihr zuletzt Kontakt?«

»Vorgestern. Er rief an und fragte, ob ich zu der Veranstaltung des Klubs komme. Ich sagte ihm, dass ich mir nicht schlüssig sei. Ich hatte das Gefühl, dass bei mir eine Grippe im Anmarsch war.«

»Ikonen spielte also Schach?«, fragte ich.

»Ja, und recht gut sogar. Er war einer der Besten im Klub. Interessierst du dich für Schach? Wir könnten junge und aktive Leute gebrauchen. Unsere Mitglieder sind schon recht alt. Die Juden sind bekanntermaßen gute Spieler.«

»Ich nicht.«

Es war die Wahrheit. In jungen Jahren hatte ich gegen meinen Bruder Eli gespielt und stets verloren. Schließlich hatte ich aufgehört, als ich auch noch gegen meine kleine Schwester Hanna verlor.

»Du warst trotzdem bei der Versammlung?«, fuhr ich fort.

»Ja, weil sich mein Befinden überraschend besserte. Ich wunderte mich, dass Aimo nicht auftauchte, obwohl er eigens einen finnischen Spitzenspieler eingeladen hatte, der an der Entwicklung eines neuen Schachcomputers mitgewirkt hatte.«

»Wir sollten uns drinnen umsehen«, mahnte Simolin.

Ikonens Wohnung war, aus dem Stil zu schließen, in den Achtzigerjahren eingerichtet worden, und danach hatte die Familie es nicht für nötig befunden, Neues anzuschaffen. Der Durchschnittspolizist ist mittelständisch orientiert, er fühlt sich wohl und sicher, wenn er leben und handeln darf wie die große Mehrheit der Bevölkerung. Ikonens Wohnzimmer sah aus wie das von hunderttausenden anderen Finnen, es gab nichts Originelles. Trotzdem war zu erkennen, dass der Mann nicht so bescheiden gewesen war, wie er auftrat, denn sein in Öl gemaltes Porträt prangte an prominenter Stelle. Außerdem hing an der Wand ein gerahmtes Foto, das ihn zeigte, wie er aus den Händen des damaligen Innenministers die Verdienstmedaille der Polizei entgegennahm. Die Medaille hing daneben.

Das Bücherregal war dunkel gebeizt und prachtvoll, der Inhalt allerdings Schund, zumindest aus der Sicht eines Literaturkritikers. Eine lange Reihe dicker amerikanischer Bestseller, die die Autoren reich und die Leser arm machten, drei Bände aus der Reihe *Ein Polizist erzählt* sowie ein unbenutzt aussehendes, mehrbändiges Lexikon. Rot-goldene Lederrücken von A bis Z voller Wissen, das längst überholt war.

Überraschenderweise war der Barschrank mit den gläsernen Türen gut bestückt, obwohl Ikonen selbst nicht dem Alkohol zusprach und, wie allgemein bekannt, auch seinen Gästen keinen anbot. Selbst bei seinem Ausstand hatte es nur Tee und Kaffee gegeben. Vielleicht waren die Flaschen nur ein Teil der Einrichtung, so wie die im Regal verteilten Vasen und Reiseandenken.

Das Zimmer sagte auch aus, dass Ikonen keinen Kontakt zu seinen Töchtern unterhielt, ihre Fotos fehlten. Ein Schwarz-Weiß-Foto seiner Frau, aus Frisur und Kleidung zu schließen stammte es aus den Sechzigerjahren, hing über dem Fernseher an der Wand. Ihre Miene wirkte scheu und resigniert. Ikonen war sicher kein einfacher Partner gewesen.

Im Zeitungskorb lagen nur Tageszeitungen und Illustrierte sowie mehrere Publikationen des Schachklubs der Polizei.

Ich sah mich um und hatte das Gefühl, mich an die falsche Adresse verirrt zu haben. Ich war an wackelige Spanplattenregale, fleckige Sofas, herumliegende Mülltüten und leere Schnapsflaschen gewöhnt. An jenen Orten erschienen einem Verbrechen und Tod als angemessen, passten zur Umgebung wie ausgetretene Schuhe zu zerknitterten Hosen. Wäre Ikonen anwesend gewesen, hätte er mich wahrscheinlich gefragt, ob ich stets in schmutzigen Straßenschuhen durch anderer Leute Wohnzimmer zu trampeln pflegte.

Ich entdeckte eine Wanduhr im Eichengehäuse, die zur vollen Stunden schlug. Instinktiv blickte ich auf meine Armbanduhr, der Zeiger stand genau auf zwei.

Ich ging ins Arbeitszimmer. An einer Wand stand ein Bücherregal, unter dem Fenster ein alter Schreibtisch im amerikanischen Stil, darauf eine elektrische Schreibmaschine, ein Kofferradio, ein grüner Bleistiftanspitzer zum Anschrauben, wie es ihn noch in den 1970er-Jahren in jedem Klassenzimmer gegeben hatte, und ein *Ericsson*-Telefon mit Wählscheibe, sonst nichts. Salo war in der Tür stehen geblieben.

»Was für ein Mann war Ikonen aus deiner Sicht?«, fragte ich ihn.

Salo überlegte eine Weile. »Tja, was soll man darauf antworten ... Jedenfalls keiner, dem man auf die Schulter klopfte oder mit dem man mal ein Schwätzchen hielt. Er wahrte Distanz zu seinen Untergebenen oder eigentlich zu allen. Vielleicht rührte es teilweise daher, dass er sich hochgearbeitet hatte. Angefangen hat er als Bote, konnte dann die Grundausbildung machen. Er schob ein paar Jahre Wache und bewarb sich anschließend bei der Kripo. Ich glaube, dass er euch jungen, studierten Kollegen gegenüber Komplexe hatte. Manche hielten ihn wahrscheinlich für einen trockenen und langweiligen Beamten.«

Ich zum Beispiel, dachte ich im Stillen.

»Das war er zwar durchaus, aber er hatte auch gute Seiten«, fuhr Salo fort. »Er verlangte viel von seinen Untergebenen und wusste gute Arbeit zu schätzen, und er scharte keine Günstlinge um sich. Er war gleichmäßig gemein zu allen, außerdem war er ein guter Ermittler und dazu verdammt intelligent, das lässt sich nicht leugnen. Diese Seite an ihm kennst du wahrscheinlich selbst.«

Salo hatte recht, Ikonen war kein dummer Mann gewesen.

Ich öffnete die Schreibtischschublade und sah mir den Inhalt an. Ein paar Kugelschreiber, ein Bündel Visitenkarten, darauf nur Ikonens Name, die Telefonnummer vom Festnetzanschluss und der Titel: *Assessor.* Der war ihm kurz vor der Pensionierung verliehen worden.

»Und geizig war er wie der Teufel«, erinnerte sich Salo. »Ich war überzeugt, dass er eines Tages an einer Lebensmittelvergiftung stirbt. Wenn er dir mal Tee und belegte Brote anbot, tatest du gut daran, an der Wurst zu schnuppern, ehe du abgebissen hast. Unter Umständen war das Verfallsdatum längst überschritten. Ein Mal hatte er ein Paket Wurst auf dem Tisch liegen, deren Haltbarkeit vor vier Jahren abgelaufen war. Ikonen erklärte, dass sie im Gefrierschrank gelegen hatte, aber Wurst hält sich ja auch tiefgekühlt nicht unbegrenzt.«

»Du kamst trotzdem mit ihm aus?«, erkundigte sich Simolin.

»Auch wir gerieten manchmal aneinander, aber dann sagte ich ihm unverblümt, was für ein Arschloch er meiner Meinung nach war, und danach spielten wir mit offenen Karten. Wir kamen beide zeitgleich zur Kriminalpolizei, haben also insofern eine lange gemeinsame Geschichte, obwohl er später zur Mordermittlung wechselte. Wir wurden keine Herzensfreunde, aber wir kamen gut miteinander aus und achteten uns, jedenfalls glaube ich das. Ich begriff, dass er viel Schmerz in sich trug, den ein Mensch wie er auch nicht loswurde, wenn er darüber redete. Besonders die ältere Tochter war eine harte Prüfung für ihn. Ich fand, dass er sich ein wenig zum Positiven hin veränderte, nachdem er pensioniert worden war. Manchmal unterhielten wir uns sogar über seine Frau und die Kinder. Mir schien, als ob es ihm nicht besonders viel ausgemacht hätte, als seine Frau starb. Aber ich weiß nicht, wie weit man letztlich die Gefühle des anderen kennt.«

Ich war weitgehend der gleichen Meinung, was Ikonen anging. Er war weiß Gott nicht der Typ des väterlichen Chefs gewesen, auf jeden Fall aber ein erfahrener Polizist, der sein Fach beherrschte. Zu Salos Einschätzung hätte ich noch meine eigene Schlussfolgerung hinzugefügt, die ich bereits vor Zeiten gezogen hatte: Ikonen fürchtete, dass seine sorgfältig aufgebaute Schutzmauer bröckeln und dass dahinter Schwächen oder Mängel zutage treten könnten. Ich glaube, dass dieses Verhalten auf die eine oder andere Weise im Drogenproblem seiner Tochter begründet war. Ikonen war stets ein rätselhafter Mann gewesen. Man wusste nicht viel von ihm und er erzählte nur das Notwendigste über sich. Salo war wahrscheinlich derjenige unter den Kollegen, der ihn am besten kannte.

Ich blätterte in Ikonens Telefonverzeichnis und vertraute Namen aus dem Polizeipräsidium und dem Innenministerium huschten an meinen Augen vorbei. Als ich unter E nachsuchte, fand ich weder Erkkiläs Namen noch ihre Telefonnummer. Es wäre auch zu einfach gewesen. Ich steckte das Verzeichnis dennoch ein, es könnte uns helfen, falls wir Ikonens Töchter nicht fänden.

»Kannst du dir einen Grund vorstellen, warum Ikonen die Erkkilä aufgesucht haben könnte?«, wollte Simolin von Salo wissen, während er das Bücherregal inspizierte.

»Ich muss gestehen, dass mich diese Information ein bisschen überrascht hat. Mir schien, dass Ikonen zumindest in den letzten Jahren nichts mehr mit Kriminellen zu tun haben wollte. Diese Arbeit überließ er freiwillig den Ermittlern. Deshalb glaube ich, dass es sich um eine ältere Bekanntschaft handeln muss. Den Grund vermag ich nicht einzuschätzen. Meines Wissens hatte Ikonen in jüngeren Jahren recht gute Kontakte zur Unterwelt. Ob er nun gerade diese Frau kannte, weiß ich allerdings nicht. Zumindest hat er sie nie erwähnt.«

»Und er hat auch nicht angedeutet, dass er beabsichtigte, eine ehemalige Kriminelle zu treffen?«

»Nein.«

»Hat er denn jemals über seine Bekannten im Milieu gesprochen?«

»Ich glaube nicht, kann mich jedenfalls nicht erinnern.«

Ich sagte mir, dass Ikonen in dieser Hinsicht eine Ausnahme gewesen sein musste. Wer mit dem Ochsen pflügt, der redet vom Ochsen. Nach meinen Erfahrungen kamen ehemalige Polizisten nie von ihrer Arbeit los.

»Und du?«, fragte ich. »Kanntest du Maija Erkkilä?«

»Nicht wirklich, ich wusste von ihr und bin ihr auch mal begegnet. In jungen Jahren war sie ziemlich attraktiv. Sie hatte wohl so ein bisschen den Charakter eines Wanderpokals, wanderte von einem Gangster zum anderen und war zum Beispiel mit dem berüchtigten Einbrecher Petteri Väistö alias Rohr-Petteri – er war ein ehemaliger Rohrleger – liiert. Ich habe einige seiner Einbrüche untersucht und in dem Zusammenhang auch die Erkkilä befragt, aber sie hat kein Sterbenswörtchen von sich gegeben. Die beiden haben später geheiratet, und ich glaube, sie haben sogar ein gemeinsames Kind. Die Ehe hielt allerdings nicht lange.«

»Weißt du, wie es Rohr-Petteri geht und ob er noch am Leben ist?«

»Ich bilde mir ein, dass er schon Anfang der Achtzigerjahre gestorben ist. Petteri war ein ziemlich jähzorniger Mensch und ich glaube, irgendwann das Gerücht gehört zu haben, dass er in Stockholm in einer Absteige getötet wurde. Damals vertickte er dem Vernehmen nach Schnaps auf dem Slussen. Ich habe diese Information nie nachgeprüft, sah keinen Anlass.«

»Weißt du etwas über Erkkiläs übrige Männerbekanntschaften?«

»Wie gesagt, ich hielt sie für einen Wanderpokal, und da sie gut aussah, hatte sie bestimmt Beziehungen mit Dutzenden von Ganoven. Ob sie noch mit anderen als Rohr-Petteri Kinder hat, weiß ich nicht. Irgendwie ist mir in Erinnerung, dass sie ein zweites Mal geheiratet hätte, aber ich habe keine Ahnung, wen. Falls ich euch einen Rat geben darf: An eurer Stelle würde ich in diesen Ganovenkreisen nach dem Täter suchen. Dass Ikonen getötet wurde, ist bestimmt ein Zufall. Womöglich hat er die Erkkilä zur falschen Zeit zu Hause besucht, gerade als dort ein heftiger Familienstreit im Gange war. Der eifersüchtige Partner wunderte sich über den Kerl, der da auftauchte, und stach mit dem Messer zu, ohne groß zu fragen. So muss es gewesen sein.«

Ich notierte mir Salos Telefonnummer und dankte ihm mit Handschlag, damit er begriff, dass es Zeit war zu gehen.

»Was denkst du?«, fragte Simolin, als Salo die Tür hinter sich geschlossen hatte.

»Worüber?«

»Über diese Geschichte.«

Ich war so müde, dass ich gähnen musste. Im Laufe des Frühjahrs hatte ich mehr schlaflose Nächte verbracht, als mir zuträglich waren, und dabei ganz umsonst und ohne Ergebnis über den Sinn all der Mühsal nachgegrübelt. Meine Schlussfolgerung ließ sich in sechs Worten zusammenfassen: Eitelkeit über Eitelkeit, alles ist eitel.

»Ich bin so müde, dass ich mir keine Meinung mehr bilden kann.«

Allerdings kannte ich Simolin und wusste, dass er nicht lockerlassen würde, ehe ich nicht ein paar Alternativen auf den Tisch geworfen hätte, an denen er kauen könnte.

Also sagte ich: »Vielleicht hat Salo recht. Nichts weist darauf hin, dass Ikonen das Ziel war. Falls doch, wie konnte dann der Täter wissen, dass Ikonen zu der Erkkilä kommen würde? Außerdem hätte der Täter ihn viel einfacher vor seiner eigenen Haustür oder beispielsweise beim Einkaufen töten können.«

»Vielleicht hat die Erkkilä dem Täter geholfen und Ikonen in ihre Wohnung gelockt«, warf Simolin ein.

»Warum wurde sie dann ebenfalls getötet?«

»Weil sie Augenzeugin des Mordes an Ikonen war.«

»Umso einfacher wäre es gewesen, Ikonen bei sich zu Hause zu töten, dann hätte es nur eine Leiche gegeben. Eine Möglichkeit ist, dass die Erkkilä ihn zu sich gerufen hat, weil sie vor irgendetwas Angst hatte. Vielleicht hatte einer ihrer ehemaligen Partner gedroht, mit bösen Absichten zu ihr zu kommen, und ihr ist als Helfer in der Not kein anderer als Ikonen eingefallen. Das setzt natürlich voraus, dass sich Erkkilä und Ikonen einigermaßen gut kannten.«

»Vielleicht ist sie ja seine ehemalige Informantin«, schlug Simolin vor. »Das könnten wir rauskriegen, indem wir seine früheren Mitarbeiter befragen.«

»Ich besorge uns die Genehmigung, von beiden die Telefonverbindungsdaten einzuholen, dann sehen wir, ob sie sich gegenseitig angerufen haben«, versprach ich.

Kapitel 3

Die Leichen waren bereits ins Gerichtsmedizinische Institut nach Ruskeasuo gebracht worden. Die Obduktion würde frühestens am kommenden Morgen stattfinden, doch dass sie irgendwelche Überraschungen bringen würde, glaubte ich nicht. Wenn ein Toter mehrere Stichverletzungen aufwies, war er vermutlich an Messerstichen gestorben. Wir kehrten an den Tatort nach Puistola zurück, um Stenman abzuholen.

Stenman hatte Erkkiläs Papiere zusammengesucht und in einen Umzugskarton gepackt, jetzt saß sie am Küchentisch, hatte ihren halblangen Lammveloursmantel über die Lehne gehängt und blätterte in einem Heft mit schwarzem Wachstucheinband. Sie zeigte es uns.

»Ich werde wohl den Beruf wechseln. Als Lappland-Hexe verdient man weit mehr als als Polizeihauptmeisterin. Ich habe ausgerechnet, dass die Erkkilä im letzten Monat fast dreitausend Euro eingenommen hat. Mir ist übrigens eingefallen, dass einer ihrer Kunden der Täter sein könnte. Bei diesen Hotlines rufen viele gestörte Personen an. Vielleicht war jemand der Meinung, dass er von der Erkkilä schlecht beraten oder sogar betrogen wurde, besonders, falls er von ihrer kriminellen Vergangenheit erfahren hat.«

Stenmans Theorie war nicht schlechter als jene, die Simolin und ich entwickelt hatten. Ich befürchtete immer mehr, dass die Mordermittlungen im Falle Erkkilä und Ikonen doch nicht auf bloße Routine hinausliefen, wie ich anfangs geglaubt hatte.

Ein gewöhnlicher Totschlag im Suff ließ sich im Allgemeinen durch Befragung der Saufkumpane rasch aufklären und es gab keine verborgenen Motive. Jetzt gab es sogar zu viele davon, und sie waren womöglich uralt und aus irgendeinem Anlass zu neuem Leben erwacht. Ikonen war zuerst getötet worden, aber das konnte praktische Gründe gehabt haben. Der Täter hatte den Vorteil der Überrumpelung nutzen wollen, um den gefährlicheren Gegner auszuschalten. Die Frau konnte er anschließend immer noch töten. Aber ebenso gut konnte Ikonen auch das Ziel gewesen sein und die Frau war nur deshalb getötet worden, weil sie den Mord mit angesehen hatte. Die dritte Alternative war natürlich, dass jemand beide gleichzeitig loswerden wollte. Motive für diese letztere Möglichkeit waren viel schwerer vorstellbar als für die beiden ersten.

»Hast du Erkkiläs Telefon gefunden?«, fragte ich Stenman.

»Die Telefone«, präzisierte sie. »Außer dem Festnetzanschluss besaß sie ein Mobiltelefon.«

»Gut. Wenn wir von beiden die Verbindungsdaten bekommen, muss sich zwangsläufig irgendetwas ergeben.«

»Was haben wir denn hier?«, fragte Simolin und zeigte auf den Umzugskarton.

»Anrufdaten, Erkkiläs Briefwechsel mit ihren Kunden, Rechnungen, Einkaufsquittungen und so was.«

Die technischen Ermittler Siimes und Manner packten ihr Zubehör in die Aluminiumkoffer und Nylontaschen. Ich trat zu ihnen.

»Habt ihr etwas gefunden, was uns interessieren könnte?«

»Viele Fingerabdrücke«, sagte Manner. »Faserspuren von der Bluse der Frau und ein paar recht gute Fußabdrücke, von draußen ins Haus hineinführend, im Flur, unmittelbar neben dem Opfer. Größe dreiundvierzig, die Abdrücke stammen also wahrscheinlich von einem Männerschuh. Die anderen Fußabdrücke sind eliminiert.«

Ich erzählte, dass es eine weibliche Person gewesen war, die anonym bei der Polizei angerufen hatte.

»Die Abdrücke von Frauenschuhen stammen alle von denen des Opfers. Und die Kaffeemaschine war an, als wir kamen. Noch ungefähr eine Tasse Kaffee war übrig, der Rest war verdunstet. Im Filter befanden sich schätzungsweise vier Maß Pulver, wonach man die Flüssigkeitsmenge bestimmen kann. Wir haben vor, die Maschine mitzunehmen und die Verdunstungsgeschwindigkeit des Kaffees zu testen. Auf der Grundlage erfahren wir die etwaige Tatzeit, also den Zeitpunkt, an dem die Maschine eingeschaltet wurde. Prima Idee, oder?«

Ich bestätigte, dass der Gedanke gut und einfallsreich war.

»Eine Schätzung anhand der Körpertemperatur der Opfer ist schwierig, weil dieses Haus mit Holz geheizt wurde und die Räume durch den Nachtfrost ziemlich stark ausgekühlt waren. Als wir kamen, waren drinnen nur dreizehn Grad.«

»Vier Tassen Kaffee«, dachte ich laut. »Die Frau hat also einen Gast erwartet und Kaffee für ihn gekocht, ist aber nicht mehr dazu gekommen, den Tisch zu decken.«

»Oder Gäste. Auf jeden Fall standen das Opfer und der Besucher in irgendeiner Beziehung zueinander, für einen Feind kocht man keinen Kaffee. Aber morgen sind wir hoffentlich schon viel schlauer.«

Ich bedankte mich und wünschte beiden Männern schöne Träume.

Stenman, Simolin und ich hatten noch eine lange Nacht vor uns.

»Ob Erkkiläs Erben etwas dagegen haben, wenn ich Kaffee koche?«, fragte ich, es war mittlerweile drei Uhr nachts.

»Ich übernehme das«, erklärte Simolin und sah sich nach einem Gefäß um. Er fand einen kleinen Kochtopf und füllte ihn mit Wasser.

Wir saßen um den Küchentisch und sichteten Erkkiläs Papiere. In der Bodenkammer hatten wir noch mehr davon gefunden, außerdem alte Fotos.

Stenman zog ihren Mantel enger um sich, stand auf und sah auf das Thermometer, das außen am Küchenfenster befestigt war.

»Draußen sind fünf Grad minus. Wenn die Wohnung nicht geheizt wird, frieren die Leitungen ein und platzen womöglich. Das gibt große Wasserschäden.«

»Mach doch Feuer im Ofen. Anschließend haben dann die Erben die Verantwortung für das Haus. Kennst du dich mit Feuermachen aus?«

»Ob ich mich auskenne?«, schnaubte Stenman. »Falls du es noch nicht wusstest: Ich bin eine ehemalige Pfadfinderin, habe schon mit Feuerstein und Feuerzeug, mit dem Feuerbohrer und dem Brennglas Feuer gemacht!«

»Dann sei so gut, Pfadfinderin, und mach Feuer im Kamin. Wir müssen unbedingt auch Erkkiläs Sohn finden, er erbt ja vermutlich alles. Es gehört nicht zu unseren Aufgaben, das Haus warm zu halten.«

Vor dem Ofen stand eine Kiste mit Holz. Stenman nahm einen Birkenscheit und riss ein großes Stück Rinde ab, dann beugte sie sich vor und öffnete die Ofenklappe. Sie starrte eine Weile hinein, griff nach der Kohlenzange und holte etwas aus dem Feuerloch heraus, es war ein Stück verkohltes Papier. Stenman kam damit zu uns.

»Im Ofen sind Fotos verbrannt worden.«

Der Papierschnipsel entpuppte sich als das wenige Quadratzentimeter große Stück eines Farbfotos. Ich musterte es eingehend, erkannte das Fragment eines Kreises mit strahlenförmigen Strichen darin und versuchte, mir einen Reim darauf zu machen. Simolin unterbrach das Kaffeekochen, zückte ein Taschenmesser der Schweizer Armee und klappte eine kleine Lupe auf. Er nahm mir den Schnipsel aus der Hand und prüfte die Abbildung.

»Das Vorderrad eines Fahrrades und zwei Füße, der eines Kindes und eines Erwachsenen.«

Er reichte mir den Schnipsel samt Lupe, trat an den Ofen und stocherte darin herum.

Simolin hatte recht. Die Hitze hatte die Konturen verwischt, aber man konnte den Reifen und die Speichen erkennen. Wenn man das einmal identifiziert hatte, konnte man leicht die Pedale und darauf den nackten Fuß eines Kindes ausmachen. Neben dem Kinderfuß zeichnete sich die Kante eines Männerschuhs ab.

»Stimmt. Ein Kind auf dem Fahrrad, und ein Mann steht daneben und stützt das Rad.«

Stenman breitete vor dem Ofen eine Zeitung aus und schaufelte die Asche heraus. Simolin half ihr, indem er die Asche auf der Zeitung durchsuchte. Ich trat hinzu.

Simolin fand einen verschrumpelten, gelblichen Fetzen. »Hier sind auch Farbnegative verbrannt worden.« Er hielt das Negativfragment prüfend gegen das Licht. »Damit kann unsereiner nicht viel anfangen. Vielleicht finden die Leute im Labor des Landeskriminalamtes etwas heraus.«

»Du wolltest Kaffee kochen«, erinnerte Stenman ihn.

»Ah ja.«

»Und du den Ofen anzünden«, sagte ich zu ihr.

Als wir einen Augenblick später am Küchentisch Kaffee schlürften, war es fast gemütlich. Andere Fälle hatten wir derzeit nicht zu bearbeiten, sodass es egal war, wo wir unsere Zeit verbrachten.

»Falls es der Täter war, der die Fotos und Negative verbrannt hat, müssen sie irgendwelche Informationen über ihn enthalten«, sagte Stenman.

Simolin hörte aufmerksam zu und fuhr fort: »Das heißt, dass Erkkilä und der Mörder sich gut kannten. Warum hätte sie die Fotos wildfremder Leute bei sich aufbewahren sollen?«

Sowohl Stenmans als auch Simolins Schlussfolgerungen schienen vernünftig, aber trotzdem standen sie im Widerspruch zum Gesamteindruck der Situation. Menschen vom Schlage Erkkiläs starben, so wie es hier der Fall gewesen war, plötzlich und gewaltsam. Auch Ikonen ließ sich als zufälliges Opfer ins Bild einordnen. Nicht einordnen ließ sich jedoch, dass der Täter nach seiner Tat in aller Ruhe irgendwelche Fotos gesucht und vernichtet haben sollte. Und was hätte ein Foto von einem Kind, einem Fahrrad und einem Mann über den Täter verraten können? Als Antwort genügte vermutlich nicht, dass er auf dem Foto zu sehen war. Mit einem Kind und einem Fahrrad zusammen zu posieren, war keineswegs verboten. Es musste um etwas anderes gehen.

Gerade erzählte ich Stenman und Simolin von meinen Gedanken, als an die Tür geklopft wurde. Ich sah auf die Uhr, es war halb vier. Simolin öffnete seine Jacke und legte die Hand auf den Pistolenlauf.

»Vielleicht jemand von unseren Leuten«, sagte ich und stand auf.

Ich ging in den Flur und sah den Ankömmling durch die Glasscheibe. Keiner von unseren Leuten, eher einer von der Gegenseite.

»Maija, verflucht, mach auf! Wer, schum Teufel, isch da?« krakeelte der Besucher.

Ich öffnete. Der Mann war in den Fünfzigern und fast kahlköpfig, sein farbenfroher Sportblouson war weit aufgerissen. Er war volltrunken, stierte mich an und wiegte dabei den Oberkörper hin und her wie eine Kobra vor dem Schlangenbeschwörer. Sein Mund stand offen und ich sah, dass ihm im Oberkiefer rechts vorn drei Zähne fehlten. Vielleicht hatte er seine Brücke verloren. Dieser Umstand und die Trunkenheit erklärten sein Gezischel.

»Wasch für'n Kerl willscht du denn schein?«

»Wer sind Sie?«, fragte ich weitaus akademischer.

»Du Lump verschwindescht jetscht«, sagte der Mann und machte einen Schritt auf mich zu. »Falsch nich, bereuscht du esch. Mein Groschvater war in der Leibgarde vom Tscharen. Ich komme ausch einer Killerfamilie, bin ein echter Nikutin.«

Der Mann streckte beide Arme aus und näherte sich mir, so als wollte er mich in den griechisch-römischen Ringergriff nehmen. Ich zog mich ein wenig zurück.

»Polizei. Wer sind Sie?«

Der Mann hielt inne und versuchte, sich Haltung zu geben. »Aha, ein Bulle ...«

Ich zeigte meine Dienstmarke. Simolin baute sich hinter mir auf.

»Und noch ein Bulle«, begriff der Mann. »Wie viele scheid ihr da eigentlich?«

»Drei«, sagte Stenman und kam ebenfalls in den Flur.

»Kommen Sie herein.«

»Ich hab nischt gemacht! Nischt schu tun mit dieschen Schachen. An eurer Schtelle würde ich nischt von dem glauben, wasch dasch Weibschtück erzählt. Schie bescheißt und bescheißt und bescheißt. Ich mach keine krummen Schachen mehr. Ich arbeite hart und schahle einen Haufen Schteuern, scho wie alle anderen.«

»Herein!«, kommandierte ich erneut.

Der Mann machte einen schwankenden Schritt vorwärts, stieß gegen den Türrahmen, schaffte es aber schließlich in den Flur.

»Name?«

»Ich will erscht wischen, welcher Verdacht gegen mich beschteht.«

»Welchen Verdacht sollten wir denn gegen Sie haben?«, fragte Stenman.

»Wiescho schollte? Ich kapier niksch.«

»Sie werden noch gar nicht verdächtigt. Maija Erkkilä ist tot. Wir untersuchen den Todesfall.«

Dem Mann blieb der Mund offen stehen. »Isch Maija tot? Meine Maija Orvokki …«

»Wieso Ihre?«, fragte Stenman.

»Maija isch meine Frau, oder Ex, und nich blosch Braut, schondern richtige Ehefrau, mit Schtandeschamt und allem. Ihr wollt mich reinlegen, schie kann gar nich tot schein! Ich hab gestern, nee, vorgestern noch mit ihr geredet. Wer hat schie getötet?«

»Haben Sie Vorschläge?«, fragte Stenman barsch.

»Ich weisch gar nischt! Isch Maija wirklich tot, meine Maija?«

»Haben Sie Papiere?«

Nikutin führte einen kurzen und heftigen Kampf mit seiner Hosentasche, bekam die Brieftasche zu fassen und klappte sie auf. Schließlich fanden die tastenden Finger auch den Führerschein. Der Mann war der, der er zu sein behauptete.

»Wo waren Sie gestern?«, fragte Simolin.

»Hatte Schtreit mit Maija und hab angefangen schu schaufen. Geschtern war ich bei 'nem Kumpel in der Gartenlaube. Wir haben geschoffen und ich bin über Nacht dageblieben, obwohl esch verdammt kalt war.«

»Wie heißt der Kumpel?«

»Lehtinen, Lauri Lehtinen, genannt Late. Schie können ihn ja fragen.«

Simolin notierte sich den Namen.

»Das machen wir. Wohnen Sie sonst hier?«

»Ab und schu. Ich hab auch 'ne eigene Wohnung in Vantaa, oder scho wasch Ähnlichesch wie 'ne Wohnung, aber ich dachte, Maija hat schich vielleicht beruhigt und läscht mich ...«

»Wann waren Sie zuletzt hier?«

»Vor schwei Tagen ... ja, am Donnerschtag war esch.«

»Worüber haben Sie gestritten?«

»Scho Schachen unter Betrunkenen eben, einen echten Grund braucht man da nich.«

Nikutin hatte sich offenbar berappelt. Vielleicht kam es durch den Schock. Das Zischen hatte jedoch nicht aufgehört.

»Wie lange waren Sie verheiratet und wann wurden Sie geschieden?«, fragte Stenman.

»Fascht schwei Jahre, vorher waren wir schon ein Jahr schuschammen. Die Scheidung trat erscht letschten Schommer in Kraft.«

»Hatte die Erkkilä nach Ihnen andere Freunde?«

»Irgendein Kerl war hier, aber ich weisch nischt von ihm. Deschwegen hatten wir auch den Schtreit, aber Maija wollte nich darüber reden.«

»Woher wissen Sie, dass jemand hier war?«

»Drauschen vorm Haus waren Reifenschpuren. Ich hab schie danach gefragt, aber schie wollte mir nischt darüber schagen.«

»Kennen Sie einen Polizisten namens Aimo Ikonen?«, fragte ich.

»Schagt mir nischt.«

»Und die Erkkilä hat nie über einen Polizisten gesprochen, den sie kannte?«

»Beschtimmt nich, jedenfalls nich mit mir. Maija mochte keine Polischischten.«

»Die Erkkilä hatte angeblich einen Sohn, wissen Sie, wo er wohnt?«

»In Eschpoo, mehr weisch ich nich. Ich weisch blosch, dasch er Petri heischt.«

»Irgendwas werden Sie schon noch wissen.«

»Eben nich. Maija erschählte, dasch schie den Jungen insch Heim gegeben hat, alsch er ein paar Jahre alt war. Alsch er erwachsen war, wollte er scheine Mutter nich mehr schehen. Jetscht isch er wohl schon weit über schwanschig. Von den Pflegeeltern hat Maija erfahren, wie gut er schich gemacht hat, dasch er Schulen beschucht und einen ordentlichen Arbeitschplatsch gekriegt hat. Vor einiger Scheit hat Maija rauschgekriegt, wo der Junge wohnt, und wasch machte schie? Schie schrieb ihm einen Brief. Er hat angeblich blosch geschagt, dasch dasch Vergangene vergangen isch und dasch er keine Mutter hat.«

Nikutin setzte sich an den Küchentisch und suchte in den Taschen seiner Jacke. Eine kleine Flasche *Koskenkorva* kam zum Vorschein.

»Darf ich mir einen Schluck genehmigen?«

»Besser nicht«, sagte ich. »Wir müssen Sie für einige Zeit in Gewahrsam nehmen, damit Sie ausnüchtern. Wir unterhalten uns dann weiter. Inzwischen nehmen wir Kontakt zu diesem Lauri Lehtinen auf und überprüfen auch ein paar andere Fakten. Falls Sie uns etwas zu sagen haben, sollten Sie es in Ihrem eigenen Interesse jetzt gleich tun.«

»Ich hab dasch nich getan! Auch wenn Schie esch nich glauben, aber ich liebte schie immer noch, meine Maija Orvokki. Ich hätte schie niemalsch töten können. Man glaubt esch vielleicht nich unbedingt, aber ich bin verdammt empfindscham. Mein Vater war Rusche und ...« Zur Bestätigung seiner Worte stellte Nikutin die Flasche auf den Tisch, bedeckte das Gesicht mit den Händen und fing an zu schluchzen.

Kapitel 4

»Ikonens älteste Tochter Tarja ist tot«, sagte Oksanen und warf sich auf meinen Besucherstuhl. »Sie starb vor gut einem Monat an einer Überdosis. Wie ich hörte, war sie lange clean, wurde aber vor einem Jahr rückfällig.«

»Warum hat niemand bei uns davon erfahren?«

»Weil sie in Järvenpää wohnte, nicht in Helsinki, und zwar in irgendeiner Wiesenpieperkommune der Grünen. Kann sein, dass eine Notiz in der Lokalzeitung stand. Ich habe mit dem dortigen Kommissar gesprochen und er erzählte, dass zu der Truppe noch weitere ehemalige Junkies gehörten und dass dieser Todesfall dort nicht der erste war.«

In der morgendlichen Besprechung war entschieden worden, dass Ikonens Name noch nicht publik gemacht würde. Es sollte nur von zwei Opfern die Rede sein. Außerdem hatte ich meinen Mitarbeiter Oksanen beauftragt, die Kontaktdaten von Ikonens Töchtern und Erkkiläs Sohn zu beschaffen. Zwei weitere Ermittler waren auf eine neuerliche Fragerunde nach Puistola und ins Einkaufszentrum Pukinmäki, aus dem die unbekannte Frau angerufen hatte, geschickt worden. Simolin machte in der Dienststelle Überstunden, und Stenman hatte versprochen, schon am Nachmittag wiederzukommen, um ihm zu helfen.

Ich selbst war um halb zehn Uhr vormittags in meiner Wohnung in Punavuori angekommen und fast sofort eingeschlafen. Seit drei Uhr nachmittags war ich wieder im Dienst und hörte mir jetzt Oksanens Bericht an.

Die Nachricht vom Tod der Tochter überraschte mich insofern, als Ikonen nur einen Monat zuvor bei uns in der Dienststelle gewesen war. Mehr als drei Jahre lang hatte er seine ehemaligen Kollegen kein einziges Mal besucht und jetzt kam er, obwohl der Tod der Tochter nur wenige Tage zurücklag. Ich hatte ein paar Worte mit ihm gewechselt und er hatte zu verstehen gegeben, dass alles in Ordnung war. Von seiner Tochter hatte er kein Wort erwähnt. Ich wusste, dass ein Mann wie Ikonen nicht am Kontakt zu seinen früheren Untergebenen interessiert war, sofern er keinen guten Grund dafür sah. Wenn er also nicht auf Mitleid wegen des Todes der Tochter aus gewesen war, was hatte er dann im Polizeipräsidium gesucht?

Da kam mir ein neuer Gedanke: »Erinnerst du dich, dass Ikonen vor einem Monat hier war? Hat er dir irgendwelche Fragen gestellt?«

»Nein, mir jedenfalls nicht, falls du dienstliche Dinge meinst. Wir haben uns über Hobbys unterhalten. Er hat mich gefragt, ob ich immer noch Rallyes fahre.«

An Oksanens diesbezüglichem Hobby bestand kein Zweifel. Auch jetzt trug er zum Beispiel einen dunkelblauen Mercedes-Benz-Blouson, und darunter, wie man sehen konnte, einen schwarzen Reklamepullover von Audi. Die Baseballkappe, die er auf dem Schoß hielt, trug die Aufschrift *FPRC*, eine Abkürzung für *Finnish Police Rallye Club.*

»Und er seinerseits erzählte, dass er im Schachklub der Polizei aktiv war und dass er die Anschaffung einer Zweitwohnung in Spanien plante.«

»Er hat die Wohnung in Spanien von sich aus erwähnt?«, fragte ich verwundert. Früher hätte Ikonen eine solche Nachricht bis zuletzt zurückgehalten. Er hätte sogar rein aus Prinzip seine Schuhgröße verheimlicht.

»Wir kamen wohl darauf, weil es damals so kalt war. Ich fragte ihn, ob ein Pensionär bei solchem Wetter nicht lieber seine Knochen an südlichen Sonnenstränden wärmen sollte.«

»Und das war alles?«

»Er sagte noch, dass er wohl erst sein Haus verkaufen müsste, er fand, dass es zu groß und zu aufwendig für eine einzelne Person war.«

Ikonen war ja geradezu gesprächig gewesen. Vielleicht war er inzwischen milder geworden, obwohl das schwer zu glauben war.

»Weißt du, mit wem Ikonen sonst noch geredet hat?«

»Ich sah ihn in der Kantine mit Vänskä.«

Vänskä war ein langgedienter Überwachungsspezialist, der jetzt dem Drogendezernat zugeordnet war.

»Und die jüngere Tochter, hast du sie gefunden?«

»Ja, sie heißt Saara, geboren neunundsechzig, wohnt in Helsinki, laut Unterlagen seit drei Monaten. Vorher lebte sie knapp fünf Jahre in Kopenhagen. Sie hat ein Studio in Vallila, ich habe die Adresse und Telefonnummer notiert.«

Oksanen suchte in seinen Taschen, fand ein kariertes Blatt Papier, das auf die Größe einer Spielkarte zusammengefaltet war, gab es mir und fuhr fort:

»Erkkiläs Sohn ist ein weit schwierigerer Fall. Die Inobhutnahme und die Unterbringung in einer neuen Familie liegen schon so lange zurück, dass die Papiere wahrscheinlich tief unten im Archiv des Jugendamtes vergraben sind. Auf jeden Fall muss er einen neuen Familiennamen angenommen haben, vermutlich den seiner Pflegeeltern. Petri Erkkiläs in passendem Alter gibt es im ganzen Land nicht, und bei Maija Erkkiläs Daten ist nichts von einem Kind vermerkt, was ich recht seltsam fand.«

»Wie hat sie den Sohn dann gefunden?«

»Sie muss die Pflegeeltern gekannt haben, anders kann ich es mir nicht erklären. Wir wissen ja nicht mal sein Geburtsdatum.«

Der Hausapparat auf meinem Schreibtisch klingelte. Huovinen meldete sich und wollte wissen, ob ich sofort in sein Büro kommen könnte.

Jedes Mal, wenn mich einer meiner Vorgesetzten bat, sofort zu kommen, wusste ich, dass ich an einem Fall arbeitete, der für irgendwelche Leute heikel war. Außerdem war Huovinen nicht der Sofort-zu-mir-Typ. Wen die Ermittlungen diesmal nervös machten, würde ich gleich erfahren.

Ich stand auf und sagte zu Oksanen: »Versuch, dem Jugendamt etwas über Maija Erkkiläs Sohn zu entlocken. Er kann sich ja nicht in Luft aufgelöst haben.«

»Und Ikonens Tochter, wer sagt es ihr?«, fragte er.

»Ich.«

»Du hast heute frei.«

»Danach sieht es nicht aus. Ich kann auf dem Heimweg vorbeifahren.«

»Hast du noch nicht gehört, dass es die Medaille ›Held der Arbeit‹ nicht mehr gibt? Auch Simolin ist schon den ganzen Tag hier. Er dopt sich bestimmt illegal.«

»Was hat er gemacht?«

»Die älteren Kollegen nach Ikonen und Erkkilä ausgefragt.«

Die Tatsache, dass Vizepolizeichef Leivo in Huovinens Büro saß, war keine große Überraschung.

Leivo trug Uniform. Daraus konnte man schließen, dass er zu einer Veranstaltung wollte, auf der es galt, die Ordnungspolizei vollzuschleimen, oder er kam von einer solchen.

Huovinen zog hinter Leivos Rücken eine entschuldigende Grimasse. Der Vizepolizeichef hingegen sah ernst aus, was ihm mit seinem Gesicht einer Frohnatur sicherlich schwerfiel. Er fühlte sich am wohlsten unter fidelen Leuten – seines Ranges natürlich – und bei Anlässen, bei denen man ex trank, Trinksprüche ausbrachte, Präsente zum fünfzigsten Geburtstag überreichte, die Geheimnisse des Universums mit Logenbrüdern teilte, saunierte, Krebse aß, die Spargelsaison eröffnete, erneut das Glas erhob und am Ende des Abends von der Rührung über die Güte und Fülle des Lebens übermannt wurde. In solcher Gesellschaft hatte Leivo Großmeisterniveau.

»Ich hörte traurige Nachrichten über meinen geschätzten Vorgänger Ikonen und würde gern wissen, wie es um die Ermittlungen steht.«

Ich erzählte ungefähr alles, was ich wusste, außer Oksanens Ermittlungsergebnissen und dem Umstand, dass Ikonen im Präsidium gewesen war, um seine ehemaligen Kollegen zu besuchen.

Leivo räusperte sich und rieb sich die Augenwinkel.

»Hoffentlich gibt es im Zusammenhang mit Ikonens Tod nichts, was in der Öffentlichkeit zu seinen Ungunsten ausgelegt werden könnte.«

Ich dachte kurz über die Frage nach, die Leivo da so fein formuliert hatte. Er war nicht umsonst Vizepolizeichef.

»In dieser Phase braucht man sich darüber keine Gedanken zu machen«, sagte ich.

»Angesichts des Vorlebens dieser zweiten Toten, Erkkilä, hat die Situation unangenehme Seiten. Ikonen stand während seiner ganzen Laufbahn und bis zuletzt viel in der Öffentlichkeit und er wird weiterhin eng mit der Helsinkier Polizei in Verbindung gebracht. Er hat außerdem Angehörige. Es versteht sich von selbst, dass wir feinfühlig sein müssen, nicht wahr?«

»Das sind wir immer«, antwortete Huovinen an meiner Stelle.

»Natürlich, sofern kein Anlass besteht, es nicht zu sein«, fügte ich hinzu.

Leivo runzelte die Brauen.

»Was soll das bedeuten?«

»Ich meine, dass auch Feingefühl seine Grenzen hat, falls wir in eine Situation kommen, in der ermittlungstaktische Gründe erfordern, dass bestimmte Dinge veröffentlicht werden.«

Meine Antwort hatte deutliche Parallelen zu Leivos erster Antwort. Vielleicht war es ansteckend.

»Was könnten das zum Beispiel für ermittlungstaktische Gründe sein?«

»Etwa, wenn Ikonen in ein Verbrechen verwickelt wäre.«

Ich hatte das nur so dahingesagt, ohne groß nachzudenken.

»Wirkt weit hergeholt.«

»Es war nur ein Beispiel. Ich nehme nicht an, dass aus Ikonens Leben irgendetwas auftaucht, ich will nur keine Möglichkeit ausschließen.«

Leivo sah mich misstrauisch an. Er verdächtigte mich einer zielgerichteten, hinterlistigen Quertreiberei, deren Charakter ihm noch nicht klar war.

»Ich wäre dankbar, wenn ich über alle Phasen der Ermittlungen unterrichtet würde, denn ich will keine Überraschungen. Hast du in diesem Stadium schon irgendeine Vorstellung, worum es sich handeln könnte?«

Ich erzählte ihm von meiner Vermutung, dass Ikonen zufällig zum Opfer wurde, dass die Tötung Erkkiläs jedoch geplant gewesen war.

»Und wenn es sich nun um Eifersucht und ein Missverständnis handelte? Der Freund der Frau kommt, findet Ikonen bei ihr und zieht übereilte Schlüsse?«

»Auch das ist möglich«, gab ich zu. »Ich glaube, dass wir weiterkommen, wenn wir herausfinden, warum sich Ikonen mit der Erkkilä getroffen hat und wer von beiden das Treffen initiiert hat. Das geht wahrscheinlich aus den Telefonverbindungsdaten hervor.«

»Anscheinend kannten sie sich«, äußerte Leivo tastend.

»Ziemlich sicher.«

»Ikonen hatte eine drogenabhängige Tochter, die sich unter Kriminellen bewegte. Vielleicht findet sich da die Erklärung.«

Ich war ein wenig überrascht, dass er von Ikonens Problemkind wusste. Leivo war von der Polizei Lahti nach Helsinki gekommen. Dann fiel mir ein, dass er zunächst ein paar Jahre als Ermittler in der Diebstahlabteilung gearbeitet hatte, vielleicht hatte er in diesem Zusammenhang von Ikonens Tragödie erfahren.

Leivo bestätigte meine Vermutung auch gleich: »Ich wünsche niemandem den Kummer, dass die eigene Tochter drogensüchtig wird. Als ich in der Diebstahlabteilung arbeitete, wurde Ikonens Tochter eines Tages wegen Ladendiebstahls festgenommen. Ich hatte damals selbst Dienst und nahm die Anzeige auf. Die gestohlene Ware war so wertvoll – eine teure Lederjacke, glaube ich –, dass der Fall nicht als Bagatelle abgetan werden konnte. Wir saßen damals noch in der Aleksanterinkatu, und als Ikonen von der Sache erfuhr, kam er an wie ein Wirbelwind und schimpfte uns alle in Grund und Boden. Aber was sollten wir machen? Als er sich beruhigt hatte, führten wir den Fall wie normal üblich zu Ende. Danach grüßte Ikonen all die nicht mehr, die daran beteiligt waren. Später haben wir auch diesen Streit begraben. Ich hatte mit Ikonen immer tiefes Mitgefühl wegen seiner Tochter.«

Leivos Rede hatte einen pastoralen Ton angenommen. Er bemerkte es und wurde um ein paar Grad barscher.

»Das ist vorbei und gewesen. Kafka, halt mich auf dem Laufenden über die Ermittlungsetappen. Man kann mich notfalls auch zu Hause anrufen.«

Die Erlaubnis, ihn zu Hause anzurufen, war ein so großes Zugeständnis von Leivo, dass ich begriff, wie ernst er die Sache nahm.

Huovinen begleitete mich hinaus und sagte: »Du hast eigentlich frei, also ab nach Hause.«

Ich erzählte ihm, dass wir Ikonens zweite Tochter gefunden hatten und dass ich sie noch aufsuchen wollte, um sie über den Tod ihres Vaters zu informieren.

Huovinen legte mir die Hand auf die Schulter. »Aber anschließend wird zu Hause ausgeruht. Morgen lassen wir dann die Bösewichte bereuen, dass sie geboren wurden.«

Als ich mich gerade wieder meinem Büro näherte, hörte ich, dass dort das Telefon klingelte. Ich machte ein paar Laufschritte und riss den Hörer an mich, um zu verhindern, dass der Anrufer aufgab. Es war Sipilä, ein Mordermittler von der Polizei Espoo.

»Ich hörte von Kari Takamäki, dass du den Doppelmord von Puistola an der Backe hast. Kari und ich sind Nachbarn und wir joggen zusammen. Wie steht es in dem Fall?«

Kari Takamäki war ein Kommissar aus der Nachbarabteilung und saß drei Türen weiter. Ich beschrieb Sipilä kurz die Situation, denn mir war klar, dass er nicht aus persönlicher Neugier fragte.

»Ich rufe an, weil es auch hier bei uns, genauer gesagt in Haukilahti, gestern Abend einen Messerangriff gegeben hat. Eine Frau öffnete die Tür und bekam sofort ein Messer in die Rippen. Sie überlebte und liegt in der Klinik. Einer unserer ehemaligen Brandermittler erinnerte sich, dass diese Frau bereits in einem früheren Fall aufgetaucht ist, und daraufhin habe ich mal ihren Hintergrund gecheckt. Ich stellte fest, dass sie eine gemeinsame Geschichte mit eurem zweiten Opfer, dieser Maija Erkkilä, hat.«

»Was meinst du mit gemeinsamer Geschichte?«

»Verdacht des Versicherungsbetrugs, liegt allerdings schon mehr als acht Jahre zurück. In der Firma, die unserem Opfer gehörte, entstand ein Brand, bei dem Maschinen und Anlagen im Wert von mehr als dreihunderttausend Mark vernichtet wurden. Die Brandursache konnte nicht geklärt werden und der Experte der zuständigen Versicherung hegte den starken Verdacht, dass die Maschinen uralt gewesen waren und dass die Besitzerin auf diese Weise zu neuen kommen wollte. Beweise fanden sich nicht und eure Maija Erkkilä bezeugte, dass die Frau bei Ausbruch des Brandes bei ihr gewesen war. Die Frau siegte in der Sache und die Versicherung musste zahlen.«

»Habt ihr schon mit ihr sprechen können?«

»Ich war heute Morgen dort, aber viel Zeit war nicht, weil sie am Vormittag operiert werden sollte. Laut Aussage des Arztes können wir die Befragung erst morgen früh fortsetzen. Du willst sicherlich mitkommen?«

»Natürlich komme ich mit. Was hast du von ihr erfahren?«

»Sie erzählte, dass sie allein zu Hause war, als es an der Tür klingelte. Sie öffnete und spürte sofort einen Stich in den Rippen, gleich darauf einen zweiten. Sie hob schützend die Hände und auch die bekamen zwei Stiche ab. Dann konnte sie jedoch die Tür so weit zuschlagen, dass die Hand des Angreifers darin stecken blieb und das Messer nach innen fiel. Der Angreifer flüchtete. Sie hat sein Gesicht nicht gesehen, weil die Lampe über der Treppe nicht brannte. Der Kerl war jedenfalls ein groß gewachsener Mann mit einer Spielkartentätowierung auf dem Handgelenk. Die Tätowierung hat sie gesehen, zwar trug der Mann Handschuhe, aber die ließen das Gelenk frei.«

»Habt ihr irgendetwas gefunden?«

»Nein. Die Geschädigte wohnt in einem Eigenheim, sodass die Nachbarn nichts gesehen oder gehört haben. Laut Aussage der Frau flüchtete der Angreifer zu Fuß. Die Tatortuntersuchung hat ergeben, dass sich im Großen und Ganzen alles so abgespielt hat, wie die Frau behauptet. Ihr Ehemann befand sich nachweislich auf einer Dienstreise. Es handelt sich um eine ziemlich frische Ehe, die beiden haben keinen Streit, die Nachbarn jedenfalls halten sie für ein glückliches Paar. Mir drängte sich gewaltsam der Gedanke auf, dass wir nach demselben Täter suchen.«

»Kann sein. Und das Messer?«

»Ein gewöhnliches Zimmermannsmesser vom Typ *Mora* mit Kunststoffgriff.«

»Passt auch zu uns«, sagte ich, obwohl ich wusste, dass *Mora*-Messer mit Kunststoffgriff in jedem Heimwerkerladen verkauft wurden. »Wir warten allerdings noch auf die endgültige Aussage des Rechtsmediziners. Was ist sonst von der Frau bekannt?«

»So um die fünfzig, wohnt seit drei Jahren im jetzigen Haus, Unternehmerin, ein paar Bußgelder wegen überhöhter Geschwindigkeit, verheiratet mit einem Anwalt. Beide gut situiert.«

»Kinder?«

»Beide Partner waren vorher schon mal verheiratet, und der Mann hat drei erwachsene Kinder, die woanders wohnen. Er hat es mir selbst gesagt, ich habe mit ihm telefoniert.«

»Gib mir noch den Namen der Frau.«

»Tuula Anneli Uotila.«

»Danke. Ich sehe mal nach, was wir über sie haben oder ob wir überhaupt etwas haben. Gib mir Bescheid, wenn du ins Krankenhaus fährst.«

»Alles klar, wir sehen uns morgen.«

Ich klopfte bei Simolin und trat in sein Büro, ohne eine Einladung abzuwarten. Er hatte einen Stapel mit Jahrgängen der Zeitung *Kriminalpolizei* vor sich und blätterte gerade in einem Ordner.

»Du solltest eigentlich zu Hause sein.«

»Ich konnte einfach nicht gehen. Mir kamen ein paar Gedanken, die ich verfolgen wollte.«

Ich nahm einen der Zeitungsordner und setzte mich auf Simolins einzigen Besucherstuhl.

»Erzähl.«

»Ich habe versucht, Ikonens und Maija Erkkiläs Beziehung zu klären, habe mich mit einigen bereits pensionierten Kollegen unterhalten und sie gefragt, wie Ikonen damals war, als er noch selbst ermittelte. Ich muss gestehen, dass die Informationen, die ich bekam, anders ausfielen, als ich erwartet hatte. Ikonen galt als guter Mann der Basis, der heiße Kontakte und ein dichtes Spitzelnetz besaß. Jemand sagte geradeheraus, dass Ikonen bei den Ehefrauen von inhaftierten Gangstern sehr gefragt war.«

»Falls es stimmt, war er nicht der Einzige. Damals machten das auch viele andere. Aber wussten die Kollegen etwas über Maija Erkkilä?«

»Sie sah dem Vernehmen nach in jungen Jahren wirklich gut aus, ließ sich sogar für einige damalige Männermagazine ablichten. Verkehrte hauptsächlich unter Dieben und Bankräubern. Alle wussten, dass sie einige Zeit mit Rohr-Petteri verheiratet gewesen war, aber von dem zweiten Ehemann hatten sie sonderbarerweise keine Ahnung.«

»Waren sie der Meinung, dass zwischen Ikonen und Erkkilä etwas lief?«

»Sie wussten nichts Genaues. Da kommen wir dann auch gleich zu diesem anderen Problem. Ich brachte die Überreste der Fotos und Negative ins Labor und bekam sofort eine Vergrößerung von dem Fotoschnipsel mit dem Fahrrad, dem Kinderfuß und dem Männerschuh. Der Schuh begann mich zu interessieren.«

Simolin reichte mir die Vergrößerung, sie war etwa zehn mal fünfzehn Zentimeter groß. Das Vergrößern hatte die

Abbildung unscharf gemacht, zugleich aber ein paar Details hervorgehoben.

»Ich habe mich über den Schuh informiert. Das Modell nennt sich Quastenloafer, es hat obendrauf zwei Lederquasten, und die Farbe ist rotbraun. Diesen Schuh gab es im Finnland der Siebzigerjahre selten, damals nämlich ist das Foto laut Aussage des Labors vermutlich entstanden. Ich muss gestehen, dass das Ganze ein Schuss ins Blaue war, aber ich glaube, ich habe etwas gefunden.«

Simolin nahm einen der Jahrgangsordner vom Schreibtisch. Zwischen den Seiten steckte ein gelber Haftnotizzettel. An dieser Stelle schlug Simolin den Ordner auf und reichte ihn mir.

Die Seite enthielt ein Foto, auf dem mehrere Führungskräfte des Helsinkier Polizeipräsidiums englischen Kollegen das Gebäude in der Aleksanterinkatu zeigten. Ikonen war auch dabei, stand ziemlich an der Seite.

»Sieh dir die Schuhe an.«

Ich tat es, aber das Foto war so unscharf, dass ich keine Details erkennen konnte.

»Man muss genau mit der Lupe hinschauen, aber lass sein und sieh hier.«

Auf Simolins Schreibtisch lag ein brauner Briefumschlag, randvoll mit Fotos. Er zog das oberste heraus und reichte es mir.

»Ein Journalist von *Helsingin Sanomat,* den ich kenne, hat mir den Umschlag aus dem Fotoarchiv geliehen. Es ist Ikonens. Er war so oft in der Zeitung abgebildet, dass er im Archiv einen eigenen Umschlag hat.«

»Ich verstehe, ich sehe mir die Schuhe an«, sagte ich, ehe Simolin weiterreden konnte.

Es war ein Schwarz-Weiß-Foto. Ikonen unterhielt sich mit drei Männern, im Hintergrund standen ein Fotograf, der die Situation mit der Kamera einfing, und ein paar neugierige Zuschauer. Ich drehte das Foto um und fand auf der Rückseite, mit Maschine geschrieben, die Erklärung: *Familien-*

mord in Maunula. Kriminaloberkommissar Aimo Ikonen spricht am Tatort mit Journalisten.

Das Foto war eine Nahaufnahme und so scharf, dass Ikonens Schuhe und die Quasten darauf deutlich zu erkennen waren.

»Quastenloafer«, sagte Simolin. »Ich vermute, dass der Mann, der neben dem radelnden Kind steht, Ikonen ist.«

Als Erstes fiel mir ein, dass Simolin ein wirklich guter Polizist war. Aber welche Bedeutung hatte die Schuhinformation? Es dauerte einen Moment, ehe sich die neu geformten Puzzleteilchen sortiert hatten.

»Wir gingen davon aus, dass der Täter die Fotos und Negative verbrannt hat, weil er darauf zu sehen war, stimmt's?«

Ich bestätigte es ihm.

»Wenn aber der Mann auf dem Foto Ikonen war, der nicht der Täter sein kann, ist es schwer, für das Vernichten der Fotos einen Grund zu finden, außer, Ikonen selbst hat sie verbrannt.«

Simolin wirkte so eifrig, dass ich ihn weiterreden ließ.

»Ikonen kam zuerst hin und vernichtete die Fotos, die er von der Erkkilä erhalten hatte. Dann kam der Täter und tötete sowohl Ikonen als auch Erkkilä. Falls Ikonen die Fotos, auf denen er abgelichtet war, verbrannt hat, können sie nicht direkt mit dem Mord zu tun haben, aber auf irgendeine Weise haben sie trotzdem …«

Der Gedanke war so selbstverständlich, dass ich fast erschrak.

»Das Kind, vielleicht geht es um das Kind auf dem Foto!«, rief ich. »Die Erkkilä gab Ikonen das Foto, auf dem er mit dem Kind zu sehen war. Das Foto befand sich in ihrem Besitz, weil es ihr Kind war, und Ikonen wollte das Foto vernichten, weil er der Vater des Kindes und weil das Foto ein Beweis für die Beziehung zwischen einem hohen Polizeibeamten und einer Kriminellen war!«

Simolin schien in Trance versunken. Er starrte auf das Foto, als wollte er damit verschmelzen.

Plötzlich sah er mich an. »Dann hätte jene Person das beste Motiv, die geglaubt hatte, der Vater des Kindes zu sein. Ikonen vernichtete das Foto, weil er fürchtete, die Sache käme ans Licht, aber es war zu spät. Jemand hatte erfahren, dass Ikonen mit der Erkkilä herumgemacht hatte, und rächte sich. Wenn Rohr-Petteri, also der erste Ehemann, wie vermutet tot ist, müssen wir uns den Partner Nummer zwei schnappen.«

»Reichlich verspätete Reaktion. Die Sache muss vor gut zwanzig Jahren passiert sein.«

»Vielleicht hat der Mann erst jetzt gemerkt, dass er betrogen wurde.«

Ich erzählte ihm von der zweiten Messerattacke in Espoo und sagte: »Wir berücksichtigen sie bei unseren Ermittlungen nicht, bevor nicht klar geworden ist, ob beide Fälle zusammenhängen. Ich denke, dass es sich schon morgen herausstellen wird.«

Ich merkte, dass mein Vorschlag überflüssig war. Simolin war wie ein Computer, der neue Koordinaten bekommen hatte und neue Alternativen errechnete.

Dann holte ich die Visitenkarte von Ikonens Nachbarn Salo aus der Brieftasche, rief ihn an und trug ihm mein Anliegen vor.

»Vermutest du, dass Ikonen fremdging?«, fragte er verwundert.

»Von allen Kollegen kanntest du ihn am besten. Was meinst du?«

»Ikonen war kein Frauenheld, blieb Frauen gegenüber eher förmlich.«

»Wäre es möglich, dass er und die Erkkilä eine Beziehung hatten?«

Salo schwieg eine Weile nachdenklich.

»Wirkt weit hergeholt. Ikonen achtete sehr auf seinen Ruf. Ich kann mir kaum vorstellen, dass er sich auf eine Beziehung mit einer Kriminellen vom Schlage der Erkkilä eingelassen hätte.«

»Sie war in jungen Jahren eine schöne Frau.«

»Das stimmt, aber trotzdem.«

»Vielleicht hat er sich im Bett Informationen geholt, und aus der Sache ist mehr geworden, als er beabsichtigt hatte.«

»Alles ist möglich, oder fast alles, aber nicht alles ist glaubhaft.«

Salo erkundigte sich noch nach dem Fortgang der Ermittlungen. Ich berichtete kurz und beendete dann das Gespräch. Ich war ein wenig enttäuscht.

Simolin hatte über Lautsprecher mitgehört. »Versuchen wir es bei Nikutin. Er müsste ja von den früheren Beziehungen seiner Frau gehört haben.«

Wir machten unterwegs einen Abstecher in mein Büro. Auf meinem Schreibtisch warteten die bestellten Informationen über die Uotila samt Foto, das aus dem Führerscheinregister stammte. Ich sah mir das Foto kurz an, und als ich es mit dem Geburtsdatum verglich, kam ich zu dem Schluss, dass es mindestens zehn Jahre alt war.

Die Uotila war durchaus kein Unschuldslamm. Sie war 1978 wegen Betrugs in einem schweren Fall zu einer Haftstrafe ohne Bewährung verurteilt worden. Nikutin sollte uns gefälligst helfen, falls er wieder an die frische Luft gelangen wollte.

Nikutin lag auf der Betonliege der Arrestzelle und las in einer mit Eselsohren verzierten Nummer der *Welt der Technik*. Als wir eintraten, sprang er auf. Er wirkte deprimiert und erschöpft. Sein Gesicht war faltig, unter den Augen hatte er dicke Tränensäcke und seine Haare standen nach allen Seiten ab. Ich sah, dass seine Hände zitterten. Er zischte jetzt noch hörbarer durch seine Zahnlücke.

»Ich bin ernschthaft schauer, wenn ich nich endlich rauschkomme! Ich hab einen schrecklichen Kater, aber man hat mir nich mal ein Aschpirin gegeben. Der gansche Tag war eine einschige Qual. Hab auscherdem irgendwo meine Schähne verloren.«

»Bald, es dauert nicht mehr lange. Wissen Sie, wie oft Maija Erkkilä verheiratet war, bevor Sie kamen?«

»Mir hat schie geschagt, esch isch dasch dritte Mal, genau genommen.«

»Also zwei Mal.«

»Schie können gut rechnen, Kommischar.«

»Wissen Sie etwas über Ihre Vorgänger?«

»Alsch wir heirateten, schagte ich schu Maija, dasch ich kein Wort über ihre Vergangenheit hören möchte, fallsch schie nich unbedingt darüber reden will. Schie wollte nich.«

»Sie wird doch irgendwas von ihren Freunden erzählt oder Fotos gezeigt haben«, sagte Simolin.

»Schie hat nischt erschählt und esch intereschierte mich auch nich.«

»Wie haben Sie sich kennengelernt?«

»Bei den Anonymen Alkoholikern, wir nahmen schuschammen an den Schitschungen teil. Scho entwickelte esch schich langscham. Erschählt hat Maija blosch, dasch schie mal im Gefängnis gescheschen hat, und man schah ihr auch an, dasch schie wasch anderesch gemacht hatte als Schpitze häkeln. Die Tätowierungen und all dasch!«

»Und Sie kennen nicht Maijas alte Komplizen oder früheren Männer?«, fragte Simolin beharrlich.

»Nein. Glauben Schie mir endlich, dasch ich Maija nich getötet habe?«

Nikutins Alibi und sein Vorleben hatten wir bereits morgens überprüft. Er war den ganzen Tag in der Gartenlaube seines Freundes gewesen, genau wie er erzählt hatte. Er hatte ein paar Vorstrafen wegen Eigentumsdelikten, hauptsächlich ging es um Hehlerei, aber auch um Schnapsverkauf. Gewaltdelikte hatte er nicht auf dem Konto.

Ich hätte Nikutin gern in Gewahrsam behalten, weil ich vermutete, dass er doch etwas wusste, was auch wir wissen sollten.

»Wir beginnen es zu glauben.«

»Ja, und wasch mache ich dann noch hier?«

»Als Maijas Ehemann wissen Sie über ihre letzten Jahre am besten Bescheid. Wir brauchen von Ihnen sämtliche nützlichen Informationen. Versuchen Sie, sich zu erinnern.«

»Da gibt esch nich viel schu erschählen. Anrufe wegen der Hellscheherei kamen beschtimmt Dutschende jeden Tag und Briefe auch. Wenn im Fernschehen *Reich und Schön* lief, schaltete Maija immer die Telefone ab und öffnete ihren Laden erscht danach wieder. Einkaufen ging schie schwei mal die Woche, manchmal auch scheltener, wenn ich dasch für schie erledigte. Vor einem Monat war schie schur Badekur in Pärnu, da blieb schie vier Tage. Schonst ging schie überhaupt nich viel rausch, jedenfallsch nich, wenn ich dort war. Aber ich machte damalsch gansch viele Nebenjobsch und war oft weg von schu Hausche.«

»Was für Nebenjobs?«

»Als Schimmermann. Wir bauten mit einer kleinen Truppe Fertighäuscher auf.«

»Und die Kurreise, war sie allein dort?«

»Ja, allein. Dasch war scho ein Moorbad, wo die Weiber in heischen Schlamm und Torf geschteckt werden.«

»Ihre Nachbarn haben berichtet, dass bei Ihnen oft lautstark mit Gästen gefeiert wurde, sogar die Polizei musste manchmal kommen und Streitereien schlichten.«

»Die Nachbarn, klar. Die haben schelber rumgelärmt wie die Kaputten. Einer hat scheine Garage fascht an die Grundschtücksgrensche gebaut.«

»Erzählen Sie von den Feiern.«

»Ab und schu kamen ein paar von Maijasch alten Freundinnen und dasch artete manchmal schu scho wüschten Beschäufnischen ausch, dasch ich den Weibern Hauschverbot erteilte, auch wenn dasch Maija nich gefiel. Ich bin immer abgehauen, wenn welche von der Truppe anrückten.«

»Wir möchten Namen«, sagte ich. »Sie kennen doch wohl die Freundinnen Ihrer Frau?«

»Ich kenne nur eine, Tupu. Keine Ahnung, wie schie richtig heischt, und den Familiennamen weisch ich nich. Maija erschählte, glaube ich, dasch schie beide in jungen Jahren gemeinscham im Knascht von Hämeenlinna gescheschen haben. Ich weisch nicht mal, wo schie wohnt. Dann waren da noch ein paar andere Weiber, wohl die Tuschen von Knackisch, aber über die weisch ich gar nischt.«

»Tupu also?«

»Ja.«

»Könnte der richtige Name Tuula Uotila lauten?«

»Warum nich, obwohl da nischt bei mir klingelt.«

»Und Männer kamen nicht in die Wohnung?«

»Ich hätte doch keine beschoffenen Kerle auf meine Frau loschgelaschen. Ich schagte schu Maija, Weiber können kommen, aber Kerle nich. Falsch welche da waren, weisch ich nischt davon. Maija schagte, dasch schie von den Männern genug hat und dasch ihr einer auf einmal reicht.«

»Hat Ihre Frau erzählt, worüber sie sich gestritten haben, als die Polizei kommen musste?«

»Maija wurde wütend, alsch Tupu schich über die Hellscheherei luschtig machte. Maija war esch scho ernscht damit, wie esch ernschter nich geht. Keine Ahnung, woher schie den Tick hatte, aber wenn jemand wasch dagegen schagte, ging schie gleich auf die Palme.«

»Konnte sie denn hellsehen?«, erkundigte sich Simolin.

»Höh! Ich hab oft mit angehört, wenn schie mit den Kunden redete, und allesch war scho ein allgemeinesch Gelaber, du triffscht einen dunkelhaarigen Mann, und in der Schukunft warten grosche Veränderungen und Erfolg und ähnlicher Quatsch. Dasch hätte ich auch gekonnt. Einmal hat Maija mich schogar darum gebeten, vorübergehend ihren Job schu übernehmen.«

»Also Ihrer Meinung nach beschwindelte Maija Erkkilä ihre Kunden?«, fragte ich.

»Ja, dasch denke ich jedenfallsch. Und ich kapier auch nich, was schich ihre Kunden davon verschprachen, aber schie riefen trotschdem immer wieder an. Vielleicht waren schie nur einscham und wollten mit jemandem reden, egal mit wem.

Wenn einer krank war, schagte Maija, dasch schie den Erreger der Krankheit vertreibt, indem schie ihn um schwölf Uhr nachtsch mit einem entschprechenden Schauberspruch belegt, und der Anrufer schollte dann wach schein und am Fenschter schtehen. Von wegen, gar nischt machte schie, schie ging um schehn Uhr schlafen und pennte um die Scheit längscht, aber trotschdem nahm schie den vollen Preisch. Ich schagte mal schu ihr, dasch schie, wenn schie eine echte Wahrschagerin ischt, mir die richtigen Lottoschahlen schagen könnte, dasch Geld könnte ich nämlich gebrauchen.«

»Wissen Sie, ob einer ihrer Kunden sie mal bedroht hat?«

»Maija schagte mal, dasch beschtimmt die Hälfte ihrer Anrufer nicht gansch richtig im Kopf ischt, aber ich habe nie gehört, dasch einer schie irgendwie bedroht hätte. Jedenfallsch hat Maija nischt erschählt. Auscherdem war ihre Adresche geheim und ihre private Telefonnummer ebenfallsch. Die Leute hätten ja nich mal hingefunden, schelbscht wenn schie esch gewollt hätten.«

Ich nahm an, dass Nikutin wahrscheinlich recht hatte.

»Und sind Sie Tupu mal begegnet?«

»Flüchtig. Ich hab mich immer freiwillig verschogen, wenn schie kam. Tupu war ein paar Jahre jünger alsch Maija, eine Blondine, die schich schiemlich gut gehalten hat.«

»Hat sie etwas von sich erzählt?«

»Nie. Maija hat nur mal erwähnt, dasch Tupu in Helschinki wohnt. Ich weisch blosch, dasch Tupu immer mit der Bahn nach Puischtola kam.«

»Maija Erkkilä hat von ihr oder den anderen Freundinnen keine Fotos gemacht oder sie mit der Videokamera gefilmt?«

»Glaub ich nich. Schoweit ich weisch, beschasch Maija nich mal eine Kamera oder Videosch.«

»Ist dies Tupu?«

Ich reichte Nikutin das Führerscheinfoto der Uotila. Er betrachtete es sorgfältig, schüttelte dann aber den Kopf.

»Nee, dasch isch schie garantiert nich. Ihr Geschicht war runder.«

»Diese Frau haben Sie also nie getroffen?«

»Niemalsch. Ich habe ein gutesch Gedächtnisch für Geschichter.«

Mir kam ein Gedanke, ich teilte ihn Simolin flüsternd mit und schickte ihn mit dem Auftrag los.

»Hatte Ihre Frau keine Verwandten?«, fragte ich, als ich mit Nikutin allein war.

»Nein. Maija war dasch einschige Kind und auch dasch Erbe kam für schie überraschend. Schie hatte gedacht, dasch die Tante schon lange tot isch. Maijasch Eltern schtarben, alsch schie noch ein Mädchen war, fünfschehn vielleicht. Schie waren unterwegs schu ihrem Schommerhausch, alsch dasch Boot kenterte. Beide ertranken.«

»Bei wem hat sie danach gelebt?«

»In einem Mädchenheim in der Ruuschulankatu. Davon hat schie mal erschählt, dort war schie mindeschtensch drei, vier Jahre.«

»Ist Ihnen irgendetwas eingefallen, was uns helfen würde, den Sohn Ihrer Exfrau zu finden? Auch eine kleine Information kann wichtig sein.«

»Ich hab keine kleine und auch keine grosche Information. Den Jungen schu finden, kann doch nicht scho schwer sein, ihr habt ja Computer und Dateien.«

»Haben Sie jemals ein Foto gesehen, auf dem Erkkiläs Sohn auf einem Fahrrad sitzt und ein Mann danebensteht?«

»Wasch scholl dasch für ein Foto schein?«

»Wir haben es im Kamin Ihrer Exfrau gefunden. Jemand hat versucht, es zu verbrennen.«

»Ich hab esch nich geschehen und auch schonscht kein Foto von dem Kind. Geschehen habe ich einesch, auf dem Maija und ein paar andere Mädchen ausch der Ruuschulankatu abgebildet schind. Und auch die Fotosch, die in jungen Jahren von ihr für ein Männermagaschin gemacht wurden.«

Nikutin zeigte unversehens Gefühle und sagte wie zu sich selbst: »Wasch isch dasch nur für ein Leben, wenn von einem Menschen nur Fotosch übrig bleiben, auf denen er den

Arsch in die Kamera reckt? Und die schieht schich dann der Junge an, wenn er wischen will, wie scheine Mutter auschschah!«

Simolin kehrte mit einem Kassettenrekorder zurück.

»Ich möchte, dass Sie sich ein Gespräch anhören, ehe Sie gehen«, sagte ich zu Nikutin.

Simolin startete den Rekorder.

»Alarmzentrale.«

»In der Puistolankatu sieben sind zwei Menschen getötet worden.«

»Wer sind Sie?«

»Fahren Sie in die Puistolankatu sieben. Das ist alles.«

»Ich brauche Ihren Namen.«

Die Anruferin legte auf.

»Haben Sie die Anruferin erkannt?«, fragte ich Nikutin.

»Schpielen Schie dasch noch mal ab.«

Simolin tat wie gewünscht.

»Kommt mir irgendwie bekannt vor, aber ich bin nich schicher.«

»Könnte es Tupu sein, die Freundin Ihrer Frau?«

»Möglich, aber beschwören möchte ich esch nich.«

Wir unterhielten uns noch eine Weile, dann sagte ich zu Nikutin, dass er gehen könne. Ich bat ihn, uns zu kontaktieren, falls ihm etwas einfiel, was uns helfen könnte.

»Natürlich«, versprach er beflissen.

Ich war sicher, dass er die nächste Bierkneipe ansteuern würde. Ich begleitete ihn zum Fahrstuhl. Plötzlich blieb er stehen und wandte sich mir zu, das Gesicht von Sorge erfüllt.

»Wasch geschieht mit Maija, wer kümmert schich darum?«

»Um was genau?«

»Um die Beerdigung und dasch allesch.«

Ich sagte, dass sie, falls sich keine Angehörigen und kein Geld fänden, auf Staatskosten beigesetzt würde.

»Darf ich für Maijasch Begräbnisch schorgen?«

»Das ist sicherlich möglich. Ich informiere mich und gebe Ihnen Bescheid.«

»Scho viel Geld hätte ich.«

»Sie brauchen das aber nicht zu machen, wenn Sie nicht möchten.«

»Aber ich möchte esch tun. Schwei Jahre lang waren wir verheiratet, und wir hatten unschere guten Scheiten, auch wenn Maija manchmal boschhaft schein konnte. Ich hatte gedacht, dasch allesch wieder insch Lot kommt und ich wieder schu ihr schurückkehren kann.«

Ich streckte meine Hand aus, und Nikutin ergriff sie zögernd. Dann trat er in den Fahrstuhl. Ich drehte mich nach ein paar Schritten noch mal um. Er stand mit gebeugtem Rücken da und wirkte verloren. Das war er vermutlich auch.

Kapitel 5

Wenn es jemanden gab, dem man schwerlich den Polizisten ansah, dann war es Vänskä. Bis hin zum Hemd, dem Krawattenmodell und der gebräunten Haut sah er wie ein erfolgreicher Geschäftsmann aus. Sein Kaschmirschal trug das Etikett eines teuren italienischen Modehauses und auch seine Uhr wirkte teuer. Im Ziffernblatt war eine amerikanische Goldmünze eingelassen. Ich fragte mich, ob der Arbeitgeber die Kleidung gesponsert hatte. Vänskä saß in der Bar des Hotels *Pasila,* wartete auf seinen Informanten und hatte mir zehn Minuten Gesprächszeit versprochen.

»Kaum zu glauben, diese Sache mit Ikonen«, sagte er.

»Ich hörte, dass du in der Kantine mit ihm geredet hast, als er vor einem Monat seine ehemaligen Kollegen besuchte.«

»Stimmt.«

»Kanntest du ihn gut?«

»Einigermaßen.«

»Schlug er das gemeinsame Kaffeetrinken vor?«

»Ja, er rief an und wir trafen uns in der Kantine.«

»Worüber habt ihr gesprochen?«

Ein Anflug von Unwille zeigte sich auf Vänskäs Gesicht. »Er hat mir nicht den Namen seines künftigen Mörders genannt, falls du das meinst.«

»Irgendetwas hat er trotzdem erzählt. Oder er hat etwas gefragt.«

»Er sagte, dass er gebeten worden war, auf einer Veranstaltung einen Vortrag zu halten, und dass er seine Kenntnisse auf den neuesten Stand bringen wollte.«

»Welche Veranstaltung?«

»Er äußerte sich nicht näher, sprach nur von einem Pensionärsklub. Er wollte wissen, wie sich die Gesetzesänderungen auf die Überwachungstätigkeit der Polizei ausgewirkt haben und ob Scheinkäufe, das Abhören der Telefone, die Anruflisten und all das eine Bedrohung für den einfachen Bürger darstellen. Ich erzählte ihm praktische Beispiele und wie ich über die Sache denke.«

»Blieb das Gespräch allgemein oder fragte er nach einem speziellen Fall?«

»Ziemlich allgemein.«

»Ziemlich?«

»Er fragte außerdem, ob ich ihm die Protokolle eines alten Falles aus dem Archiv besorgen und kopieren könnte.«

»Was für ein Fall war das?«

»Ich weiß nicht genau, aber es ging um einen Diebstahl oder sogar Raub, der in den 70er-Jahren im Hotel *Marski* passiert war. Ikonen war der leitende Ermittler gewesen.«

»Wofür brauchte er das Protokoll?«

»Ich fragte ihn, ob er beabsichtige, seine Memoiren zu schreiben. Er lachte und sagte, man kann nie wissen. Das war's auch schon.«

»Hat er das Protokoll selbst abgeholt?«

»Ich habe es zwei Tage später unten beim Wachhabenden für ihn hinterlegt.«

»Sonst nichts?«

»Im Gehen fragte er noch, ob ich ihm helfen könnte, eine bestimmte Person zu finden. Freunde von ihm waren angeblich in Sorge um ihren erwachsenen Sohn, weil sie glaubten, dass er in schlechte Gesellschaft geraten war. Der Junge, oder eigentlich war er schon ein Mann, hielt keinen Kontakt mehr mit ihnen, rief nur gelegentlich an und redete wirres Zeug. Die Eltern vermuteten, dass er in Espoo oder anderswo im Bereich der Hauptstadt wohnte.«

»Habt ihr den Jungen gefunden?«

»Nein. Der letzte Adresseneintrag war mehr als fünf Jahre alt und einen neuen gab es nicht. Auf den Namen war kein Telefon angemeldet, gar nichts. Ich hatte keine Lust, das Finanzamt anzurufen, und so sagte ich Ikonen, dass ich den Burschen nicht finden könne.«

»Wie nahm er es auf?«

»Er sagte, dass dann eben nichts zu machen sei, bedankte sich und ging.«

»Wie hieß der Junge?«

Vänskä zog sein Notizbuch aus der Innentasche der Jacke und blätterte darin.

»Petri Isaksson, geboren im Frühjahr 1977.«

»Isaksson?«

»Ja, hinten mit zwei s.«

Sowie ich das Hotel verlassen hatte, rief ich Oksanen an.

»Petri Isakkson könnte Erkkiläs Sohn sein. Der Vorname ist derselbe, das Alter passt, der mutmaßliche Wohnort passt, ebenso das Sperren von Adresse und Telefonnummer.«

»Ich kümmere mich drum und sage dir Bescheid«, versprach Oksanen.

Das Studio von Ikonens Künstlerinnentochter befand sich in einem alten, aus roten Ziegeln errichteten Industriegebäude im Gewerbegebiet von Vallila. An der Tür hing ein buntes Namensschild, auf dem in schnörkeligen Buchstaben *Loralee* stand.

Ich blieb eine Weile vor dem Gebäude stehen und überlegte mir meine Eröffnungsworte. Zwar hatte ich diese Worte zigmal gesagt, aber es war immer wieder gleich schwer. Für Saara Ikonen musste ich den Satz ein wenig anders formulieren als für einen alten Menschen.

Ich betätigte die Klingel und zog mich einen halben Meter zurück.

Als ich die Frau sah, die die Tür öffnete, war mein erster Gedanke, dass sie irgendeiner finsteren Sekte angehörte. Die ziemlich kurzen Haare waren fast rabenschwarz. Die Hose, der dünne Pullover und die Schuhe waren ebenfalls schwarz. An ihren Ohren hingen große silberne Ringe. Im Kontrast zu all dem Schwarz wirkte ihr Gesicht bleich. Ihre Augen waren groß, klar und zugleich ein wenig schläfrig. Ich versuchte, Züge von Ikonen bei ihr zu finden, und glaubte, sie an der Stirn und am Kinn zu erkennen.

»Saara Ikonen?«

»Ja, die bin ich.«

»Ich bin Kommissar Kafka. Können wir uns drinnen unterhalten?«

Das Studio war etwa fünfzig Quadratmeter groß. Es roch nach Terpentin und Ölfarben. An der Wand lehnten etwa zehn großformatige Bilder, und ein unvollendetes stand auf der Staffelei. Es war das Porträt einer jungen Frau.

»Mein Vater ist, oder war, ebenfalls Polizist. Er ist pensioniert. Kennen Sie ihn?«

»Ja.«

Die Frage bot mir eine gute Gelegenheit, fortzufahren, und ich ergriff sie sofort.

»Mein Anliegen betrifft ohnehin Ihren Vater. Er ist leider tot.«

Die Menschen reagieren unterschiedlich auf die Mitteilung vom Tod eines Angehörigen. Manche brechen zusammen, andere zwingen sich zur Ruhe, und noch andere tun so, als könnte nichts sie weniger interessieren. Diese Frau gehörte zur mittleren Gruppe. Die Nachricht traf sie auf die eine oder andere Weise, aber sie wollte das einem Wildfremden nicht zeigen. Ich ließ ihr Zeit.

Schließlich fragte sie: »Wie ist er gestorben?«

Ich erzählte ihr die Ereignisse in groben Zügen.

»Deshalb muss ich Ihnen ein paar Fragen stellen, obwohl ich natürlich verstehe, wenn Sie allein sein möchten.«

»Fragen Sie, was Sie wollen, aber mein Vater und ich haben uns ziemlich selten gesehen, ich weiß nicht, was er gemacht hat. Außerdem habe ich fast fünf Jahre im Ausland gelebt.«

»Wann haben Sie Ihren Vater zuletzt getroffen?«

»Bei der Beerdigung meiner Schwester, das ist ungefähr einen Monat her.«

»Können Sie sagen, ob Ihr Vater Feinde hatte?«

»Haben Polizisten die nicht immer?«

»Er hat nie etwas von Bedrohung oder Furcht gesagt?«

»Nein, nie. Und er hätte auch nicht über dergleichen gesprochen, selbst wenn da etwas gewesen wäre.«

»Fällt Ihnen irgendein Grund ein, warum ihn jemand getötet hat?«

»Höchstens, dass er ein ehemaliger Polizist war.«

»Haben Sie vielleicht je von einer Person namens Maija Erkkilä gehört?«

»Ja.«

Die Antwort überraschte mich dermaßen, dass mir nicht gleich einfiel, wie ich weiterreden sollte.

Saara Ikonen bemerkte meine Verwirrung und fuhr fort. »Es ist allerdings schon lange her. Ich wohnte damals noch zu Hause. Die Erkkilä rief bei uns an, obwohl Vater es ihr untersagte. Ich erinnere mich, dass er immer ziemlich aggressiv wurde. Er war gezwungen, sich eine Geheimnummer anzuschaffen. Danach hörten die Anrufe auf.«

»Worüber wollte sie mit Ihrem Vater sprechen?«

»Ich weiß es nicht. Mir kam es so vor, als bedrohte sie ihn. Er erzählte, dass die Erkkilä eine Kriminelle sei, gegen die er mal ermittelt habe.«

»In welchem Jahr geschah das?«

»Vielleicht vor zehn Jahren. Ich zog mit vierundzwanzig endgültig zu Hause aus.«

»Hat die Erkkilä je mit Ihrer Mutter gesprochen?«

»Manchmal, zumindest hat sie es versucht. Mutter legte aber immer auf. Meine Eltern hatten deswegen gelegentlich Streit, Mutter vermutete, dass Vater mit der Erkkilä ein Verhältnis hatte.«

»Sie ist aber nie zu Ihnen nach Hause gekommen?«

»Nein, jedenfalls weiß ich nichts davon. Die Anrufe hielten ein paar Wochen an. Warum fragen Sie nach ihr?«

»Die Leiche Ihres Vaters wurde in der Wohnung der Erkkilä gefunden. Auch sie selbst wurde ermordet, gleichzeitig mit Ihrem Vater.«

Saara Ikonen sah sich zerstreut um und setzte sich dann auf den Stuhl, der vor der Staffelei stand.

»Möchten Sie wissen, warum die Erkkilä meinen Vater anrief? Mutter hatte recht, die beiden hatten ein Verhältnis.«

Die Frau wusste zu überraschen.

»Woher wissen Sie das?«

»Als Mutter vor etwa einem Jahr starb, fand ich ihr Tagebuch. Mutter hatte darin über die Erkkilä geschrieben und auch, dass sie wusste, dass Vater sich mit der Frau traf. Er hatte es sogar ein Mal zugegeben, hatte aber gesagt, dass die Geschichte vorbei sei.«

»Haben Sie das Tagebuch noch?«

»In meiner Wohnung.«

»Bringen Sie es morgen hierher mit, ich hole es mir dann ab.«

Sie starrte auf das angefangene Bild und sagte nichts.

»Ist es Ihnen recht, wenn Sie das Tagebuch ...«

»Kommen Sie morgen wieder.«

Ich hätte die Befragung gern fortgesetzt, beschloss aber, mir den Rest für den nächsten Tag aufzuheben. Ich ging und ließ schon den zweiten weinenden Menschen innerhalb von zwei Stunden zurück.

Die drei Stunden Schlaf am Vormittag hatten nicht gereicht. Ich wollte wieder zurück in mein Bett. Ich ging bei meiner Stammpizzeria vorbei und bestellte mir eine *Frutti di mare* zum Mitnehmen.

Zu Hause wollte ich gerade mit dem Essen beginnen, als mein Türsummer ertönte.

»Ich bin's, mach auf«, hörte ich die Stimme meines Bruders.

Ich erwartete ihn in der geöffneten Wohnungstür. Er kam angeschlurft und schleppte eine schwere Sporttasche mit sich. Ich schloss die Tür hinter ihm und er stellte die Tasche im Flur ab.

»Wohin willst du?«

»Hierher. Ich brauche für ein paar Tage eine Bleibe.«

Ich fragte mich, ob er es ernst meinte. Auf seinem Mondgesicht lag ein deprimierter Ausdruck, obwohl er versuchte, forsch aufzutreten.

»Silja hat mich rausgeschmissen. Oder ich bin abgehauen, ich weiß es selber nicht genau ...«

»Warum in aller Welt?«

»Ich erzähle es dir, wenn du ein Bier ausgibst.«

Ich holte zwei Flaschen aus dem Kühlschrank und grübelte dabei fieberhaft, wie ich Elis Einzug verhindern könnte. Ich wollte niemanden am Hals haben, nicht mal meinen großen Bruder.

»Nun, dann erzähl.«

»Da gibt es eigentlich nichts Besonderes. Wir haben uns auseinandergelebt, wie es in den Frauenzeitschriften so schön heißt. Silja und ich sind ein Paar, seit wir siebzehn sind, das sind mehr als dreißig Jahre. Ich habe zu ihr gesagt, dass ich mal etwas anderes ausprobieren will.«

»Warum gehst du nicht fremd, so wie sonst?«

»Ich wollte mit offenen Karten spielen.«

»Ist das dein Ernst?«

»Ich bin ja nicht zum Spaß hier, obwohl es natürlich angenehm ist, den kleinen Bruder zu treffen. In ein paar Tagen kriege ich eine Mietbude ganz in der Nähe. Bis dahin brauche ich eine Bleibe und ich gedachte, während der Zeit hier bei dir zu wohnen, wenn es dir recht ist.«

Ich muss gestehen, dass er mich überraschte. Ich hatte die Ehe der beiden für einigermaßen glücklich gehalten. Eli liebte die Bequemlichkeit und ihm war immer wichtig gewesen, die Fassade aufrechtzuerhalten. Als Abwechslung hatte ihm bis dahin genügt, Huren zu besuchen – auf Dienstreisen in Tallinn und anderswo. Jetzt schien es ihm nicht mehr zu genügen.

»Glaubst du, dass Silja dich ohne Weiteres wieder zurücknimmt, wenn du das süße Junggesellenleben genug ausgekostet hast?«

»Ich habe ihr gesagt, dass sie ebenfalls freie Hand hat und treiben kann, was sie will. Ich bin fünfzig, und wenn ich jetzt nichts unternehme, ist es bald zu spät.«

»Wie erklärst du das den anderen?«

»Dass wir vorläufig getrennt leben.«

»Warum gehst du nicht in ein Hotel?«

»Weil ich einen kleinen Bruder habe, der eine Junggesellenwohnung mitten in der Stadt besitzt, in der Nähe der Vergnügungsmeile. Außerdem können wir uns auf diese Weise neu kennenlernen. Wir haben uns seit vielen Jahren nicht mehr richtig unterhalten.«

Eli war nicht umsonst ein Spitzenanwalt. Mit einer einzigen gut gewählten Replik kippte er meinen Abwimmelungsversuch.

»Falls du bleibst, musst du auf dem Sofa schlafen.«

»Ist gut. Ich habe schon schlechter übernachtet, allerdings ist das verdammt lange her.«

Das Telefon klingelte, der Anrufer war Oksanen. Er erzählte, dass eine Person namens Petri Isaksson in Laajalahti, Espoo, wohnte, Diplom-Ingenieur war und bei *Nokia* arbeitete. Sonst hatte Oksanen nichts zu berichten. Da Isaksson seine Mutter sowieso nicht sehen wollte, musste er auch nicht dringend erfahren, dass sie tot war. Ich würde ihn am folgenden Tag aufsuchen.

Eli trank von seinem Bier und sah mich an. »Ich hätte für dich eine passende Frau parat, eine Jüdin. Wohnt in Turku und wäre bereit, dich zu treffen, wann immer es dir passt. Sie hat dein Foto in der Zeitung gesehen und findet, dass du toll aussiehst.«

»Hör auf. Mich verkuppelt man nicht in meiner eigenen Wohnung.«

Aus Erfahrung wusste ich, dass diesbezügliche Versuche der Verwandtschaft zum Scheitern verurteilt waren. In der Gemeinde hatte es schon seit vielen Jahren keine rein jüdische Hochzeit mehr gegeben.

»Sie ist schön, wirklich.«

»Nein, danke. Ich suche mir meine Frauen ganz allein aus.«

»Kleiner Bruder, ich habe einen Vorschlag.«

»Erzähl.«

»Wir besaufen uns und quatschen mal richtig. Ich habe vorhin beschlossen, dass ich morgen einen freien Tag habe.«

»Ich nicht. Ich hatte letzte Nacht Dienst.«

»Aber wenigstens ein paar Drinks«, bettelte Eli.

Er entnahm seiner mitgebrachten Tasche eine Flasche teuren Whisky und bat mich, uns Gläser und eine Kanne kaltes Wasser zu holen. Nach drei tüchtigen Drinks erzählte er ein bisschen ausführlicher von seiner Beziehungskrise.

Er war zwei Mal beim Fremdgehen erwischt worden, zuletzt vorgestern. Silja war überraschend in seiner Kanzlei aufgetaucht, als er gerade nicht anwesend gewesen war. Sie hatte seinem Kalender entnommen, dass er in einem italienischen Restaurant im Stadtzentrum zum Mittagessen verabredet war, hatte in einer Detektei angerufen und eine Detektivin hingeschickt. Die Detektivin war Eli und der Dame zu deren Wohnung in der Korkeavuorenkatu gefolgt. Es war bereits Nachmittag gewesen, als Eli die Wohnung wieder verlassen hatte. Silja hatte ihr Wissen enthüllt, sowie Eli abends nach Hause gekommen war.

»Ist es nicht unfassbar? Wie in einem schlechten Film! Die Ehefrau hetzt eine Detektivin hinter ihrem Alten her«, meinte Eli verwundert. »Krankhafte Eifersucht.«

Als Eli vorgeschlagen hatte, dass sie beide einander mehr Freiheiten ließen, hatte Silja ihm mit der Faust in den Bauch geschlagen und gesagt, dass sich sein jüdisches Ei von nun an so viele Freiheiten nehmen könnte, wie es wollte. Sie hatte seine Sachen in eine Tasche gepackt, ihm die Tasche vor die Füße geknallt und auf die Tür gezeigt.

»Jüdisches Ei«, wiederholte Eli. »Schon allein das sagt doch, dass Silja nicht mehr bei Trost ist.«

Zu Siljas Gemütszustand nahm ich keine Stellung.

»Ich war eine Nacht im Hotel und dann beschloss ich, dich zu beglücken.«

»Danke.«

»Ich schätze, es sind die Wechseljahre«, erklärte er. »Silja muss sich erst mal beruhigen. Dann begreift sie, dass wir es letzten Endes gar nicht so schlecht hatten. Bei anderen läuft es viel schlechter. Denk nur an Max. Er geht ständig fremd, aber seine Frau bügelt ihm die Hemden, verwöhnt ihn und erzählt ihm, was für ein prima Ehemann er ist.«

»Er ist kein einziges Mal erwischt worden«, warf ich ein.

»Doch, bestimmt, aber seine Frau drückt einfach ein Auge zu und tut, als wüsste sie von nichts.«

»Und das möchtest du auch?«

»Ich weiß nicht mehr, was ich möchte. Ich probiere und schnuppere, dies ist vorläufig erst mal die Probierphase.«

»Vielleicht probiert Silja ebenfalls.«

»Kann sein.«

Nach ein paar weiteren Drinks liefen Elis Geschichten ein bisschen aus dem Ruder. Ich schlug vor, schlafen zu gehen.

»Ich gehe ins *Mikado* und hole mir von dort eine russische Hure, so schön, dass selbst Miss Finland daneben aussieht wie eine Kuhmagd.«

Er versuchte, mich zum Mitkommen zu überreden, und versprach, auch mir eine Frau zu bezahlen. Ich lehnte ab. Eli gab es auf, zog sich ein frisches Hemd an und ging.

»Na schön, wenn du dir nichts aus der Gesellschaft deines großen Bruders machst«, sagte er noch, ehe er die Tür hinter sich zuzog.

Als ich ins Bett kam, war es kurz vor zwölf Uhr. Ich hörte aus der Wohnung über mir die Geräusche des Fernsehers und Kindergezänk. Bevor ich einschlief, grübelte ich zunächst über Elis überraschenden Schritt nach und dann dachte ich, dass Ikonen eine selten schöne Tochter hatte.

Kapitel 6

Ich hatte keine Lust, mit anzusehen, wie eine Leiche zuerst systematisch in Teile zerlegt und dann mit wenigen Stichen wieder zusammengeflickt wurde wie Frankensteins Ungeheuer. Deshalb saß ich im Zimmer von Rechtsmediziner Vuorio und wartete, bis er mit seiner Arbeit fertig war. Er hatte versprochen, dass ich um neun Uhr morgens einen mündlichen Bericht über die Obduktion bekäme. Vuorio war spät dran, es war bereits zehn Minuten über der Zeit. Er kam um Viertel nach neun und entschuldigte sich nicht für die Verspätung.

»Ganz prächtige Leichen, alle beide«, sagte er, setzte sich an seinen Schreibtisch und schaltete den Computer ein. Er hielt zwei Mappen mit Kunststoffdeckel in der Hand. Dann schwenkte er seinen Stuhl herum und sah mich an.

Ich zückte mein Notizbuch.

»Todesursächlich bei Maija Erkkilä war ein Stich in den Rücken, der bis ins Herz gedrungen ist. Die drei anderen Stichwunden im Rücken waren nicht lebensgefährlich. Außerdem hat sie Abwehrverletzungen an den Händen. Sie hat möglicherweise nach dem Angriff noch eine Weile gelebt. Im Gesicht, an den Händen und auf dem Rücken hat sie alte, bereits verheilte Spuren von Misshandlungen. Die Teilprothese ist vermutlich die Folge einer Misshandlung, denn es finden sich in der Mundgegend weitere Spuren, die darauf hindeuten. Keine Operationen, keine ernsthaften Krankheiten, so jedenfalls das vorläufige Resultat.«

Er tauschte die Mappen aus.

»Ikonen hat zwei tödliche Stichverletzungen im Herzen, eine dritte, nicht tödliche in der Lunge. Auf ihn wurde nochmals eingestochen, als er bereits auf dem Fußboden kroch. Er hatte eine Bypassoperation und zwei kleinere Operationen, unter anderem an der Prostata. Seine Arterien sind in schlechtem Zustand, ebenso die Lunge. Wahrscheinlich hat er jahrzehntelang geraucht. Ich vermute, dass er höchstens noch ein Jahr gelebt hätte.«

Im Laufe der Jahre hatte ich zahlreiche Messerstechereien untersucht und wusste, dass das Opfer eines solchen Angriffs manchmal noch eine ganze Weile lebte, auch wenn das Herz einen Treffer abbekommen hatte. Jetzt jedoch waren sowohl Ikonen als auch die Erkkilä fast auf der Stelle tot gewesen. Ich teilte Vuorio meine Überlegungen mit.

»Ikonen starb außergewöhnlich schnell, denn der Stich mit dem Messer hat die Aorta durchtrennt. Bei der Frau handelt es sich um einen recht typischen Fall. Zuerst ein tödlicher Stich ins Herz und dann mehrere nicht so tödliche Stiche an andere Stellen des Körpers. Sie hat unter Umständen noch ganze zehn Minuten gelebt, konnte sich aber nicht mehr bewegen.«

»Ikonen war also in schlechter körperlicher Verfassung«, sagte ich verwundert. Nach außen hin hatte er für sein Alter topfit gewirkt.

»Mindestens. Kann sein, dass ihm sogar nur noch ein paar Monate geblieben wären. Die Tatwaffe war in beiden Fällen identisch, also wahrscheinlich dasselbe Messer mit ziemlich kurzer Schneide vom Typ *Mora.*«

Ich musste daran denken, was der Kollege aus Espoo über die Attacke auf Tuula Uotila gesagt hatte. In ihrem Flur hatte ein *Mora*-Messer gelegen. Wir hatten vereinbart, dass wir uns unmittelbar nach meinem Besuch beim Rechtsmediziner im Krankenhaus treffen würden.

Tuula Uotila, die seit ihrer Eheschließung, welche vor zwei Jahren erfolgt war, Wahlman hieß, war klein und mager und krümmte sich zusammen wie eine Drogensüchtige unter Entzugserscheinungen. Ihr Gesicht war schmal und mädchenhaft, aber die Falten verrieten ihr wirkliches Alter. Laut Daten im Register war sie knapp über fünfzig. Wie sie da unter der schneeweißen Decke im Krankenhausbett lag, wirkte sie noch kleiner, als sie war. Ihre Sprechweise war ebenso angespannt wie ihre Miene. Ich versuchte, in ihrer Stimme die der unbekannten Anruferin zu identifizieren, vermochte allerdings nicht zu sagen, ob beide identisch waren. Das würde sich jedoch bei genaueren Untersuchungen herausstellen.

Oberkonstapel Sipilä von der Polizei Espoo stand neben mir. Er war in meinem Alter, einen halben Kopf größer als ich. Seine breiten Schultern kündeten von einem Interesse an Kraftsportarten. Er hatte Heimvorteil und ich ließ ihn beginnen.

»Dieser Herr ist Kommissar Kafka von der Helsinkier Kriminalpolizei. Er untersucht zwei Messerangriffe mit tödlichem Ausgang, die möglicherweise mit Ihrem Fall zusammenhängen.«

»Ich verstehe nicht, was Sie meinen. Wieso soll das zusammen…«

Ich hatte Uotilas Vorgeschichte sorgfältig gelesen. Sie war wegen Betrugs und Diebstahls vorbestraft. Als siebzehnjährige Schönheit hatte sie wohlhabende Männer in Gaststätten bezirzt und sich in deren Wohnungen abschleppen lassen. Dann hatte sie die Tür für ihre Komplizen geöffnet, die den Kavalier ausgeraubt und die Wohnung leer geräumt hatten.

Der dritte Raub hatte insofern böse geendet, als das Opfer infolge der Misshandlungen gestorben war, und die Uotila war in den Knast gewandert. Sie war durchaus kein braves Mädchen, aber wie es schien, hatte die Haftstrafe sie geläutert, denn danach war sie zumindest nicht mehr verurteilt worden, nicht mal wegen des vermeintlichen Versicherungsbetruges, von dem Sipilä erzählt hatte.

Ich beschloss, mich nicht durch ihr zartes Äußeres täuschen zu lassen, und erzählte ihr von Erkkiläs Tod.

»Sie kannten sie, oder?«

»Wurde Maija getötet? Schrecklich.«

Das klang irgendwie lahm. Andererseits hatte sie ihre eigenen Sorgen.

»Getötet mit einem Messer wie jenes, mit dem Sie angegriffen wurden. Das Messer wird derzeit untersucht«, sagte ich. »Falls es dasselbe ist, ist davon auszugehen, dass der Täter sowohl gegen Sie als auch gegen Maija Erkkilä etwas hatte. Mein Hauptinteresse gilt der Erkkilä. Ich möchte alles erfahren, was Sie über die Frau wissen. Zuvor aber möchte mein Kollege Ihnen weitere Fragen zu dem Überfall stellen.«

»Wir haben uns schon vor Ihrer Operation kurz unterhalten«, sagte Sipilä zur Erinnerung und stellte seinen Minirekorder auf den Nachtschrank. »Ist Ihnen inzwischen etwas eingefallen, was Sie noch nicht erwähnt haben? Der Täter muss irgendein Motiv gehabt haben. Das Ganze sieht nicht nach dem blindwütigen Angriff eines psychisch Kranken aus.«

»Sie können mir glauben, dass ich mir Gedanken gemacht habe, aber mir ist nichts eingefallen. Vielleicht hat er sich nur in der Person geirrt.«

»Schwer vorstellbar. Er muss Sie beobachtet haben, um sicher zu sein, dass Sie zum Zeitpunkt der Tat allein waren. Alles deutet auf Planmäßigkeit hin, nicht auf den zufälligen Gewaltausbruch eines Irren. Die Tat hat möglicherweise mit Ihrer Vergangenheit zu tun, mit einem Ereignis, das schon lange zurückliegt.«

»Dass man seine Vergangenheit nicht loswird, habe ich allerdings längst gemerkt«, sagte sie bitter.

Auch Sipilä wusste, was sie meinte. Ich hatte ihm von ihrem kriminellen Vorleben erzählt.

»Und? Sind Ihnen neue Details zu dem Angreifer eingefallen?«

»Ich glaube, dass er ziemlich alt war, die Haare auf den Händen waren grau.«

»Und darauf war ein Spielkartentattoo, hatten Sie gesagt?«

»Ja, auf dem rechten Handgelenk.«

»Und die Kleidung?«

»Eine Nylonjacke, dunkelblau oder schwarz.«

»Hat er etwas gesagt?«

»Nein.«

»Sie haben ihn eingelassen, obwohl Sie nicht wussten, wer hinter der Tür steht?«

»Ich habe keinen Grund, etwas oder jemanden zu fürchten. Mir ist gar nicht in den Sinn gekommen, dass es gefährlich sein könnte. Außerdem hatte ich eine Sicherheitskette, aber er riss so heftig an der Tür, dass die Kette absprang.«

»Und als es Ihnen gelungen war, die Tür zu schließen, flüchtete er zu Fuß, nicht mit dem Auto?«

»Richtig. Oder das Auto stand weiter entfernt.«

Sipilä nickte mir zu, ich war dran mit Fragen.

»Wann haben Sie Maija Erkkilä zuletzt getroffen?«

»Vor ungefähr einer Woche. Ich sage Ihnen gleich, dass ich nicht weiß, wer sie getötet hat, ich habe keine Ahnung. Oder vielleicht einer von ihren verrückten Kunden, die haben Sie sich vermutlich zuerst vorgenommen?«

»Alles zu seiner Zeit. Sie waren zeitgleich im Gefängnis von Hämeenlinna, nicht wahr?«

»Wenn Sie die alten Akten gewälzt haben, müssten Sie das ja wissen.«

»Erzählen Sie uns von der Erkkilä. Sie beide waren Freundinnen?«

»Eigentlich nicht, schon seit Jahren nicht mehr.«

»Warum haben Sie sich dann mit ihr getroffen?«

»Sie bat mich um Dienste.«

»Welche Dienste?«

»Zuletzt buchte ich für sie beispielsweise eine Reise nach Pärnu in Estland.«

»Die Kurreise vor einem Monat?«

»Ja.«

»Warum machte sie das nicht selbst?«

»Sie hatte keine Lust und sie wusste, dass ich es mache.«

»Was meinen Sie?«

»Ich habe vor zwei Jahren geheiratet. Maija hat irgendwie davon erfahren, wie, weiß ich nicht, und nach Jahren nahm sie wieder Kontakt zu mir auf. Ich hatte eine geheime Telefonnummer und die Adresse war gesperrt, ich verstehe nicht, wie sie mich ausgekundschaftet hat, aber vor zwei Monaten rief sie mich an. Sie gratulierte mir nicht und fragte auch nicht, wie es mir sonst geht, sondern sie erzählte nur von sich und ihrem Leben und fragte dann, ob mein Mann von meiner Vorstrafe weiß.«

»Meinen Sie damit, dass die Erkkilä Sie erpresst hat?«

»Sie bat mich um Dienste und ich begriff, was Sache war. Sie wusste, dass mein Mann wohlhabend ist, und setzte voraus, dass ich die Reise bezahle. Zwar wollte sie, dass ich mitkomme, aber mein Mann und ich hatten vereinbart, an jenem Wochenende zum Skilaufen nach Lappland zu fahren. Spricht alles nicht gerade für mich, oder? Maija war ein Miststück, aber ich habe sie trotzdem nicht getötet, auch wenn wir uns manchmal heftig gestritten haben.«

»Haben Sie die Reise bezahlt?«

»Ja.«

»Und Ihrem Mann haben Sie nichts davon gesagt?«

»Natürlich nicht. Gerade für sein Nichtwissen habe ich ja bezahlt.«

»Ist die Erkkilä allein nach Estland gefahren?«

»Wahrscheinlich. Ich habe zumindest nur eine einzelne Reise gebucht.«

»Wurden Sie manchmal Tupu genannt?«

»Nein, wie kommen Sie darauf?«

»Und welchen Dienst wollte die Erkkilä vor einer Woche?«

Die Frau fuhr sich mit der Zunge über die Lippen.

»Sie fragte, ob ich jemanden kenne, der einem ihrer Bekannten ein bisschen Angst machen und ihn unter Druck setzen könnte. Ich verneinte. Als ich damals aus Hämeenlinna entlassen wurde, zog ich nach Ostfinnland und brach den Kontakt zu meinen alten Bekannten ab. Ich führe seitdem ein ehrliches Leben, bezahle meine Steuern und mein Unternehmen ernährt fünf Angestellte.«

»In welcher Branche sind Sie tätig?«

»Ich habe eine kleine Damenschneiderei.«

»Hat die Erkkilä gesagt, wen sie unter Druck setzen wollte?«

»Nein. Sie war wütend, weil ich nicht helfen konnte, und sagte, dass sie sich dann eben selbst jemanden besorgt.«

»Hat sie etwas erzählt, was mit den Morden zu tun haben könnte? Machte sie zum Beispiel den Eindruck, als ob sie vor etwas Angst hätte?«

»Nein. Alles wirkte normal. Wütend war sie allerdings auch deswegen, weil sie sich mit ihrem Exmann gestritten hatte.«

»Mit Nikutin?«

»Ja. Der trank und stellte allerlei Mist an. Einmal schmiss er Maijas Fernseher aus dem Fenster. Ich glaube aber nicht, dass sie ihm Angst machen wollte, das hätte sie allein geschafft. Es ging um eine andere, viel gefährlichere Person.«

»Worüber hatte sie sich mit Nikutin gestritten?«

»Er wollte zu ihr zurück, aber sie sah das anders.«

»Hatte sie einen neuen Freund?«

»Kann sein. Sie tat geheimnisvoll, als ich sie danach fragte.«

»Kannten Sie Erkkiläs Bekannte?«

»Ich wusste von einigen, kannte sie aber nicht. Warum hätte ich Interesse haben sollen, diese Leute zu kennen? Alles Kriminelle. Ich wollte mit jener Welt nichts mehr zu tun haben.«

»Kannten Sie Erkkiläs ersten beiden Ehemänner oder andere Freunde?«

»Dem ersten bin ich ein paarmal begegnet, ich erinnere mich, dass er Petteri hieß.«

»Petteri Väistö?«

»Genau der. Ich wusste, dass er ein Knacki war, sonst nichts. Vom zweiten Ehemann weiß ich gar nichts. Dann war ein gewisser Lappalainen eine Zeit lang angesagt, ihm bin ich einige Male begegnet. Er war einer der wenigen Menschen, vor denen Maija Angst hatte, deshalb hat sich mir der Name eingeprägt.«

»Warum hatte sie vor diesem Lappalainen Angst?«

»Wenn Maija ein Miststück von einer Frau war, so war Lappalainen ein Mistkerl von einem Mann, und zwar ein riesiger. Das war trotzdem kein gemeinsamer Nenner.«

»In welcher Hinsicht war Lappalainen ein Mistkerl?«

»Er war es eben, das konnte einem nicht verborgen bleiben. Er war brutal und er betrog, wann immer er Gelegenheit hatte.«

»Und ein Polizist namens Aimo Ikonen?«

»Auch ihm bin ich nur einige Male begegnet. Zum ersten Mal, als er ins Gefängnis kam, um Maija zu besuchen.«

»Hatten die beiden eine Beziehung?«

»Dessen bin ich mir ziemlich sicher. Ikonen war ein schmucker Kerl und Maija sah zu jener Zeit noch recht gut aus.«

»Die Geschichte ist trotzdem schon mehr als zwanzig Jahre her. Können Sie sich vorstellen, warum Ikonen die Erkkilä aufsuchte?«

»Wie aufsuchte? Im Gefängnis?«

»Er wurde gleichzeitig mit ihr in ihrer Wohnung getötet.«

»Nein, ich weiß es wirklich nicht. Warum wurde er getötet? Er muss ja längst im Ruhestand sein.«

»Das untersuchen wir.«

»Ich weiß nicht, warum Ikonen in Maijas Wohnung war. Es sei denn, sie hat ihn dazu benutzt, um Lappalainen zu drohen. Maija hat nie mit mir über Ikonen gesprochen.«

»Fällt Ihnen ein spezieller Grund ein, warum die Erkkilä vor Lappalainen hätte Angst haben müssen?«

Sie betrachtete die Blumen auf dem Nachtschrank. »Zumindest einer. Es kann sein, dass Maija ihn für diesen Ikonen bespitzelt hat. Ich wunderte mich immer, warum sie in Hämeenlinna so oft Hafturlaub bekam, fast nach Belieben. Einmal fragte ich sie, wie sie das hinkriegte, und sie lächelte und sagte, durch Beziehungen, durch gute Beziehungen. Ich glaube, dass die Beziehung eben jener Ikonen war. Gegen Urlaub besorgte Maija ihm Informationen.«

Ich sagte mir, dass sie durchaus recht haben mochte. Die Erkkilä erpresste sogar ihre Freunde, da waren Spitzeldienste vergleichsweise harmlos. Außerdem kannte Ikonen sie offenbar so gut, dass das Polizist-Informantin-Verhältnis mehr als wahrscheinlich schien.

»Haben Sie die Polizei angerufen und erzählt, dass in Erkiläs Wohnung zwei Tote liegen?«

»Ich? Ganz bestimmt nicht.«

Ich holte den Rekorder heraus und spielte Uotila den Anruf vor, der in der Notrufzentrale eingegangen war. Während sie lauschte, beobachtete ich sie. Ihre Miene blieb ausdruckslos.

»Glauben Sie, dass ich das bin?«

»Falls Sie es sind, bekommen wir es durch einen Stimmenvergleich heraus. Falls Sie es nicht sind, haben Sie dann die Stimme erkannt?«

Sie biss sich auf die Lippen. »Nein, habe ich nicht.«

»Wo waren Sie, als der Anruf kam, also Sonnabend um neun Uhr?«

»Sie war hier«, erklärte Sipilä. »Der Überfall ereignete sich um halb neun und sie wurde gegen neun hier eingeliefert. Nicht wahr?«

»Ja«, sagte die Uotila und starrte mich an. »Hegen Sie einen Verdacht gegen mich?«

»Warum verheimlichen Sie all Ihre Daten?«, fragte ich. »Ihre Adresse ist nirgends registriert und Ihre Telefonnummer auch nicht.«

»Ist das irgendwie ungesetzlich?«

»Nein, aber es entsteht der Eindruck, als ob Sie vor etwas fliehen oder sich verstecken.«

»Ich versuche es zumindest. Sie kennen mein Vorleben. Ich möchte nicht, dass eines Tages ein alter Bekannter vor der Tür steht. Wenn man ein neues Leben will, muss man das alte hinter sich lassen.«

»Ich brauche Ihre Telefonnummern, sowohl von zu Hause als auch vom Handy.«

»Die bekommst du von mir«, sagte Sipilä.

Eine Krankenschwester trat mit energischer Miene ins Zimmer.

»Die Patientin muss sich jetzt ausruhen. Sie können später weitermachen.«

Sie stand da, hielt die Arme vor der Brust verschränkt und mir wäre es nicht im Traum eingefallen zu protestieren.

»Ich brauche die Anruflisten der Frau«, sagte ich zu Sipilä auf dem Korridor.

»Sie ist Opfer, keine Verdächtige. Mit welcher Begründung sollen wir die beantragen?«

»Wir haben Grund zu der Vermutung, dass dieser Fall mit den Morden an Ikonen und Erkkilä zu tun hat. Außerdem haben Uotila und Erkkilä eine gemeinsame Vergangenheit.«

»Dann ist es am besten, wenn du die Listen besorgst. Für uns ist Tuula Uotila eine Geschädigte, zumindest vorläufig. Sei du aber vorsichtig, ihr Mann ist Anwalt und gilt als ziemlich scharfer Hund. Ein einziger Fehler und er macht ein Riesenfass auf.«

Bevor ich das Krankenhaus verließ, unterhielt ich mich noch mit dem Arzt, der die Uotila operiert hatte. Er sah so jung aus, dass er wohl frisch von der Uni gekommen war.

»Wie ernst sind Uotilas Verletzungen?«, fragte ich.

»Nicht lebensgefährlich, aber ein Stich ging bis in die Lunge und hätte, wenn sie weniger Glück gehabt hätte, lebensgefährlich sein können. Der zweite Stich ging seitlich an der Rippe vorbei. Außerdem hat sie Schnitt- und Stichverletzungen an den Händen.«

»Wann wird sie entlassen?«

»Zum Wochenende. Wir warten erst mal ab, wie die Lungenverletzung heilt.«

Kapitel 7

Vor dem Eingang zum Studio *Loralee* stand Schmelzwasser, es stammte von dem schmutzigen Schneewall, den der Pflug an die Hauswand geschoben hatte. Die Sonne schien hell und vertrieb das Gefühl von Hinfälligkeit und Morbidität, das mich stets erfasste, wenn ich das Krankenhaus oder die Pathologie besuchte.

Ich weiß nicht, ob Saara Ikonen irgendetwas signalisieren wollte, aber sie trug Jeans und eine leuchtend rote Jacke. Sie überreichte mir ein Tagebuch mit blauem Deckel.

»Ich erzählte Ihnen gestern, dass meine Schwester vor einem Monat starb, nicht wahr?«

»Ja, das taten Sie.«

»Unmittelbar nach Tarjas Tod änderte sich mein Vater irgendwie. Natürlich hätte sich in der Situation jeder Mensch geändert ... Ich will also sagen, dass es mir so vorkam, als ob mein Vater dabei war, irgendetwas aufzuklären. Vor Tarjas Tod war er stets zu Hause, ging höchstens einkaufen und in den Schachklub. In den letzten Wochen war er häufig unterwegs, angeblich, um in der Stadt Dinge zu erledigen. Was waren das auf einmal für Dinge?«

»Die Frage ist vielleicht unfein, besonders jetzt, aber was hielten Sie von Ihrem Vater?«

»Man kann mich duzen«, sagte sie.

»Mich auch.«

»Während ich klein war, war mein Vater häufig abwesend und distanziert. Als Tarjas Probleme begannen, bemühte er sich eindeutig, mehr Nähe zu mir herzustellen. Ich glaube, dass er sich für die Schwierigkeiten meiner Schwester die Schuld gab und es an mir irgendwie gutmachen wollte. Er wollte mich um keinen Preis im Ausland studieren lassen.«

Ich überlegte eine Weile, wie ich die nächste Frage formulieren sollte, dann beschloss ich, offen zu reden.

»Hältst du es für möglich, dass dein Vater ein außereheliches Kind hat?«

»Das ist durchaus möglich. Damals, als die Frau anrief, habe ich darüber nachgedacht. Hast du irgendwelche Informationen, dass ich eine Stiefschwester oder einen Stiefbruder haben könnte?«

»Nur ein paar Vermutungen.«

»Mir erzählst du es ja wohl als Erste, wenn du etwas erfährst? Es wäre eine erfreuliche Nachricht.« Plötzlich stand sie auf und holte aus der kleinen Kochnische eine Teekanne. »Ich habe Tee gekocht, magst du?«

»Ja, bitte.«

Sie goss mir einen Becher Tee ein und stellte eine Zuckerdose auf den Tisch.

»Wie gut kanntest du meinen Vater?«, fragte sie.

»Wir arbeiteten länger als zehn Jahre im selben Haus. Er war mein oberster Chef.«

»Er war vermutlich kein netter Mann, jedenfalls nicht für seine Untergebenen?«

»Niemand erwartet, dass der Chef nett ist, es genügt, wenn er seine Arbeit beherrscht und gerecht ist. Mir jedenfalls genügt das.«

»Beherrschte er seine Arbeit und war er gerecht?«

»Meiner Meinung nach schon. Vielleicht war er allzu distanziert, aber er machte seinen Job.«

Zum ersten Mal lächelte sie. Ich muss gestehen, dass es ihr stand.

»Ich stelle dir keine Fragen zu deinem Namen, das bist du sicherlich leid.«

»Ein typisch jüdischer Name.«

»Du warst vor drei Jahren zu Vaters Ausstand bei uns, stimmt's?«

Ich nickte.

»Ich erinnere mich an dich. Ich half Mutter beim Vorbereiten und beim Servieren.«

»Aber ich habe dich nicht gesehen, sonst wüsste ich es.«

»Ich war die ganze Zeit drinnen, habe dich durchs Fenster gesehen. Ich fragte Vater, wer du bist. Rat mal, was er sagte.«

»Ein schwieriger Jude vom Dezernat für Gewaltdelikte.«

Sie lachte. »Nein, sondern dass du einer der besten Ermittler des Dezernats bist. Er sagte, dass er dich für den Kurs für den gehobenen Dienst empfohlen hat.«

Es fiel mir schwer zu verhindern, dass ein selbstzufriedenes Lächeln auf mein Gesicht trat. Plötzlich fühlte ich, dass Saara Ikonen mir nach Strich und Faden den Kopf verdrehte.

»Schön zu hören«, sagte ich sachlich. Ich leerte meinen Becher, solange ich ihr noch zu widerstehen vermochte, und erhob mich. »Danke für den Tee und für die Hilfe.«

Sie erhob sich ebenfalls und stellte sich ganz dicht vor mich hin.

»Wenn sich Erkenntnisse ergeben, möchte ich davon erfahren, so schnell es geht, einverstanden?«

Ich bewegte unbestimmt den Kopf, sodass es als Bestätigung wie auch als Verneinung ausgelegt werden konnte. Ich wusste selbst nicht, was von beidem ich meinte. Dann verließ ich das Haus und die Frühlingssonne machte mich fast blind.

Stenman las mich mit ihrem Auto an der Opastinsilta in Pasila auf. Ich wollte, dass sie mich zu dem Treffen mit Petri Isaksson an seinem Arbeitsplatz in Otaniemi begleitete. Unterwegs blätterte ich im Tagebuch von Ikonens Frau. Schon auf den ersten Seiten merkte man, dass Armi Ikonen sich in ihrer Rolle als Ehefrau nicht wohlgefühlt hatte, jedenfalls nicht an der Seite von Aimo Ikonen.

»Ich komme mir vor wie ein Spanner, wenn ich anderer Leute Tagebücher lesen muss«, erklärte Stenman.

»Dito.«

»Gibt es schlimme Enthüllungen?«

»Hat dich die Neugier gepackt?«

»Ich frage als Ermittlerin«, sagte Stenman in gespielt gekränktem Ton.

»Natürlich.«

Als wir am Ziel ankamen, war ich darüber im Bilde, dass Ikonens Frau ihren Mann verdächtigt hatte, sie mindestens fünf Mal betrogen zu haben. Sie schrieb eine geradlinige Prosa und schonte auch sich selbst nicht:

Wenn er neben mir liegt, ist mir, als würde kalte Luft über meinen Rücken streichen. Er schlingt seinen Arm um mich und ich spüre, wie sein Glied an meinem Gesäß pulsiert. Ich rühre mich nicht, atme nicht mal. Ich möchte ihm nichts geben. Warum sollte ich? Was hat er mir gegeben in den dreißig Jahren, die ich seine Frau bin? Wie oft hat er gesagt, dass er mich oder wenigstens die Kinder liebt? Mein einziger Gedanke ist, dass er aufhören und mich in Ruhe lassen soll …

Isaksson arbeitete in einem großen neuen Glasgebäude, in dessen Eingangshalle ich mir vorkam wie im Spiegelsaal des Freizeitparks von Linnanmäki. An einer der gläsernen Wände glitt eine Reihe stählerner Fahrstühle auf und ab, jeweils besetzt mit eiligen Männern in Anzügen. Es wimmelte nur so von Aktenkoffern, glänzenden Schuhen und unifarbenen Krawatten, jede mindestens in Rom in der Via Veneto gekauft. Sogar der Pförtner wirkte, als hätte er Kostbarkeiten zu bewachen.

»Haben Sie einen Termin vereinbart?«

»Nein.«

»Das sollten Sie aber.«

Stenman wurde noch eher sauer als ich. »Tatsächlich? Rufen Sie Isaksson an und bitten Sie ihn herunter, so einfach ist das.«

Der Pförtner wirkte vergnatzt, griff aber immerhin zum Telefonhörer.

»Hier ist Portier Suojanen unten am Empfang, es ist Besuch für Sie da, zwei Besucher.« Er dämpfte die Stimme und flüsterte: »Von der Polizei.«

»Von welcher Polizei?«, wollte er von uns wissen.

»Kriminalpolizei Helsinki.«

»Von der Kriminalpolizei Helsinki«, wiederholte der Pförtner, erneut um ein paar Nuancen leiser.

Er legte auf und sagte: »Nehmen Sie solange Platz, Isaksson kommt sofort.«

Isakssons ›sofort‹ bedeutete fast zehn Minuten. Dann trat ein großer blonder Mann in silbergrauem Anzug und mit randloser Brille aus dem Fahrstuhl.

»Sind Sie von der Polizei?«, fragte er.

»Ja.«

»Wäre nicht eine Voranmeldung angebracht gewesen? Zumal ich überhaupt keine Ahnung habe, worum es geht. Mit Geschwindigkeitsüberschreitungen befasst sich die Kriminalpolizei ja wohl nicht.«

»Es geht um keine Geschwindigkeitsüberschreitung. Die Sache ist ein wenig diffiziler, deshalb sind wir auch direkt hergekommen, um mit Ihnen zu sprechen.«

»Wenn es Ihnen recht ist, sollten wir die Sache möglichst rasch klären. Ich erwarte ausländische Gäste.«

»Es ist uns sehr recht. Die Frage mag Ihnen seltsam vorkommen, aber sind Sie ein Adoptivkind?«

»Wie bitte?«

»Sind Sie adoptiert worden?«

»Ganz sicher nicht. Was soll das alles? Zeigen Sie mir doch mal Ihre Dienstmarken.«

Ich zeigte meinen Polizeiausweis, Stenman den ihren.

»Wir untersuchen einen Todesfall und laut unseren Informationen hat das Opfer einen Sohn, der als Kind zur Adoption freigegeben wurde. Wir wissen, dass sein Name Petri Isaksson ist und dass er wahrscheinlich 1977 geboren wurde. Die Merkmale treffen nur auf Sie zu. Und Sie haben eine geheime Adresse und Telefonnummer.«

»Da sind Sie jetzt auf der ganz falschen Spur. Meine Adresse ist auf Anordnung des Arbeitgebers geheim und das Telefon läuft auf den Arbeitgeber. Außerdem gibt es sicher noch mehr Leute mit demselben Namen und vom selben Jahrgang. Petri ist ein verbreiteter Vorname unter Männern meines Alters und auch Isakssons gibt es bestimmt Hunderte in diesem Land.«

»Nicht in Espoo. Laut unseren Informationen wohnt die Person, die wir suchen, in Espoo.«

»Glauben Sie wirklich, dass ich es nicht wüsste, wenn ich adoptiert wäre?«

»Manche Adoptiveltern erzählen es ihren Kindern nicht.«

»Wenn Sie mir nicht glauben, rufen Sie meine Mutter an! In welchem Alter wurde dieser Namensvetter adoptiert?«

»Etwa mit drei Jahren.«

»Ich wurde in Frankreich geboren, denn mein Vater arbeitete dort, und unsere Familie kehrte erst nach Finnland zurück, als ich sieben war. Ich habe meine Geburtsurkunde gesehen.«

Ich dachte über Isakssons Worte nach. Falls sie stimmten, war er mit einiger Sicherheit die falsche Person. Ein kleines Kind würde vermutlich kaum zur Adoption ins Ausland geschickt.

»Ich würde trotzdem gern die Adresse und Telefonnummer Ihrer Mutter haben.«

Isaksson entnahm seiner Brieftasche eine Visitenkarte und schrieb die gewünschten Angaben auf die Rückseite.

»Sie ist schon über sechzig. Falls Sie sie zu sehr beunruhigen, reiche ich Beschwerde über Sie ein.«

Er gab mir die Karte, machte auf dem Absatz kehrt und steuerte auf den Fahrstuhl zu.

Stenman und ich gingen schweigend zum Auto zurück.

»War wohl ein Flop«, sagte Stenman.

»Scheint so.«

»Wenn Petri Isaksson nicht Erkkiläs und Ikonens Kind ist, warum sollte Ikonen ihn dann gesucht haben?«

»Vielleicht handelt es sich um eine Verwechslung?«

»Schwer vorstellbar. Lass uns noch die Mutter aufsuchen, sie wohnt in Tapiola.«

Eva Isaksson war über unsere Frage nicht schockiert. Sie war amüsiert, lachte sogar laut.

»Eine Mutter wird wohl wissen, wer ihr Kind ist«, sagte sie.

Eva Isaksson war eine kleine, gepflegt wirkende Frau. Sie hatte eine korrekte Frisur, trug ein buntes Seidentuch um den Hals, einen dicken goldenen Armreifen und teuer aussehende Ringe. Wir befanden uns in einem Reihenhaus im alten Teil von Tapiola.

»Kennen Sie eine Person namens Maija Erkkilä?«, fragte Stenman.

»Habe nie von ihr gehört.«

»Und Aimo Ikonen?«

»Der Name kommt mir bekannt vor, aber er ist zumindest kein sehr guter Bekannter, da ich mich nicht an ihn erinnere.«

Die Tatsache, dass ihr Ikonens Name bekannt vorkam, bewies gar nichts. Möglicherweise hatte sie ihn in der Zeitung gelesen oder im Fernsehen gehört. Ikonen war seinerzeit ein beliebter Interviewpartner gewesen.

»Wer sind diese Personen? Mein Sohn rief an und erwähnte, dass Sie ein Tötungsdelikt untersuchen.«

»Leider darf ich Ihnen keine Einzelheiten erzählen.«

Sie zeigte uns noch die Geburtsurkunde ihres Sohnes und ein Album mit Fotos von Petri Isakssons einzelnen Entwicklungsetappen, angefangen vom Baby im Krabbelalter bis hin zum Jüngling mit Studentenmütze. Es schien, als ob sie unsere Anwesenheit genoss. Vielleicht bekam sie selten Besuch.

»Mein Mann war bis zu seiner Pensionierung im Außenministerium tätig. Leider konnte er sein Pensionärsdasein nicht lange genießen, Leukämie ... Wir hatten geplant, als Rentner immer den Winter in Süditalien zu verbringen, dort haben wir eine eigene Wohnung.«

Sie schob mir das Album vors Gesicht.

»Hier, schauen Sie, welch Ausblick auf den Hafen! Die Altstadt liegt hier rechts ...«

Stenman bemerkte meinen umherirrenden Blick und erhob sich.

»Wir müssen jetzt leider gehen«, sagte sie.

Ich erhob mich ebenfalls und bedankte mich bei der Frau. Sie bedauerte offensichtlich, dass wir nur so kurz verweilten. Sie wollte uns Kaffee anbieten, aber ich lehnte höflich ab.

An der Tür ergriff sie meine Hand und sagte: »Wären Sie so freundlich, mich zu informieren, wenn dieses Namensrätsel gelöst ist? Ich bin wirklich so neugierig, dass ich fast platze! Wenn ich auch noch den Rest meines Nachtschlafes einbüße, sind Sie schuld.«

Wir kehrten in die Dienststelle zurück, ohne dass uns unterwegs eine einzige anständige Erklärung für das Mysterium Isaksson einfiel.

Kapitel 8

Bei der nachmittäglichen Besprechung waren außer Huovinen und mir nur noch Oksanen und Stenman anwesend. Simolin und ein paar andere Ermittler waren draußen unterwegs, um Leute zu befragen und Fakten zu überprüfen. Huovinen zeigte uns die Abendzeitungen, in beiden wurde über Ikonens und Erkkiläs Ermordung berichtet, mitsamt Ikonens Foto. Erkkilä war nur mit Namen erwähnt.

»Die Geschichte ist schon durchgesickert, eigentlich keine Überraschung. Zu viele wussten davon.«

»Ich glaube nicht, dass es die Ermittlungen stört«, sagte ich.

»Vielleicht nicht, aber ich hätte gern noch zwei Tage Ruhe gehabt. Jetzt klingelt dauernd das Telefon und ich habe auch noch anderes zu tun, als Fragen zu beantworten.«

»Vielleicht bekommen wir dabei gute Hinweise«, gab Stenman zu bedenken.

Ich berichtete von meiner vormittäglichen Runde in der Pathologie, bei Ikonens Tochter und bei Petri Isaksson.

»Und ihr anderen, habt ihr was erreicht?«, fragte Huovinen.

»Ich war den ganzen Vormittag wegen Erkkiläs Kind unterwegs«, sagte Oksanen. »Das Jugendamt hat sämtliche Unterlagen durchforstet, aber keine Angaben über den Jungen gefunden. Es gibt allerdings eine gute Erklärung dafür. In der Behörde wurde in den Achtzigerjahren eingebrochen und der Täter nahm einen Teil des Archivs mit.«

»Welchen Sinn hat es, in der Sozialbehörde einzubrechen und Daten über die Inobhutnahme von Kindern zu stehlen?«, wunderte sich Stenman.

»Den Sinn, dass wir heute Erkkiläs Sohn nicht finden. Sie verkehrte mit Einbrechern, vielleicht hat sie ihren Freund eingespannt«, sagte ich.

»Aber welchen Nutzen brachte es, die Spuren zu löschen?«, fragte Huovinen entnervt.

»Die Erkkilä wollte schlicht und einfach nicht, dass der richtige Vater erfährt, wo das Kind ist. Vielleicht wollte sie ihn ärgern oder sie fand, dass es für das Kind besser war, wenn sein Vater nichts von ihm wusste. Auch eine Kriminelle will im Allgemeinen das Beste für ihr Kind.«

»Aber es muss auch noch in anderen Archiven Angaben über das Kind geben. Niemand kann diese Welt betreten, ohne dass wenigstens ein paar Formulare über ihn ausgefüllt werden«, sagte Huovinen.

Stenman schrieb etwas in ihr Notizbuch.

»Wir müssen in den Geburtskliniken nachfragen. Damals gab es in Helsinki zumindest die Frauenklinik und die Hebammenlehranstalt.«

»Es existierten auch Privatkliniken«, ergänzte ich.

Oksanen hatte eindeutig genug von der Suche nach Erkkiläs Kind. »Eine Frau wie sie gebiert wie eine Katze, notfalls auf der Fußmatte im Flur.«

»Spätestens in der Mütterberatung werden auf jeden Fall Angaben zum Kind gespeichert«, sagte Stenman.

»Gut, Arja, du kontaktierst die Geburtskliniken und fragst nach dem Kind anhand von Erkkiläs Daten.«

»Weil ich eine Frau bin, ja?«

»Genau. Das Geburtsjahr ist 1977. Ich weiß nicht, woher Ikonen diese Information nahm, aber wir sollten es auf einen Versuch ankommen lassen. Vielleicht ist das Alter richtig, aber der Name war falsch.«

»Mir ist da eine ganz einfache Erklärung für Erkkiläs und Ikonens Treffen eingefallen«, sagte Stenman. »Die Erkkilä wollte Kontakt zu ihrem Sohn aufnehmen, fand ihn aber nicht. Sie dachte sich, dass Ikonen als ehemaliger Polizist mithilfe seiner Beziehungen nach ihm suchen könnte. Als Ikonen dann also Vänskä bat sich umzuhören, tat er das für Erkkilä.«

»Laut Nikutin wusste die Erkkilä, wo ihr Sohn wohnte, und nahm sogar Kontakt mit ihm auf, aber er wollte seine Mutter nicht sehen«, erinnerte ich sie.

»Vielleicht ist der Sohn nach dem Kontaktversuch seiner Mutter umgezogen und hält seine neue Adresse geheim.«

»Wenn die Erkkilä ihren Sohn finden wollte, warum hätte sie dann Ikonen falsche Informationen geben sollen? Seine Suche galt ja diesem Petri Isaksson«, betonte Oksanen.

»Sorry, ich habe wohl schneller gesprochen, als ich gedacht habe«, sagte Stenman.

»Sonst eine gute Theorie. Das Einfache ist schön«, gab Oksanen zu.

Mir fiel ein zweites Problem ein, um das sich Oksanen hatte kümmern sollen. »Hast du etwas über Maija Erkkiläs Ehemann Nummer zwei herausgefunden?«

»Im zentralen Register der evangelisch-lutherischen Gemeinde von Helsinki gibt es keine Angaben. Die Erkkilä ist aus der Kirche ausgetreten, und wenn das ebenfalls auf den Mann zutrifft, finden wir dort nichts, auch nicht über eventuelle Kinder. Als Alternative bleibt, dass die Trauung standesamtlich stattfand. Ich habe das Standesamt um schriftliche Angaben zu Erkkilä gebeten, sie haben versprochen, rasch zu antworten.«

»Haben wir irgendwelche Hinweise zu der Frau, die den Tipp am Telefon gegeben hat?«, fragte Huovinen.

»Nein. Sie hat von einem Fernsprechapparat im Einkaufszentrum Pukinmäki aus angerufen.«

»Sie muss auf jeden Fall zu Erkkiläs Bekannten gehören. Warum meldet sie sich nicht?«

»Weil sie fürchtet, irgendwie in die Sache mit hineingezogen zu werden. Wahrscheinlich haben die meisten von Erkkiläs Bekannten eine entsprechende Vergangenheit. Kann sein, dass es sich bei der Anruferin um Erkkiläs frühere Knastkumpanin aus Hämeenlinna handelt, Tupu mit Namen. Simolin versucht, sie über das Häftlingsregister des Justizministeriums, oder neuerdings heißt es ja Strafverfolgungsamt, zu finden. Die andere Alternative wären wieder die Handydaten. Tupu hat bestimmt mit der Erkkilä in Kontakt gestanden.«

Huovinen lachte. »Tupu! Als Hinweis ungefähr so gut, wie wenn wir erfahren würden, dass der Täter ein gewisser Arska aus Kallio oder Reiska aus Punovuori ist.« Er schielte auf seine Uhr. »Hat jemand noch einen Gedanken, der uns in der Sache weiterbringt? Ich bin auf jeden Fall überzeugt, dass sich Erfolge einstellen, wenn wir an vielen Fronten vorrücken.«

Niemand hatte mehr etwas zu sagen und Huovinen erhob sich. Er kam zu mir und wartete, bis die anderen weg waren.

»Leivo hat den Polizeikommandeur aufgesucht und mit ihm über den Fall Ikonen gesprochen. Der Kommandeur rief mich vor einer Stunde an und fragte, ob ich die Untersuchung mit dem nötigen Ernst vorantreibe. Seiner Meinung nach sind nicht genug Ermittler eingespannt. Mit anderen Worten, falls du zusätzliche Leute brauchst, haben wir dafür die Genehmigung des Kommandeurs.«

»Ich habe so viele Ermittler zur Verfügung, wie ich brauche.«

Huovinen zuckte die Achseln. »Na gut. Du entscheidest.«

Die nächsten Stunden verbrachte ich damit, im Tagebuch von Ikonens Frau zu lesen. Es war das elende Abbild einer Ehe, in der sich beide Partner in ihren Verteidigungsstellungen verschanzt hatten und von dort einander mit Gift bespritzten. Auch die Kinder waren in den Ermüdungskampf mit einbezogen worden. Das Drogenproblem der älteren Tochter hatte die Eheleute einander nicht näher gebracht, sondern die Frau gab ausschließlich ihrem Mann die Schuld an der Tragödie:

Wenn man bedenkt, was Tarja als Kind von ihrem Vater zu sehen und zu hören bekommen und in welcher Familienhölle und Gefühlskälte sie gelebt hat, braucht man nicht weiter nach den Gründen für ihren Drogenkonsum zu suchen. Wie kann ein kranker Baum gesunde Schösslinge hervorbringen?

Nicht einmal die Tatsache, dass sich ihr Mann einer Bypassoperation unterziehen musste, weckte irgendwelche Gefühle in ihr:

Aimo bekommt einen Bypass. Ich frage mich, was ich fühlen würde, wenn man mich aus der Klinik anrufen und mir mitteilen würde, dass er gestorben ist. Wahrscheinlich nichts. Oder höchstens Erleichterung.

Schließlich fand ich eine Stelle, an der sie von seinen außerehelichen Beziehungen erzählte:

Glaubt Aimo, dass ich mich wirklich für diese Frauen interessiere? Es gab sie seit Beginn unserer Ehe und soll sie meinetwegen geben, solange ihm diese Dinge etwas bedeuten. Vielleicht würden sie auch mir etwas bedeuten, mit einem anderen und an einem anderen Ort. Ich will keine Namen und keine Einzelheiten wissen, Hauptsache, ich muss diesen Huren nicht begegnen und Aimo schiebt ihnen nicht all sein Geld in den Arsch.

Ich hingegen hätte gern Namen und Details gewusst. Auf jeden Fall bewies das Tagebuch, dass Aimo Ikonen nicht ganz so zurückhaltend gewesen war, wie ich und viele andere geglaubt hatten. Oder aber seine Frau Armi hatte ernste psychische Probleme gehabt.

Oksanen lugte durch den Türspalt und trat ein. »Ich habe vom Standesamt den Namen von Maija Erkkiläs Mann Nummer zwei bekommen. Die Ehe wurde am 14. März 1977 geschlossen. Der Bräutigam war Heikki Tapani Isaksson aus dem Stadtteil Punavuori.«

»Isaksson!«

»Yep. Aber das Paar ließ sich schon 1982 scheiden. Und, Überraschung, Überraschung, nach dem Mann wird wegen eines schweren Drogendeliktes gesucht, die Fahndung läuft schon seit zwanzig Jahren.«

Ich begann allmählich, Ikonens Gedankengänge zu verstehen. Er suchte nach dem Jungen, wusste aber nur den Vornamen, und so kam er irgendwann zu dem Schluss, dass die Erkkilä ihm den Familiennamen ihres neuen Partners gegeben hatte.

»Gute Arbeit. Hast du dir noch ansehen können, was von dem Mann bekannt ist?«

»Eingefleischter Betrüger. Zahlungsmittelbetrügereien seit den Sechzigerjahren und dazwischen auch ein paar Fälle von Auftragsbetrug, ein versuchter Raub und überraschenderweise ein Drogendelikt, das jene alte Fahndung ausgelöst hat. Der letzte Eintrag ist von 1983. Die schwedische Polizei hat damals unsere Leute wegen Isaksson kontaktiert, im Zusammenhang mit einem dortigen Betrugsfall. Eine neue Adresse gibt es nicht, mit anderen Worten, der Mann ist seit zwanzig Jahren verschollen.«

»Nimm auch zu den Schweden Kontakt auf, vielleicht wissen sie mehr über ihn, er dürfte ja kaum seine Gewohnheiten geändert haben.«

»Er könnte schon tot sein. Diese Typen sind nicht von der langlebigen Sorte.«

»Selbst das wäre eine wichtige Information.«

»Vermutest du, dass er Ikonen und Erkkilä getötet haben könnte?«

»Falls er tatsächlich am Leben ist, müssen wir das in Betracht ziehen.«

»Welchen Grund sollte er gehabt haben, extra von Schweden herzukommen, um sie zu töten?«

»Es kann ein Zufall gewesen sein. Er wollte seine Exfrau besuchen, und da marschierte Ikonen herein. Isaksson erkannte in ihm den Polizisten – vielleicht hatten sie alte Rechnungen offen – und tötete ihn.«

»Betrüger sind im Allgemeinen nicht gewalttätig, allerdings passt auch ein Raub nicht recht ins Bild.«

Ein paar Teilchen rasteten wieder ein, und mir kam ein Gedanke.

»Das Kind wurde geboren, kurz nachdem Erkkilä und Isaksson geheiratet hatten. Vielleicht glaubte er, das Kind wäre von ihm – die Erkkilä wird ihm kaum freiwillig verraten haben, dass sie ihn betrogen hat –, und vielleicht hat er später erfahren, dass Ikonen der richtige Vater ist. Das wäre ein ziemlich gutes Motiv. Es könnte auch erklären, warum er sich von der Erkkilä trennte und nach Schweden ging.«

»Okay, ich erkundige mich weiter nach Isaksson«, versprach Oksanen.

»Eine Sache noch. Geh alle Fälle durch, in denen er verurteilt wurde, und finde heraus, ob Ikonen irgendwo Ermittler oder Ermittlungsleiter war.«

Oksanen setzte seine Baseballkappe auf und ging zur Tür.

»Warte.«

Er drehte sich nur halb um.

»Such auch nach sämtlichen Informationen über Ikonens Tochter Tarja. Außer Drogendelikten gibt es da ein paar Diebstähle.«

»Alles klar.«

Simolin war den ganzen Tag nicht aufgetaucht. Das deutete darauf hin, dass er schwer beschäftigt war.

Ich rief ihn auf dem Handy an und erkundigte mich, wo er sich befand.

»Ich bin in der Redaktion von *Helsingin Sanomat,* habe Ikonens Fotos zurückgebracht und kopiere jetzt gerade zusammen mit einem Kumpel die Artikel, in denen er erwähnt ist. Es wird ein dicker Umschlag.«

»Gute Idee. Und die Handydaten und Tupu?«

»Hat man mir für morgen Vormittag versprochen. Ich habe im Gefängnis von Hämeenlinna angerufen, die Leute dort wollen sehen, was sie herausfinden können. Die meisten damaligen Beamten sind schon pensioniert, sollen aber in der Sache befragt werden. Außerdem läuft im Amt für Strafverfolgung die Suche nach Tupu, allerdings wird nicht viel herauskommen, da wir bloß den Rufnamen haben.«

»Wie lange brauchst du dort noch?«

»Bei der Zeitung? Nicht mehr lange.«

»Ich fahre noch mal in Ikonens Wohnung, komm dann direkt dorthin.«

»Ist klar.«

Im selben Moment fiel mir etwas ein, das mir schon früher durch den Kopf gegangen war.

»Schalt noch nicht aus! Warst du damals auch bei Ikonens Ausstand in seinem Haus in Myllypuro?«

»Ja, war ich, wieso?«

»Einer von seinen früheren Mitarbeitern war betrunken und fing einen Streit über irgendwelche dienstlichen Belange an. Weißt du noch, wer das war?«

»Ja, es war Erkki Laurila. Er war erst beim Raub und ging dann zum Landeskriminalamt. Er ist ebenfalls bereits pensioniert. Hat uns auf der Polizeischule in Theorie unterrichtet.«

Auf Ikonens Hof stand ein roter Honda Civic. Ich hatte dasselbe Auto vor ein paar Stunden am Studio *Loralee* gesehen.

Ich klingelte und Saara Ikonen öffnete mir die Tür.

»So trifft man sich wieder.«

Sie machte mir Platz und ich trat ein.

»Ich sehe Vaters Papiere, die Rechnungen und das alles durch. Jemand muss sich ja um die praktischen Dinge kümmern. Und außer mir ist niemand mehr da.«

»Jemand muss es tun«, bestätigte ich.

»Hast du schon einen Bruder oder eine Schwester für mich gefunden?«

»Nein.«

»Wonach suchst du, vielleicht kann ich dir helfen?«

»Ich habe das Tagebuch deiner Mutter gelesen, aber darin gibt es keine konkreten Angaben über die Frauenbekanntschaften deines Vaters. Ich glaube trotzdem, dass er Maija Erkkilä gut kannte, und ich versuche etwas zu finden, was erklären würde, warum er sie gerade jetzt treffen wollte.«

»Vielleicht ist es ja genau umgekehrt, vielleicht wollte sie ihn treffen.«

»Wir erfahren es, wenn wir seine wie auch ihre Anruflisten bekommen. Vorläufig glaube ich, dass dein Vater die Initiative ergriff.«

»Womöglich war es wegen seiner Krankheit oder wegen Tarjas Tod. Er wollte sein Kind sehen, bevor er starb.«

Die Erklärung war so einfach und glaubhaft, dass sie schön war. Ich hätte das selbst begreifen müssen, als ich von Ikonens Krankheiten erfuhr. Selbstverständlich möchte ein sterbender Mann sein Kind treffen, das er zuletzt gesehen hat, als es ganz klein war. Die Erklärung führte sofort zu einem neuen Gedanken.

»Du weißt nicht zufällig, ob dein Vater ein Testament gemacht hat?«

»Nein, aber als wir uns nach Tarjas Tod trafen, sagte er, dass das Haus an mich fällt. Außerdem bin ich die einzige Erbin, sofern nicht …«

»Gerade das meinte ich. Sofern du nicht eine Stiefschwester oder einen Stiefbruder hast. Falls ja, sollte man denken, dass dein Vater sie oder ihn in seinem Testament bedacht hat. Hast du irgendeine Vorstellung, wie viel Vermögen er hinterlassen hat?«

Sie sah sich um. »Dieses Haus, die Sommerhütte, eine Eigentumswohnung, die Mutter von ihren Eltern geerbt hatte und in der ich wohne, außerdem ein paar Aktien. Vater war sparsam oder eigentlich geizig, aber vom Gehalt eines Polizisten spart man keine großen Reichtümer zusammen.«

»Als dein Vater vor einem Monat seine früheren Kollegen besuchte, sprach er vom Erwerb einer Wohnung in Spanien. Wusstest du von diesen Absichten?«

»Eine Wohnung in Spanien? Zumindest mir gegenüber hat er kein Wort davon erwähnt.«

»Weißt du, wo er seine Kontoauszüge aufbewahrte? Aus ihnen könnte man ersehen, wie viel Geld vorhanden ist.«

»Ich habe manchmal Rechnungen für ihn bezahlt, habe die Nummer seiner Bankkarte. Da waren keine riesigen Summen, zuletzt betrug der Saldo etwa dreißigtausend Euro.«

»Wenn er also eine Wohnung in Spanien hätte kaufen wollen, hätte er Eigentum veräußern müssen, das Sommerhaus oder Aktien.«

»Vermutlich.«

»Und wenn er noch andere Konten hatte, hoch verzinste?«

»Ich weiß es nicht, aber ich kann nachsehen, ob ich etwas finde.«

»Danke.«

Ich folgte ihr in Ikonens Arbeitszimmer. Sie schob eine Reihe Lexika beiseite und holte dahinter eine graue, feuerfeste Kassette hervor. Die war uns bei unserem ersten Besuch entgangen. Der Schlüssel war mit Klebeband an der Unterseite des Telefons befestigt. Saara stellte die Kassette auf den Schreibtisch und öffnete sie.

Die Kassette war fast bis obenhin mit Papieren gefüllt. Saara nahm jedes Blatt einzeln heraus und legte es auf den Tisch. Plötzlich verharrte sie reglos und starrte in den Kasten hinein, bevor sie erneut zugriff und noch etwas herausholte.

Es war ein Bündel Fünfhundert-Euro-Scheine, mindestens zwei Zentimeter dick, in der Summe mussten es zig Tausende sein.

»Vater hat in der Kassette sonst höchstens tausend Euro aufbewahrt.«

Saara blätterte weiter in den Papieren und fand einen ungeöffneten Briefumschlag mit der Aufschrift *Nordea*. Sie riss den Umschlag auf, überflog das darin enthaltene Schreiben und reichte es an mich weiter.

Es war ein Wertpapierauszug der Bank und darauf waren Ikonens Aktien und deren Marktwert aufgeführt. Ich rechnete die Summen rasch zusammen. Demzufolge besaß er *Nokia*- und *Stockmann*-Aktien im Wert von gut einer halben Million Euro.

Von draußen waren Autogeräusche zu hören. Ich trat ans Küchenfenster und sah Simolin rückwärts auf den Hof fahren.

»Mein Mitarbeiter kommt.«

»Glaubst du mir, wenn ich sage, dass ich nichts von Vaters Besitz und Vermögen wusste?«

Ich antwortete nicht, sondern öffnete die Tür. Ich wollte ihr gern glauben, aber der Polizist in mir bremste. Eine Hinterbliebene und ein großes Erbe waren eine böse Kombination in einem Mordfall.

»Polizeihauptmeister Simolin«, stellte ich vor. »Und Saara Ikonen, Aimos Tochter. Wir haben uns heute eigentlich schon mal getroffen, und nun erneut hier.«

Sie streckte die Hand aus und Simolin ergriff sie, wobei er sein Gegenüber neugierig musterte.

»Entschuldigung, aber ich bin immer noch ganz außer mir«, bekannte sie. »Wir haben etwas gefunden, was mich völlig überrascht hat.«

Simolin runzelte die Stirn.

»Es hat sich herausgestellt, dass Aimo Ikonen ein ziemlich wohlhabender Mann war«, erklärte ich. »Wir fanden Anlagen im Wert von einer halben Million Euro und einen dicken Stapel Bargeld.«

»Seid ihr einverstanden, wenn wir uns noch den Rest der Papiere ansehen?«, fragte Saara.

Der nächste interessante Fund war ein gegenseitiges Testament von Aimo Ikonen und seiner Frau. Da beide tot waren, war Saara Ikonen die einzige Erbin. Das Testament war von der Anwaltskanzlei *Aro & Lindell* aufgesetzt worden, unterschrieben hatte Assessor Kauko Aro. Ich notierte mir den Namen.

Die restlichen Papiere waren alte Hypothekenbriefe und Kaufverträge, darunter jener vom Sommerhaus. Der Kauf war im Jahre 1980 getätigt worden.

Saara packte die Papiere wieder in die Kassette und verschloss sie.

»Am besten, du nimmst die Kassette mit zu dir«, riet ich ihr.

»Glaub ich auch. Kann ich sonst noch helfen?«

»Nein, danke, sofern es hier im Haus keine weiteren Verstecke gibt.«

Sie lächelte. »Nein. Außer im Garten. Da sind Blechbüchsen, die unsere größten Geheimnisse enthalten. Tarja und ich haben sie als Kinder dort vergraben und vereinbart, dass wir sie ausbuddeln, wenn wir fünfzig sind.«

»Das dauert noch«, sagte ich. »Wenn du nichts dagegen hast, sehen wir uns nach eigenem Ermessen hier um und hinterlegen den Schlüssel am angestammten Platz.«

Es klingelte an der Tür und Simolin ging öffnen. Draußen stand der Polizistennachbar Kauko Salo. Er kam ungeniert herein.

»Hier wimmelt es ja geradezu von Leuten. Diese Männer kenne ich bereits.« Er breitete die Arme aus und drückte Saara an sich.

»Na, Mädchen. Ich wäre dir gern unter angenehmeren Vorzeichen begegnet! Jetzt trifft dich von allen das schwerste Los. Trauer auf Trauer.« Er ließ sie los. »Wann bist du nach Finnland gekommen?«

»Vor drei Monaten.«

»Dein Vater hat kein Wort davon erwähnt.«

»Du weißt ja, wie er war. Vielleicht kannst du diesen Herren helfen, sie untersuchen Vaters Tod.«

»Wir haben uns bereits unterhalten.«

»Ich muss gehen«, sagte Saara Ikonen. Sie lächelte Salo zu. »Es hat mich gefreut, dich zu sehen.«

Wir blickten ihr alle schweigend nach.

»Ein schönes Mädchen, oder eine Frau ... Komisch, ich sehe in ihnen immer noch die Mädchen. Ich kannte die Schwestern von klein auf. Beide waren schön wie ... Wenn sie als Kinder im Garten inmitten der Blumen spielten, sahen sie aus wie Elfen. Jetzt ist die eine Elfe im Himmel und die andere ist eine erwachsene Frau.«

Salos Stimme bebte. Wie so oft verbarg sich unter der rauen Schale ein weicher Kern.

»Hattest du irgendein Anliegen?«, fragte ich ihn.

»Ihr wart nicht zu übersehen, und weil ich ein neugieriger Mensch bin, wollte ich mich erkundigen, wie die Ermittlungen vorankommen. Einmal Polizist, immer Polizist«, wiederholte Salo sein Motto.

Ich überlegte kurz, wie viel ich preisgeben durfte. Schließlich beschloss ich, ihm zu vertrauen, da ich seine Hilfe brauchte. Ich erzählte ihm alles in groben Zügen, sowohl von Isaksson als auch von dem Jungen.

»Heikki Tapani Isaksson«, präzisierte Salo, als ich fertig war.

»Du kanntest ihn?« Ich bemerkte, dass Simolin in Ikonens Arbeitszimmer schlüpfte.

»Ich wusste von ihm. Ich habe ein gutes Namensgedächtnis. Aber ich hatte keine Ahnung, dass er mit der Erkkilä verheiratet gewesen ist. Hätte ich es gewusst, hätte ich es natürlich erzählt.«

»Wir nehmen an, dass Ikonen glaubte, die Erkkilä hätte dem Jungen den Namen ihres damaligen Mannes gegeben. Nach neuesten Informationen ging Isaksson Anfang der Achtzigerjahre nach Schweden. Wir versuchen ihn zu finden, also lass hören, falls du etwas weißt.«

Salo fasste meine Worte als Kritik auf und begann zu erklären: »Ich wusste tatsächlich nicht, dass Isaksson und die Erkkilä geheiratet haben, nur, dass sie eine Zeit lang liiert waren. An Maija Erkkilä klebten damals ungefähr hundert weitere Kerle. Ich habe Isakssons Geschichten nie selbst untersucht, aber ich erinnere mich an ihn wegen des Banküberfalls. Im Verdacht stand damals Rohr-Petteri, Erkkiläs Exmann, und nebenbei geriet auch Isaksson ein bisschen ins Visier. Die beiden hatten nämlich gelegentlich zusammengearbeitet, obwohl Letzterer hauptsächlich als Betrüger galt.«

»Von welchem Banküberfall sprichst du?«

»Petteri und ein zweiter Täter, meines Wissens wurde nie geklärt, wer es war, raubten morgens die Bank im Industriegebiet von Pitäjänmäki aus, genau zu dem Zeitpunkt, als dort fünf Millionen Mark angeliefert wurden. Ein großes örtliches Unternehmen hatte das Geld für einen Firmenkauf bestellt. Die beiden Räuber erbeuteten die Summe und konnten flüchten. Das passierte Anfang der Achtzigerjahre.«

Ich erinnerte mich dunkel an den Fall. Damals hatte ich gerade mit der Polizeischule angefangen.

»Die Polizei erhielt einen anonymen Hinweis, dass Petteri Väistö der Täter war und dass er sich in einer Sommerhütte in Vihti aufhielt. Die Information war allerdings so unklar, dass nur zwei Mann hinfuhren. Der eine bekam einen Schuss ins Bein, der zweite konnte noch Verstärkung anfordern, aber die Räuber entkamen. Der verletzte Polizist hatte allerdings in einem von ihnen Rohr-Petteri erkannt. Danach habe ich nichts mehr von ihm gehört, bis jetzt.«

Simolin kam mit der Geldkassette aus dem Arbeitszimmer, Ikonens Tochter hatte vergessen sie mitzunehmen.

Ich riss den Zettel mit dem Namen des Anwalts, der das Testament aufgesetzt hatte, aus meinem Notizbuch und gab ihn Simolin.

»Ruf diese Nummer an und erkundige dich, ob in jüngster Zeit irgendwelche Änderungen in Ikonens Testament vorgenommen wurden.«

Simolin zückte sein Handy.

»Im Arbeitszimmer«, ergänzte ich.

Simolin entfernte sich, die Kassette in der einen, das Handy in der anderen Hand.

Ich begleitete Salo in den Flur. »Ruf an, wenn dir noch etwas einfällt.«

»Ich würde gern hören, wie die Ermittlungen vorankommen. Ich verspreche, gegenüber der Presse dichtzuhalten.«

»Ich werde daran denken.«

Salo hatte gerade zwei Schritte gemacht, als ich ihn stoppte.

»Eins noch: Weißt du die Namen der beiden Polizisten?«

»Welche meinst du?«

»Jene, die Petteri Väistö aus der Hütte holen sollten.«

Mir schien, als ob ein erstaunter Ausdruck in Salos Augen trat.

»Der eine war Erkki Laurila und der andere, der die Kugel ins Bein bekam, war Aimo Ikonen.«

Wir sahen uns zwei Stunden lang um, ich im Arbeitszimmer, Simolin im Wohnzimmer, fanden aber nichts Interessantes. Ich kehrte ins Wohnzimmer zurück. Simolin durchsuchte das Bücherregal, er nahm jedes Buch einzeln heraus und schüttelte es. Ich setzte mich aufs Sofa und sah ihm zu.

Simolin hob eines der Bücher hoch. »Robert Ludlum. Da soll noch mal jemand behaupten, dass Polizisten keine Krimis lesen. Ikonen zumindest tat es.«

Ich nickte und ließ den Blick über die bunten Bücherreihen schweifen. Ein ledergebundenes mehrbändiges Lexikon, drei Bücher aus der Reihe *Ein Polizist erzählt.*

Ich stand auf und starrte auf das Regal.

»Gib mir mal die Bände *Ein Polizist erzählt.*«

Ich schlug im erstbesten das alphabetische Autorenverzeichnis auf und fand darin Aimo Ikonens Namen.

Die Geschichte, die er geschrieben hatte, hieß *Mord ohne Leiche* und erzählte vom Verschwinden einer jungen Frau und davon, wie man sie schließlich nach hartnäckigen Ermittlungen fand, eingewickelt in einen Teppich und versenkt in einem Moorteich. Ikonens Schreibstil war ein wenig steif und erinnerte an ein Untersuchungsprotokoll. Einige Male hatte er versucht, plumpen Humor im Text unterzubringen.

Ich schlug das nächste Buch auf, und wieder war Ikonen einer der Autoren. Diese zweite Geschichte hieß *Killerkinder,* hier ging es um drei elf- bis vierzehnjährige Jungen, die in einer Waldhütte einen dort kampierenden Betrunkenen mit einem Stein erschlugen und anschließend die Hütte anzündeten.

Die dritte Geschichte hieß *Ungebetene Gäste* und handelte von einer Messerstecherei, die sich in einem Salon des Hotels *Marski* zugetragen hatte. Der Außenminister und der Generaldirektor der Sozialversicherung führten dort Gespräche, als drei Männer eindrangen. Einer der Eindringlinge hatte ein Messer bei sich. In dem Handgemenge, das entstand, bekam der Generaldirektor eine Schnittwunde an der Hand ab. Ikonen berichtete davon, dass die Tat zunächst als politischer Terrorakt behandelt wurde, bis die Ermittlungen ergaben, dass die drei Angreifer Junkies waren, die im Hotel auf Beutezug unterwegs waren. Lediglich ein *Spiel des Zufalls* hatte sie in den Raum geführt, in dem der Außenminister und der Generaldirektor saßen.

»Hast du etwas gefunden?«, erkundigte sich Simolin.

»Vielleicht.«

Simolin warf mir einen Blick zu, fragte aber nicht weiter.

»Jedes Buch enthält eine von Ikonen verfasste Kriminalgeschichte, aber sämtliche Täternamen wurden geändert. Find raus, wie die Leute wirklich heißen.«

»Was sind es für Geschichten?«

Bevor ich antworten konnte, klingelte Simolins Handy.

Er sah nach der Nummer des Anrufers. »Es ist der Anwalt.«

Simolin hatte Assessor Aro angerufen, aber der war in einer Besprechung gewesen und hatte versprochen, sich später zu melden.

»Simolin … Ja, bin ich … Ikonen ist tot und wir ermitteln wegen Mordes … Wir haben nichts und niemanden im Verdacht, aber wir möchten einige Dinge überprüfen … Ja, natürlich …«

Der Anrufer erklärte etwas, denn Simolin lauschte konzentriert. Dann bedankte er sich, schaltete das Handy aus und sah mich an.

»Na?«

»Ikonen hat den Anwalt vor zwei Wochen kontaktiert und sich wegen einer Testamentsänderung erkundigt, dahingehend, dass ein zweiter Erbe bedacht werden sollte.«

Kapitel 9

Mein Onkel Dennis war, mit welchem Maß auch immer gemessen, ein guter Mensch, auch wenn er einst Bankdirektor gewesen war. Ich habe aus den mehr als dreißig gemeinsamen Jahren keine einzige negative Erinnerung. Gerade er hatte mir über viele schwierige Zeiten hinweggeholfen. Dank seines Zuspruchs wurde ich Polizist, obwohl alle anderen Verwandten es für selbstverständlich gehalten hatten, dass ich Jura, Ökonomie oder Medizin studiere, auch als Diplom-Ingenieur wäre ich noch akzeptiert worden, aber als Polizist …

Zuletzt hatten wir uns bei meinem Bruder Eli getroffen, wo wir gemeinsam Pessach gefeiert hatten, das Fest zur Befreiung von der ägyptischen Sklaverei. Wenn Eli den Onkel nicht eingeladen hätte, hätte es ein anderer getan, er war ein beliebter Gast, und das nicht nur, weil er wohlhabend war.

Jedes Mal, wenn wir uns begegneten, wollte er hören, was in meinem Leben an Neuem passiert war. Und nebenbei bekam ich von ihm viele gute Ratschläge.

Wir saßen auf seinem Lieblingsplatz im Sibeliuspark. Von der Bank aus hatte man freien Blick aufs Meer. Die Sonne wärmte angenehm. Der dicke Ulster des Onkels hatte sich beim Sitzen so hochgeschoben, dass der ganze Mann darin zu versinken schien. Das graue Haar war zurückgekämmt. Der Onkel gehörte zu jenen Menschen, die von Tag zu Tag durchscheinender wurden. Eines Tages würde ich durch seinen Kopf hindurch auf die Wellen blicken, die in der Sonne blinkten.

»Ich bin gestern einer wirklich schönen Frau begegnet«, sagte ich. Ich wusste, dass ihn das Thema interessierte.

Er sah mich erwartungsvoll an.

»Sie ist die Tochter meines ehemaligen Vorgesetzten, des Vizepolizeichefs. Ihr Vater wurde ermordet bei einer Frau aufgefunden. Diese Frau, eine ehemalige Kriminelle, ist ebenfalls getötet worden.«

»Verbrecherin und Polizist? Interessant, aber erzähl erst mehr von der schönen Frau.«

»Sie ist bildende Künstlerin. Der Anfang war insofern etwas schwierig, als ich ihr vom Tod ihres Vaters berichten musste.«

»Wie nahm sie es auf?«

»Ruhig, aber nicht gleichgültig. Ihr Vater war durchaus kein einfacher Mensch gewesen.«

»Beschreib sie.«

»Dunkles, kurzes Haar, große graubraune Augen, gerade Nase, hohe Wangenknochen, Größe etwa eins siebzig, schlank.«

»Du hast ziemlich genau hingesehen.«

»Ihre Schwester starb vor einem Monat an einer Überdosis Drogen.«

»Erst starb die Tochter, dann der Vater. Es müsste stets umgekehrt sein, aber das haben wir nicht in der Hand.«

Mir fiel zu spät ein, dass der jüngste Sohn meines Onkels ebenfalls an einer Überdosis Rauschgift gestorben war. Obwohl das Ereignis bereits mehr als zwanzig Jahre zurücklag, wollte ich trotzdem keine unangenehmen Erinnerungen heraufbeschwören.

»Drogen sind ein Übel. Was soll man bloß von Menschen halten, die der Meinung sind, dass Drogen freigegeben werden sollten? Ebenso gut könnten sie verlangen, dass jedem Menschen eine kostenlose Waffe übergeben wird mit dem Ratschlag: Erschieß dich. Drogen sind ein Selbstmordinstrument! Entschuldige, aber du kennst ja mich und dieses Thema …«

»Ich begegnete der Frau ein zweites Mal, als ich die Wohnung ihres Vaters durchsuchen wollte. Sie war dort, um einige Dinge zu ordnen.«

»Und die Mutter?«

»Ebenfalls gestorben, vor ein paar Jahren.«

»Viel Tod in der Familie. Wie steht es sonst bei dir mit Frauen?«

»Schlecht. Eli versucht, mich mit einer Turkuerin zu verkuppeln.«

»Natürlich einer Jüdin.«

»Natürlich. Die Gemeinde wünscht sich eine jüdische Hochzeit.«

Die Sonne wärmte so angenehm, dass ich schläfrig wurde. Ich warf einen Blick auf meinem Onkel. Er hatte die Augen geschlossen.

»Du warst Direktor in der Vereinsbank«, sagte ich. »Erinnerst du dich an einen Überfall, der Anfang der Achtzigerjahre in der Filiale in Pitäjänmäki stattfand?«

»Jener, bei dem fünf Millionen Mark verschwanden?«

»Genau der.«

»Was ist damit?«

»Der Überfall tauchte indirekt bei den Ermittlungen zum Mord am Vater der jungen Frau auf. Weißt du von irgendwelchen Besonderheiten bei dem Ereignis?«

Der Onkel öffnete die Augen und richtete den Blick auf mich. »Das Geld hat die Bank nicht wiederbekommen.«

»Und sonst?«

»Ich erinnere mich, dass danach die Sicherheitsmaßnahmen und -anweisungen verschärft und dass Überwachungskameras für die Filialen angeschafft wurden. Auch ich nahm an ein paar Schulungsveranstaltungen teil, in denen der Sicherheitschef der Bank und ein Polizist referierten. Wenn du möchtest, kann ich den damaligen Sicherheitschef anrufen. Er ist im Ruhestand, erinnert sich aber bestimmt an die Geschichte. Ich bin sicher, dass er gern hilft.«

»Es genügt, wenn du mir seine Telefonnummer gibst. Ich rufe lieber selbst an.«

»Das dürfte wohl am klügsten sein. Wie geht es Elis Ehe? Meint er es ernst mit der Scheidung?«

Ich hatte mit keinem Wort von Eli gesprochen, aber das Kommunikationsnetz meines Onkels war lückenlos. Ich wunderte mich, wie er davon gehört hatte, denn Eli selbst hatte es jedenfalls nicht herumerzählt. Ich kam zu dem Schluss, dass Elis Kompagnon Max die undichte Stelle war.

»Eli möchte am liebsten die Sahne abschöpfen, möchte Frau und Kinder genießen und trotzdem frei sein wie ein Junggeselle.«

»Und ich dachte immer, dass der zweite Frühling von Fünfzigjährigen eine Erfindung ist. Ich selbst hatte so was jedenfalls nicht.«

»Eli glaubt, dass er etwas verpasst hat, weil er schon so jung geheiratet hat.«

»Ich habe mit siebzehn geheiratet, Ester war erst sechzehn. Ester war Frau genug für einen Mann, mir wäre nie in den Sinn gekommen, mich anderweitig umzutun. Auch mit sechzig verschaffte sie mir noch einen ordentlichen Kick.«

Der Onkel streifte mich mit einem Blick und lächelte. »Einen ordentlichen Kick, du hast richtig gehört. Glaubst du, dass der Sex erst in den Sechzigerjahren erfunden wurde?«

Meine früheste Erinnerung an Tante Ester stammte aus der Zeit vor dreißig Jahren. Die Tante war damals fünfzig gewesen, immer im Jackenkleid, sie war klein und untersetzt und sah stets aus, als käme sie frisch vom Friseur. Meiner Meinung nach sah sie wirklich nicht nach einer Frau aus, die irgendjemandem einen ordentlichen Kick gab. Aber der Onkel wusste es natürlich am besten.

Am Nachmittag rief ich erneut Simolin, Stenman und Oksanen zu einer Besprechung zusammen. Ich schmiss die Kaffeemaschine im Besprechungsraum an. Auf dem Weg in die Dienststelle hatte ich einen Abstecher ins *Primula* gemacht und für alle frische Plunderstücke gekauft – ein anständiger Vorgesetzter verwöhnt seine Untergebenen, wenn sie gute Arbeit geleistet haben. Sogar Oksanen erschien ausnahmsweise pünktlich.

Ich fasste sämtliche inzwischen ermittelten Informationen über Isaksson und Ikonen und deren gemeinsame Vergangenheit zusammen und berichtete auch von Ikonens überraschend großem Vermögen und der Testamentsänderung.

»Es sieht übel aus für Ikonen«, mit diesen Worten gab Simolin unseren Gefühlen Ausdruck. »Mit dem Gehalt eines Polizisten kann man solche Summen nicht zusammensparen.«

»Vielleicht hat er zeitlebens geknausert und sich für das Ersparte *Nokia*-Aktien gekauft«, schlug Oksanen vor.

»Hast du herausfinden können, ob Ikonen und Isaksson noch in anderen Fällen gemeinsam auftauchen?«, erkundigte ich mich bei Simolin.

»Ich bin dran an der Sache. Ich war den ganzen Vormittag mit der Suche nach Erkki Laurila beschäftigt. Inzwischen habe ich die Adresse und die Telefonnummer, aber er reagiert nicht auf Anrufe. Als Nächstes beabsichtige ich, hinzufahren. Falls er nicht zu Hause ist, weiß vielleicht ein Nachbar, wo er sich aufhält. Die Anruflisten von Maija Erkkilä und Ikonen hatte man mir eigentlich für den Vormittag versprochen, aber ich bekomme sie erst gegen sechzehn Uhr.«

»Gut, und du?«, wandte ich mich an Oksanen.

»Ich habe die Stockholmer Polizei kontaktiert und mich nach Isaksson erkundigt. Es gab eine Verhaftung im Zusammenhang mit einem Betrugsfall, aber Isaksson wurde wieder freigelassen. Wahrscheinlich handelt es sich um jenen Fall, in dem die Stockholmer Polizei damals bei uns angefragt hat. Aus dem Jahre 1986 gab es Steuerinformationen, die besagten, dass er in einer Metallfirma beschäftigt war. Der hilfsbereite schwedische Kollege rief in der Firma an und erfuhr, dass Isaksson dort ein knappes Jahr Vorarbeiter gewesen ist. Für die Zeit danach gibt es keinerlei Einträge, keine Adresse, keine Steuerbelege, gar nichts. Der Mann hat sich scheinbar in Luft aufgelöst.«

»Und aus welchem Jahr datiert die Verhaftung?«

»Ebenfalls 1986.«

»In Ikonens Wohnung haben wir Bankdaten über bedeutende Geldanlagen gefunden. Find heraus, wie lange er schon mit Aktien spekuliert hat und welche Summen im

Spiel waren. Es muss für die Geldvermehrung irgendeine Erklärung geben und ich möchte sie finden, auch wenn sie nicht schön sein sollte.«

»Wir müssen damit rechnen, dass die Leute sich aufs Bankgeheimnis berufen.«

»Tote haben keine Geheimnisse.«

»Maija Erkkilä anscheinend doch«, sagte Stenman mit einem Lachen. »Ihr Kind ist ein totales Mysterium. Sie hat in keiner der Geburtskliniken im Bereich der Hauptstadt entbunden. Und das Kind taucht auch in keinem Register auf.«

»Manche entbinden zu Hause«, warf Oksanen ein.

»Selbst wenn das Kind in einer Krippe zur Welt gekommen wäre, müssten Informationen darüber vorhanden sein. Nirgendwo ist erwähnt, dass die Erkkilä ein Kind hat. Sie hat kein Kindergeld bezogen, keine Beratungsstelle aufgesucht, keine Erstausstattung bekommen und das Baby ist nie geimpft worden.«

»Hat sie es möglicherweise unmittelbar nach der Geburt weggegeben?«, schlug ich vor.

»Auch danach habe ich gefragt. Laut Jugendamt kann ein Kind trotzdem nicht einfach so verschwinden. Selbst wenn es gestorben wäre, gäbe es ab dem Zeitpunkt der Geburt Einträge darüber.«

Manchmal kommen die Eingebungen aus dem Nichts, so auch jetzt. Ich griff zum Telefon und wählte eine vertraute Nummer.

»Hier Kafka, grüß dich. Ich hätte noch eine Frage zur Obduktion der Maija Erkkilä. Der Bericht ist noch nicht da, aber ich bräuchte eine weitere vorläufige Information. Hat die Frau Kinder geboren?«

Alle sahen mich erwartungsvoll an.

Die Antwort kam schnell, ich bedankte mich und legte auf. Die Spannung verdichtete sich.

»Laut Auskunft des Rechtsmediziners wurde bei der Erkkilä in jungen Jahren wahrscheinlich eine illegale Abtreibung vorgenommen, aber sie hat nie ein Kind geboren.«

Die Überraschung ließ alle im Zimmer verstummen.

»Wessen Kind ist dann auf jenem Foto?« Simolin äußerte als Erster seine Verwunderung.

»Jedenfalls nicht Erkkiläs.«

»Komische Geschichte. Salo erinnerte sich, dass die Erkkilä ein Kind hatte, ebenso der Exmann. Nach Nikutins Worten hat die Erkkilä von ihrem Sohn gesprochen, hat erwähnt, dass es ihm gut ging und dass er seine Mutter nicht mehr sehen wollte. Welchen Sinn macht es, so etwas zu erfinden?«

»Ein Arzt irrt in solchen Dingen nicht. Und das würde auch erklären, warum es zu dem Kind keine Angaben gibt. Es kann keine geben, weil das Kind nie existiert hat.«

In meinem Kopf herrschte Chaos wie nach einer Explosion. Die neue Information hatte den ganzen Packen durcheinandergebracht, die Karten mussten neu gemischt und das Spiel musste von vorn begonnen werden. Diese Situation war jedem Ermittler vertraut. Gerade wenn sich das Bild herauszukristallisieren begann und man glaubte, auf der richtigen Spur zu sein, fand sich ein Puzzleteilchen, das in keine Lücke passte, nicht mal mit sanfter Gewalt.

Ich wurde immer schnell unruhig, wenn ich nichts zu tun hatte. Da mir nichts anderes einfiel, rief ich Kommissar Toivola von der Polizei Järvenpää an, mit dem ich beim Doppelmord von Linnunlaulu zusammengearbeitet hatte. Wir tauschten ein paar allgemeine Höflichkeiten aus und danach kam ich zur Sache. Ich sagte ihm, dass ich alle nur erdenklichen Informationen über den Tod von Tarja Ikonen haben wollte.

»Das war wirklich eine schlimme Geschichte. Ich habe den Vater selbst angerufen und ich kann sagen, dass man selten eine so schwere Aufgabe bewältigen muss.«

»Kanntest du Aimo Ikonen?«

»Ein bisschen.«

»Wie nahm er die Information auf?«

»Mag die Beziehung zwischen Vater und Kind auch noch so schlecht gewesen sein, der Tod des Kindes trifft einen Vater stets sehr tief, das kann niemand ermessen, der es nicht selbst erlebt hat. Manchmal funktioniert der Selbstschutzmechanismus so gut, dass der Betroffene sich zunächst völlig leer fühlt, der Schock kommt häufig erst später. Ikonen fragte, wie es passiert war. Ich erzählte es ihm. Er dankte und legte auf. Das war alles.«

»Danach hattet ihr keinen Kontakt mehr?«

»Nach ein paar Tagen rief er erneut an und wollte mehr wissen.«

»Worüber?«

»Er fragte, ob es sich auch bestimmt um eine Überdosis und kein Verbrechen gehandelt hatte.«

»Und hatte es?«

»Dafür musste man es halten, denn für etwas anderes gab es keine Anzeichen. Natürlich hätte es sein können, dass jemand dem Mädchen die Drogen in böser Absicht besorgt hat, aber dass ihr das Gift gegen ihren Willen gespritzt worden wäre, dafür fanden sich keine Beweise. Ihr Körper zeigte keine Spuren von Gewalt. Im Haus wohnten noch andere Leute und niemand hatte etwas gesehen, das auf ein Verbrechen hindeutete. Habt ihr denn etwas, was ein Verbrechen vermuten ließe?«

»Nein, aber der Tod der Tochter veranlasste Ikonen offenbar zum Handeln, und es kann sein, dass er über ein Wissen verfügte, das wir nicht haben. Möglicherweise betrachtete er den Tod der Tochter als Rache an seiner Person, aber das ist nur Spekulation.«

»Auf welchem Stand ist denn die Untersuchung im Fall Ikonen?«

»Sie zerfällt in viele Richtungen. Die Frau, die zusammen mit ihm getötet wurde, ist eine ehemalige Kriminelle, und sie war die Freundin vieler Gangster. Sie wurde Spinnenfrau genannt. Wir vermuten, dass Ikonen mit ihr eine Beziehung hatte.«

»Ich habe von dieser Spinnenfrau gehört. Sie und Ikonen eine Beziehung? Da glaubt man, jemanden zu kennen, und weiß doch gar nichts von ihm. Mit anderen Worten, das Motiv für die Morde liegt eventuell in dieser Beziehung. Ist es das, was ihr vermutet?«

»Wir ziehen auch diese Möglichkeit in Betracht.«

»Ich kann dir die Protokolle vom Fall Tarja Ikonen schicken, wenn du willst.«

»Danke, mach das.«

Dann unterhielten wir uns noch eine Weile über den Fall, an dem wir letzten Herbst gemeinsam gearbeitet hatten.

Es war schon vier Uhr nachmittags, Simolin musste die Anruflisten inzwischen haben. Ich machte mich auf die Suche nach ihm.

Er saß gemeinsam mit Stenman in seinem Arbeitszimmer, auf dem Schoß hielt er einen Stapel Papiere. Stenman hatte einen ähnlichen Stapel vor sich.

»Frag nichts, das Zeug ist erst vor einer Viertelstunde gekommen«, sagte sie. »Außerdem hat die Erkkilä täglich Dutzende von Gesprächen empfangen. Interessant ist vorläufig einzig der Fakt, dass ihr anscheinend ein Mobiltelefon abhandengekommen ist. Den Rechnungen zufolge besaß sie drei Telefone, von denen sie zwei – jenes vom Festnetz sowie ein Mobiltelefon – bei der Arbeit als Hellseherin benutzte und ein drittes vermutlich privat. Zu den beiden Telefonen, die wir gefunden haben, gibt es nur empfangene Gespräche, also Anrufe der Kunden. Das Privattelefon ist verschwunden. Jemand hat vermutlich befürchtet, dass dort seine Nummer zu finden ist.«

»Ich entdeckte außerdem mehr als zehn Prepaid-Gespräche«, fuhr Stenman nach einer Weile fort. »Die Person, die Erkkiläs Privattelefon an sich genommen und die vermutlich Erkkilä und Ikonen getötet hat, muss so gut mit ihr bekannt gewesen sein, dass sie ihre Nummer im Telefonspeicher gehabt hat.«

»Danach sieht es aus«, bestätigte ich.

»Sieh mal«, sagte Simolin und hielt mir ein Blatt hin, auf dem er mehrere Nummern eingekreist hatte.

»Ich fand zwei Gespräche, die von Erkkiläs Nummer aus mit Ikonen geführt wurden, dazu drei Anrufe Ikonens an Erkkilä, der letzte einen Tag vor den Morden. Am Anfang stand ein Anruf von Ikonen. Wie es scheint, war er also der Initiator. Allerdings habe ich die Liste erst einen Monat zurückverfolgt.«

Simolins Beobachtung brachte als solche die Untersuchung nicht wesentlich voran.

»Fein. Aber versuch, diese Tupu zu finden. Wenn sie so gut mit der Erkkilä bekannt ist, wie Nikutin erzählte, dann ist sie bestimmt unter den Anrufern. Sie weiß gegebenenfalls etwas und ist vielleicht sogar unsere unbekannte Anruferin.«

»Jetzt habe ich etwas entdeckt!« Stenman schwenkte ein Blatt vor meiner Nase. »Sieh dir mal diese Nummern an.«

Dort standen zwei Nummern von Festnetzanschlüssen, beide begannen mit 189: das Helsinkier Polizeipräsidium.

Ich griff nach dem Blatt und wählte sofort die Zentrale.

»Kafka von den Gewaltdelikten, grüß dich. Kannst du mal nachsehen, wer die Apparate 2214 und 2173 hat?«

Innerhalb von zwanzig Sekunden war die Sache geklärt.

Eine der Nummern gehörte Vizepolizeichef Leivo, die andere einem Inspektor namens Hintikka von der Abteilung für Wirtschafts- und Eigentumsdelikte.

Ich fluchte. »Warum hat uns keiner der beiden von Ikonens Anrufen erzählt?«

»Wir finden es heraus«, schlug Stenman vor.

»Da kannst du Gift drauf nehmen. Arja, du sprichst mit Hintikka, ich gehe jetzt sofort zu Leivo.«

Leivo war ein so großer Boss, dass er sogar eine eigene Sekretärin hatte. Ich sagte ihr, dass ich Leivo sofort sprechen wollte.

»Der Vizepolizeichef erwartet in Kürze Besuch.«

»Ich brauche nur zwei Minuten.«

»Ich erkundige mich.«

Sie verschwand in Leivos Zimmer und kehrte kurz darauf zurück.

»Sie können hineingehen.«

Leivo hatte sich hinter seinem Schreibtisch verschanzt und machte sich nicht die Mühe aufzustehen.

»Hoffentlich kannst du dich kurzfassen. Ich erwarte in spätestens fünf Minuten einen Besucher.«

»Das hängt nicht von mir ab, sondern davon, wie schnell Sie erzählen können, was Ikonen wollte, als er Sie vor einem Monat anrief.«

Leivo wurde rot, sein Gesichtsausdruck verfinsterte sich zugleich. »Es hat nichts mit seinem Tod zu tun.«

»Das bestimme ich als Ermittlungsleiter.«

Leivo überlegte kurz. »Er rief unmittelbar nach dem Tod seiner Tochter an. Ich deutete den Anruf so, dass Ikonen in dem Moment nicht ganz im seelischen Gleichgewicht war, und ließ die Sache auf sich beruhen.«

»Nun, und?«

»Es war eine Art Drohanruf ... Er warf mir die Tatsache vor, dass ich seine Tochter vor zwanzig Jahren wegen Diebstahls in Gewahrsam genommen hatte, davon habe ich wohl schon erzählt. Seiner Meinung nach war die Strafe, wenn auch mit Bewährung, der Grund dafür, dass seine Tochter abglitt und harte Drogen nahm. Laut Ikonen zerstörte das Brandmal des Verbrechens, diesen Ausdruck benutzte er, seine Tochter. Er drohte damit, sich auf die eine oder andere Art an mir zu rächen.«

»Und wie genau, sagte er nicht?«

»Nein. Ich forderte ihn auf, sich auszuruhen und erneut anzurufen, wenn er sich beruhigt hätte.«

»Ikonens Tochter hatte geklaut, um sich Drogen zu kaufen, war es nicht so?«

»Ja, stimmt. In Lönkkä gab es zu der Zeit eine Kaschemme namens *Anira.* Dort saßen immer Dealer herum, die Ware gegen Stoff tauschten. Ikonens Tochter klaute für

Keke Lappalainen auf Bestellung – heute hatte er einen Käufer für eine Lederjacke, morgen für eine Pelzmütze und so weiter. Zu allem Überfluss machte er sich diese jungen Dinger gefügig, zwang sie zum Sex. Ein selten widerwärtiger Mensch. Das Mädchen belastete Lappalainen anfangs und wir buchteten ihn ein, aber vor Gericht nahm sie alles zurück. Der Kerl kam mit einem blauen Auge davon. Ikonen hasste Lappalainen und versuchte mit allen Mitteln, ihn dranzukriegen, schließlich gelang es ihm.«

»Was war das für eine Sache?«

»Darüber wurde seinerzeit viel geschrieben, doch dann stellte sich heraus, dass es sich nur um Einbruch und versuchten Diebstahl handelte.«

Die Sekretärin lugte durch den Türspalt. »Der Kommandeur wäre jetzt hier.«

»Leider muss ich Schluss machen. Du verstehst wohl, warum ich die Ermittler nicht kontaktiert habe?«

»Gewiss. Danach haben Sie dann nichts mehr von Ikonen gehört?«

»Nein. Er begriff bestimmt, wie unsinnig seine Behauptungen und Drohungen waren. Wie gesagt, ich glaube, dass der Tod der Tochter ihn aus dem Gleichgewicht gebracht hatte und dass er seinen Kummer an irgendjemandem auslassen musste. Dieser Jemand war zufällig ich. Ich wollte es nicht an die große Glocke hängen, weil das mit seiner Tochter für ihn tragisch genug war. Seinerzeit, während ich Dienstbereitschaft hatte, wurde uns einige Male ein Mann gemeldet, der spätabends im Kaisaniemi-Park herumschlich. Als eine Streife hinfuhr, stellte sich heraus, dass es Ikonen war, der dort nach seiner Tochter suchte. Eine bedauernswerte Geschichte, alles in allem.«

»Eine Sache noch. Wissen Sie, ob Lappalainen am Leben ist?«

»Nein, weiß ich nicht, leider.«

Ich begegnete dem Polizeikommandeur an der Tür. Ich nickte und er nickte zurück.

Ich ging wieder in Simolins Büro. Stenman war bereits dort.

»Hast du es klären können?«, fragte sie.

Ich erzählte, was Leivo und ich besprochen hatten.

»Und Hintikka?«

»Wie er sagte, erkundigte sich Ikonen nach einer bestimmten Firma, nach den Eigentümern, der Leitung, der Solvenz und danach, ob Komplikationen zu erwarten waren. Angeblich wollte er dort seine Rentenersparnisse anlegen und sich zu diesem Zweck vorab informieren. Hintikka checkte daraufhin die Firma und ihre Leitung und gab die Informationen an Ikonen weiter. Ikonen wollte noch wissen, ob die Polizei irgendetwas gegen die Firma laufen hatte, und Hintikka verneinte.

»Welche Firma war das?«

Stenman sah in ihr Notizbuch.

»*Elektrada AG.* Produziert als Zulieferer Komponenten für Computer- und Telefonfirmen.«

»Ich habe davon gehört«, sagte Simolin. »Kein ganz kleiner Betrieb. Vier- bis fünfhundert Beschäftigte.«

»Irgendwie seltsam, dass Ikonen bei der Polizei solche Informationen einholt. Wenn die Firma ihn interessiert hat, interessiert sie auch uns. Arja, besorg dir die entsprechenden Fakten.«

»Jetzt? Ich versuche noch heute die Anruflisten von Tuula Uotila und die Daten von Erkkiläs entwendetem Handy zu bekommen. Ich lasse sie dann gleich bei Excel durchlaufen, damit habe ich noch genug zu tun.«

»Hinterher, nachdem du die Anruflisten geprüft hast. Wenn sich Ikonen für die Firma interessiert hat, hat er bestimmt auch da angerufen. Simolin hat inzwischen Erkki Laurila gefunden.«

»Welchen Laurila?«

»Jenen Polizisten, der mit Ikonen bei dessen Ausstand Streit hatte. Er ist einer seiner ehemaligen Mitarbeiter und bereits selbst pensioniert.«

»Warum lässt du dir die Daten der Firma nicht gleich von Hintikka geben?«, fragte Stenman.

»Er weiß nicht, was wir suchen.«
»Was suchen wir denn?«
»Wenn wir es sehen, wissen wir es.«

Der ehemalige Sicherheitschef der Vereinsbank hatte meinen Anruf erwartet. Mein Onkel hatte ihn doch vorab informiert und sich für mich ins Zeug gelegt. Der Mann hieß Routala.

»Natürlich helfe ich gern der Polizei, und besonders gern tue ich es, weil ich deinen Onkel schätze. Wir standen beide fast vierzig Jahre im Dienst desselben Arbeitgebers. So etwas ist heutzutage selten.«

»Wir stießen im Rahmen einer Ermittlung auf den Überfall in der Filiale der Vereinsbank in Pitäjänmäki. Ich würde gern hören, was dort eigentlich geschah.«

»Und das, was meiner Meinung nach dort geschah?«

»Speziell das.«

»Die Bank wurde morgens überfallen, gerade als die Geldlieferung eingetroffen war. Zwei maskierte Männer, beide bewaffnet. Sie verließen den Tatort mit einem gestohlenen Auto und nahmen fast fünf Millionen Mark mit. Das sind dann auch schon fast alle Fakten. Alles andere sind Vermutungen. Der Zeitpunkt des Überfalls war nicht zufällig gewählt. Jemand wusste, wann die Geldlieferung kommt, wie viel sie beinhaltet und wie die Sicherheitsmaßnahmen beschaffen sind. Zur selben Zeit gab es einen blinden Alarm im Süden Helsinkis und die Räuber bekamen einen guten Vorsprung. Profis. Die Polizei erhielt erstaunlicherweise einen Tipp, der hunderttausend wert war, nämlich dass sich die Räuber in einer Hütte in Vihti aufhielten. Aber die Polizisten vermasselten den sicheren Coup. Danach verschwanden beide Räuber mit dem Geld wie ein Furz in der Sahara. Der Name eines der Täter wurde ermittelt. Ein Berufsgangster namens Väistö, aber selbst von ihm hat man nie auch nur einen Schimmer gesehen. Er ging offenbar nach Schweden und trieb dort sein Unwesen, tut es vielleicht immer noch, sofern er am Leben ist. Er muss bereits über sechzig sein.«

»Und der zweite Räuber?«

Ich merkte, dass Routala kurz zögerte, ehe er sagte: »Keine Spur. Auch der Tippgeber sprach nur von Väistö.«

»Hattet ihr irgendeinen Verdacht, wo die undichte Stelle in der Bank war?«

»Du kannst mir glauben, dass wir danach lange und ausgiebig gesucht haben. Wir fanden keinerlei Beweise. Hinterher wurde eine Kamera in der Bank installiert und die Sicherheitsvorkehrungen wurden insgesamt verstärkt.«

Als ich in mein Arbeitszimmer zurückkam, wartete auf meinem Schreibtisch ein Umschlag mit kopierten Zeitungsausschnitten aus der *Helsingin Sanomat.* Ikonen war tatsächlich noch kamerageiler gewesen, als ich geglaubt hatte. Er war Dutzende Male zu den verschiedensten Themen interviewt worden, zum Beispiel zum neuen Vorermittlungsgesetz, zum Abhören von Telefonen, zu verdeckten Operationen. Eine Kategorie für sich waren jene Storys, in denen Ikonen am Tatort posierte und improvisierte Pressekonferenzen gab. Dazu gehörte auch das Foto, auf dem Simolin seine Schuhe identifiziert hatte.

Ich blätterte den Stapel rasch durch und legte alle Ausschnitte, die eher weniger interessant waren, beiseite. Mit den restlichen befasste ich mich etwas gründlicher, auch das waren immerhin mehr als ein Dutzend. Am Archivstempel war zu erkennen, dass die ältesten vom Beginn der Siebzigerjahre stammten. Ikonen hatte den Kellermord von Punavuori aufgeklärt. Die Näherin Helena Laukkonen war, grausam getötet, im Keller des Hauses Punavuorenkatu drei aufgefunden worden. Als Mörder war nach ›zeitraubenden‹ Ermittlungen der Hausmeister Valto Sundström aus ebendiesem Haus überführt worden.

Einige Jahre später gab Ikonen die Aufklärung des Raubmordes an einem Geldboten bekannt. Der Mann, der das Geld der Firma *Airam* transportierte, war auf dem Weg vom Stadtzentrum nach Punavuori überfallen worden.

In mehreren Zeitungsartikeln wurde über den Polizistenmord von Herttoniemi berichtet. Simo Alponen, Polizeihauptmeister und Vater dreier Kinder, war in der Siilitie im Rahmen einer Verhaftung niedergestochen worden und später in der Chirurgischen Klinik an seinen Verletzungen gestorben. Schließlich hatte man den Täter, einen neunzehnjährigen Gelegenheitsarbeiter, an seinem Arbeitsplatz gestellt. Bei der Festnahme war er in Tränen ausgebrochen und hatte sich bei Alponens Frau und Kindern für die Tat entschuldigt.

Obwohl es sich um Verbrechen handelte, die gerade einmal dreißig Jahre zurücklagen, konnte man den Zeitungsartikeln entnehmen, wie sehr sich die Zeiten geändert hatten. Man merkte es am Stil des jeweiligen Verfassers, an der Wortwahl, den Kommentaren der Polizisten und vielen anderen Faktoren. Ähnliches war mir bereits aufgefallen, als ich alte Untersuchungsprotokolle durchgesehen hatte. Die Welt veränderte sich, aber so langsam, dass man die Veränderung erst sah, wenn man mit genügend Abstand hinschaute.

Der letzte Fall, dem mehrere Artikel gewidmet waren, war jener, von dem Vänskä erzählt hatte und auf den ich gestoßen war, als ich in Ikonens Wohnung in den Bänden *Ein Polizist erzählt* gelesen hatte. Es ging um den Überfall im Hotel *Marski,* bei dem der Außenminister und der Generaldirektor der Sozialversicherung die Opfer gewesen waren.

Es begann mit einer Meldung vom Herbst 1979, in der die Frage aufgeworfen wurde, ob der politische Terror Finnland erreicht hatte. Außenminister Matinoja posierte in Boxerstellung und erzählte, wie er und Generaldirektor Kaipio die Angreifer in Schach gehalten hatten. Das Nachrichtenfoto dazu war in jenem bewussten Salon aufgenommen worden. Laut Bildunterschrift sah man im Hintergrund Kommissar Aimo Ikonen, Hoteldirektor Erkki Haapala, Restaurantchef Olof Lidl und Polizeihauptmeister Kauko Salo.

Salo war auf dem Foto außer fünfundzwanzig Jahre jünger auch zwanzig Kilo leichter. Er blickte von unten her schräg an der Kamera vorbei, ganz so, als wäre ihm die Situation peinlich.

In den drei letzten Beiträgen ging es bereits um die Gerichtsverhandlung. Angeklagt waren Blechschmiedeschweißer Ari Ilari Sippola, 20, Rohrleger Kari Petteri Väistö, 34, und Elektroingenieur Heikki Tapani Isaksson, 32. Väistö und Isaksson bekamen zwei Jahre und drei Monate ohne Bewährung für gefährliche Körperverletzung und versuchten Raub. Sippola als Ersttäter kam mit einem Jahr und acht Monaten davon.

Väistö und Isaksson – zwei der drei Namen waren während unserer Ermittlungen aufgetaucht. Väistö und Isaksson waren beide Erkkiläs Exehemänner. Und außerdem hatte Ikonen sich von Vänskä die Protokolle zum Fall *Marski* besorgen lassen.

Ich glaubte nicht, dass es sich um einen Zufall handelte oder gar darum, dass Ikonen über den Fall in seinen Memoiren berichten wollte.

Kapitel 10

Wenn das Haus des toten Aimo Ikonen die Architektur der Siebzigerjahre repräsentierte, so war das seines Nachbarn Kauko Salo das typische Frontsoldatenhaus aus den Vierzigerjahren. In der unteren Etage befanden sich die Küche, das Schlaf- und das Wohnzimmer.

»Mach uns doch einen Kaffee«, sagte Salo zu seiner Frau, sowie wir uns im Flur die Hand geschüttelt hatten.

Oksanen und ich traten hinter Salo ins Wohnzimmer und setzten uns gemeinsam mit ihm um den Couchtisch. Dort stand ein Schachbrett mit aufgestellten Figuren in Startposition, daneben lagen zwei Schachbücher. Oksanen drehte seine ewige Baseballkappe in den Händen.

»Hast du dich schon entschieden, in den Schachklub einzutreten?«, wollte Salo von mir wissen.

»Ich überlege noch.«

Salo schielte zu Oksanen.

»Ich mag etwas temporeichere Hobbys«, sagte der und zeigte auf das Logo an seiner Kappe.

»Rallyefahrer, richtig, so war es. Nun, und die Untersuchung geht voran?«

»Hoffentlich.«

Ich sah Salo an. Er faltete die Hände vor der Brust, wie um die kommenden Schläge entgegenzunehmen.

»Es sieht mehr und mehr danach aus, dass Ikonen nicht zufällig am Tatort war, sondern möglicherweise selbst zu den Ereignissen beigetragen hat. Laut Anrufliste rief er die Erkkilä zuerst an, ergriff also die Initiative. Außerdem hat er intensiv nach Erkkiläs Sohn gesucht. Das Problem ist nur, dass sie gar kein Kind hat, keinen Sohn und keine Tochter.«

»Das hat die Obduktion ergeben«, ergänzte Oksanen.

»Nein?«, staunte Salo. »Ich war irgendwie zu der Auffassung gelangt, dass sie ein Kind hat.«

»Das glaubte auch Ikonen. Wir fanden in Erkkiläs Wohnung ein verbranntes Foto, auf dem der Fuß eines mehrere Jahre alten Kindes und der Fuß eines Erwachsenen zu sehen waren, Letzterer in einem Schuh, den wir möglicherweise Ikonen zuordnen können. Ikonen hat außerdem seinen Anwalt konsultiert und wegen einer Testamentsänderung angefragt, der zufolge zwei Erben eingesetzt werden sollten. Aus all diesen Gründen waren wir sicher, dass die Erkkilä ein Kind hatte, dessen Vater möglicherweise Ikonen war. Alles wies außerdem darauf hin, dass Ikonen nach dem Kind suchte, erst recht, nachdem seine älteste Tochter gestorben war. Als wir all dies herausgefunden hatten, schien es uns, als ob die Morde irgendwie mit Erkkiläs Kind zu tun hätten. Jetzt, da es kein Kind gibt, fangen wir quasi fast wieder bei null an.«

Salo setzte sich in seinem Sessel zurecht. »Ich sagte schon, dass Ikonen schwerlich eine Beziehung mit Erkkilä gehabt haben dürfte, und falls doch, wusste ich nichts davon. Über solche Dinge haben wir nicht gesprochen.«

»Der zweite Ausgangspunkt bei den Ermittlungen war der, dass irgendein ehemaliger Krimineller, den Ikonen schlecht behandelt hat, sich an ihm rächen wollte. Deshalb sind wir alle bedeutenden Fälle durchgegangen, an denen er mitgearbeitet hat, entweder als Ermittler oder als Ermittlungsleiter.«

»Auch ich dürfte bei einigen beteiligt gewesen sein«, mutmaßte Salo.

»Zumindest bei diesem«, sagte ich und warf die kopierte Nachricht über die Ereignisse im Hotel *Marski* vor ihm auf den Tisch.

Salo nahm das Blatt und überflog es. »Stimmt, aber nur anfangs.«

»Davon hätte ich gern schon beim vorigen Mal gehört, besonders, da Erkkiläs Exmänner Väistö und Isaksson in die Sache verwickelt waren.«

»Hab nicht daran gedacht. Außerdem habe ich bereits gesagt, dass ich nichts von Erkkiläs Ehe mit Isaksson wusste. Ich fand, dass der Fall *Marski* bloß Pillepalle war.«

»Nicht ganz. Väistö und Isaksson bekamen beide zwei Jahre ohne Bewährung.«

»Und deshalb hätte sich einer der beiden an Ikonen rächen sollen? Väistö hat fast ein Drittel seines Lebens im Gefängnis verbracht. Für ihn war das der Normalzustand. Isaksson war nach meiner Erinnerung etwas umgänglicher, hatte auch eine gewisse Bildung, aber trotzdem war er ein Gangster.«

»Und Keijo Lappalainen?«

»Gewalttätig und ein großer Drogendealer. Inwiefern hat er hiermit zu tun?«

»Er ist einer von Erkkiläs alten Bekannten.«

Salos Frau brachte ein Tablett herein, darauf ein Teller mit karelischen Piroggen, bestrichen mit Eibutter, und drei Becher Kaffee.

»Saft oder Wasser hätte ich auch noch anzubieten«, sagte sie.

»Danke, dies genügt völlig«, erwiderte ich.

Auch Oksanen wollte keinen Saft und die Frau entfernte sich so leise, wie es nur in dicken Wollsocken möglich war.

»Ich wundere mich, warum drei Kriminelle, von denen zwei Berufsverbrecher der schlimmsten Sorte waren, alles so ohne Weiteres gestanden haben, obwohl die Polizei keinerlei Beweise hatte«, stellte ich laut Überlegungen an.

»Das war durchaus nicht verwunderlich. Im Hotel wurde ein Werkzeug gefunden, ein Dietrich, wie ihn Väistö benutzte. Außerdem sagte Sippolas Freundin aus, dass Väistö und Isaksson von dem Vorfall im *Marski* geredet haben, als sie zu ihr in die Wohnung kamen. Die Freundin hatte zudem den Dietrich, den man an der Hoteltür gefunden hatte, früher bei Väistö gesehen. Und ich erinnere mich, dass alle drei außerdem von den Geschädigten wiedererkannt wurden.«

»Kanntest du Sippola ebenfalls?«

»Der war damals noch ein ganz junger Bengel. Es schien fast so, als ob er halb aus Versehen in die Sache hineingeraten wäre. Er konnte einem leidtun. Sippola starb im Gefängnis, als in der Schildermalwerkstatt ein Feuer ausbrach.«

»Weißt du, was Isaksson gemacht hat, als er aus dem Gefängnis entlassen wurde?«

»Ist er nicht fast sofort nach Schweden gegangen?«

»Schweden muss damals das Gelobte Land gewesen sein. Auch Väistö ging dorthin, ebenso Lappalainen.«

»So war es zu der Zeit. Die Hälfte von Finnlands härtesten Gangstern wohnte in Stockholm. Dort hatten sie Ruhe, und wenn sie eine neue Identität annehmen wollten, war auch das nicht schwer.«

»Du bist also der Meinung, dass es bei der Geschichte im *Marski* keine Ungereimtheiten gibt? Dass alles das war, wonach es aussah?«

»Ja. Was hätte es denn da geben sollen?«

»Ich weiß nicht, aber Ikonen und Väistö hatten noch einen zweiten gemeinsamen Coup, den Banküberfall, von dem du selbst erzählt hast.«

»Das war ein heikles Thema, darüber durfte man mit Ikonen nicht reden, wenn man es sich nicht mit ihm verderben wollte.«

»Weil er die Sache vermasselte und Väistö entkommen ließ?«

»Ja, und weil er auch noch eine Kugel ins Bein bekam.« Salo starrte auf das Schachbrett und drehte einen schwarzen Bauern in den Fingern.

»Noch eine Frage. Weißt du, was für Tätowierungen Lappalainen, Väistö und Isaksson haben?«

»Woher soll ich das wissen? Seht in der Datei nach. Tätowiert waren sie bestimmt, wie alle Gangster jener Generation.«

»Uns interessiert ein Spielkartentattoo am Handgelenk.«

Salos Miene war anzusehen, dass ihm etwas einfiel.

»Väistö prahlte immer gern mit Geld und Gegenständen. Einmal zeigte er mir seine neue goldene Uhr und fragte, wie viel ich dafür zahlen würde. Die Uhr hatte ein dehnbares Armband, das er mir ganz stolz vorführte, und da sah ich, dass auf seinem Handgelenk eine Spielkarte eintätowiert war, ich glaube, es waren vier Asse. Warum interessiert euch das Tattoo?«

Nach seiner Pensionierung war Salo theoretisch ein Zivilist wie alle anderen, aber in der Praxis war er ein ehemaliger Polizist, der uns bei der Morduntersuchung durchaus eine Hilfe sein konnte. Ich erzählte ihm von der Messerattacke in Espoo.

»Vermutest du, dass Väistö der Angreifer war?«, fragte Salo.

»Die Tätowierung, die Körpergröße, das Alter, und außerdem die Verbindungen zwischen Tuula Uotila und der Erkkilä. Ziemlich viele Zufälle.«

Salo sah an mir vorbei und sagte in seltsam versöhnlichem Ton: »Ich möchte mich in keiner Weise in eure Untersuchungsmethoden einmischen, aber ich bin der Meinung, dass ihr hier in puncto Väistö auf der falschen Spur seid. Was gewesen ist, ist gewesen.«

»Was gewesen ist, ist gewesen«, wiederholte ich Salos Weisheit, als Oksanen und ich wieder draußen waren. »Danach sieht es allerdings nicht aus, wenn ein alter Gangster von den Toten aufersteht und anfängt, seine Bekannten umzubringen.«

»Auch andere können solch ein Tattoo haben«, meinte Oksanen. »Ich habe so was selber schon bei einem Ganoven gesehen.«

»Kann sein, aber irgendwie passt alles auf Väistö, das Alter, das Vorleben, die gemeinsamen Coups. Vielleicht haben Erkkilä oder Ikonen ihn reingelegt und er hat beschlossen, sich endlich zu rächen. Lass dir sämtliche Untersuchungsprotokolle und Gerichtsbeschlüsse vom Fall *Marski* kommen und sieh sie durch. Und mach dich auch über Isaksson und Sippola schlau, über ihre früheren Taten und so weiter.«

»Wonach soll ich in den Protokollen suchen?«

»Bei den Zeitungsartikeln hatte ich irgendwie den Eindruck, dass darin nicht alles erzählt wurde. Ich möchte wissen, warum zwei harte Gangster in einem Hotel herumgeisterten. Was glaubten sie, dort zu finden, und wieso griffen sie den Außenminister und den Generaldirektor der Sozialversicherung an?«

»Vielleicht waren einem von ihnen die Leistungen gestrichen worden?«, sagte Oksanen und lachte.

»Vielleicht. Überprüf das.«

Unser Auto stand am Rand des Bürgersteiges vor Salos Haus. Bevor wir einstiegen, hielten wir wie aus einer gemeinsamen Eingebung inne und blickten zu Ikonens Haus hinüber. Ich fand, dass es einsam und verlassen wirkte.

Manchmal sah ein Gegenstand so traurig aus, dass die Trauer auch auf mich übergriff. Ich ging in die erste Klasse der Volksschule, als ich am Ersten Mai einen orangefarbenen Luftballon geschenkt bekam. Ein paar Tage später war das meiste Gas entwichen, und der Ball lag schrumpelig auf dem Fußboden herum. Er sah so verlassen aus, dass ich vor Mitleid anfing zu weinen. Mein Vater fragte, warum ich weinte, und ich war gezwungen zu lügen und zu sagen, dass mein Bauch wehtat.

Ikonens Familie war vielleicht nicht die allerglücklichste gewesen, aber das Haus hatte bestimmt auch bessere Zeiten gesehen.

Unterwegs auf der Fahrt ins Präsidium klingelte mein Handy.

Simolin meldete sich. »Ich habe Ikonens früheren Mitarbeiter Erkki Laurila gefunden. Habe den Nachbarn erwischt, und er erzählte, dass Laurila schon seit fast einem Monat im Krankenhaus von Laakso liegt. Er hatte eine Operation und hat sich außerdem mit Krankenhauskeimen angesteckt. Sein Zustand ist anscheinend ernst. Und noch etwas: Von der Technik habe ich inzwischen den vorläufigen Bericht über Erkkiläs Wohnung bekommen.«

»Warte«, sagte ich und schaltete die Lautsprechanlage ein, damit Oksanen mithören konnte. »Sprich weiter.«

»An Maija Erkkiläs Hemd wurden fremde hellbraune Wollfasern gefunden, Kaschmirwolle, und die Fußspuren im Flur und im Wohnzimmer stammen von Arbeitsschuhen der Marke *Jalas,* Größe 43. Es sind Schuhe mit Stahlkappen, wie sie Bauarbeiter benutzen. Außerdem konnten drei der in der

Wohnung gefundenen Fingerabdrücke anhand unseres Registers zugeordnet werden, sie stammen zum einen von unserem alten Bekannten Nikutin, dem Exehemann, und zum anderen von unserer neuen Bekannten Tuula Uotila.«

»Und die dritte Sorte?«

»Keijo Sakari Lappalainen, geboren 1944 in Punavuori, Helsinki. Wohnort unbekannt. Langes Vorstrafenregister, Drogen, Eigentums- und Gewaltdelikte.«

Kapitel 11

Nach meinem Eindruck hatte Erkki Laurila höchstens noch ein paar Wochen zu leben.

Er lag im Bett, umgeben von Schläuchen und Apparaten. Er war vollkommen kahlköpfig, die knöchernen Hände lagen gefaltet auf der Decke, seine Augen zeigten die trübe Klarheit eines todkranken Menschen. Es schien so, als blickte er bereits halb in eine andere Welt und sähe Dinge, die die anderen nicht sahen.

Ich hoffte, dass er auch Dinge wusste, die die anderen nicht wussten.

Als Laurila auf Anrufe nicht reagiert hatte, hatte Simolin an den Türen der Nachbarn geklingelt und so erfahren, dass Laurila im Krankenhaus lag, bereits seit vier Wochen. Seine Frau war zur Tochter gezogen, sodass im Haus niemand ans Telefon ging.

Die junge Krankenschwester, die Laurilas Lebensfäden ordnete, trat beiseite. Laurila streckte die Hand aus und ich drückte sie, obwohl mir kurz der Gedanke an den ansteckenden Krankenhausbazillus kam. Auch Simolin gab ihm die Hand.

»Prima, dass du die Kraft hast und bereit bist, mit uns zu sprechen«, sagte ich.

»Warum sollte ich nicht dazu bereit sein? Was habe ich denn noch zu verlieren? Und ich habe ja sonst nichts weiter zu tun.«

Laurilas Stimme war überraschend forsch und kräftig für einen so mageren und ausgemergelten Mann. Ich erzählte ihm, in welchem Zusammenhang wir auf seinen Namen gestoßen waren.

»Ich habe bereits gehört, dass Aimo Ikonen getötet wurde, und mit ihm irgendeine Frau. Meine Frau hat mir die Meldung aus der Abendzeitung vorgelesen und ich hatte ehrlich gesagt schon fast erwartet, dass ihr kommt. Worum geht es denn?«

»Wäre es dir recht, wenn wir zunächst über euren Streit bei Ikonens Ausstand reden? Worüber habt ihr denn damals gestritten?«

»Wer hat dir davon erzählt?«

»Ich war selbst anwesend.«

»Tatsächlich? Wir haben über eben jene Sache gestritten, also jene Geschichte, bei der ihr, wie ihr sagtet, auf meinen Namen gestoßen seid.«

»Nämlich?«

»Über den Bankraub von Pitäjänmäki.«

»Was gab es denn da noch zu streiten? Das war doch damals schon eine alte Geschichte.«

»Verrat verjährt nie, jedenfalls nicht für mich, und Ikonen hat mich getäuscht.«

»In welcher Weise?«

»In welcher Weise? Ich habe es ihm damals auf dem Fest direkt ins Gesicht gesagt! Ich fand, dass es die letzte Gelegenheit war, und ich hatte gerade den richtigen Alkoholpegel. Außerdem hatte ich kurz zuvor von dieser Krankheit erfahren. Mir war alles egal, auch wenn mir Ikonens Frau und seine Tochter ein bisschen leidtaten. Seine Frau war so scheu und eingeschüchtert, erschrak bei jedem Husten. Wenn die beiden nicht gewesen wären, hätte ich Ikonen womöglich erschossen ... Nein, ich hatte ja gar keine Waffe dabei und zum Glück habe ich auch später nicht geschossen, das hat ja dann ein anderer für mich getan. Das heißt, derjenige hat ihn nicht erschossen, aber getötet.«

»Auf welche Weise hat Ikonen dich denn getäuscht?«, fragte Simolin ungeduldig.

Laurila richtete seinen Blick auf uns, indem er nur die Augen bewegte, wie es bettlägerige Patienten oft taten – die Stellung des Kopfes blieb unverändert, aber die von roten Adern verfärbten Augäpfel drehten sich.

»Er ließ Petteri Väistö absichtlich entkommen.«

»Woher weißt du das?«

»Ich hörte es von einem Ganoven. Außerdem roch es schon im Moment des Geschehens danach. Ich wusste, dass da irgendetwas absolut faul war.«

»Und wenn der Ganove gelogen hat, weil er wegen irgendetwas sauer auf Ikonen war?«

Laurila schüttelte kaum merklich den Kopf. »Er hat nicht gelogen, dafür bestand kein Grund.«

»Was hat er denn erzählt?«, wollte ich wissen.

»Die ganze Geschichte. Ikonen bekam Geld dafür, dass er sie entkommen ließ und die Ermittlungen in eine falsche Richtung lenkte.«

»Wie lautet der Name dieses offenherzigen Ganoven?«, fragte Simolin, der Block und Bleistift bereithielt.

»Lappalainen.«

»Keijo Lappalainen?«, vergewisserte sich Simolin und warf mir einen Blick zu.

Nachdem wir Lappalainen einmal entdeckt hatten, wurden wir ihn anscheinend nicht wieder los. Er tauchte bereits zum vierten Mal innerhalb kurzer Zeit auf.

»Eben der. Raubüberfälle und Drogen. War seinerzeit ein harter Gangster.«

»Wann hat er dir das erzählt?«

»Zwei Jahre bevor Ikonen in Pension ging. Aber das Wort eines Gangsters reicht nicht, und da es keine anderen Beweise gab, war ich gezwungen, die Sache auf sich beruhen zu lassen. Außerdem war der Fall strafrechtlich gesehen bereits verjährt.«

»Was sagte Ikonen, als du ihn beschuldigtest?«

»Lachte mir gemein ins Gesicht. Deshalb wurde ich ja so wütend.«

»Weshalb nahm er damals gerade dich mit zu den Bankräubern?«

»Er glaubte wohl, dass er mich in der Hand hatte und leicht täuschen konnte.«

»Warum nahm er das an?«, fragte Simolin.

Laurila schloss für einen Moment die Augen. Dann öffnete er sie wieder und blickte vor sich hin.

»Ich hatte Mist gebaut und Ikonen hatte davon erfahren.«

»In welcher Weise?«

»Na gut, sei auch das gleich mit gebeichtet. Ich hatte damals einen hohen Wohnungskredit, einen Autokredit und drei Kinder. Beim Autokredit drohte die Pfändung, wenn ich die Raten nicht bezahlen würde. Da ergab es sich, dass ich eine Speditionsfirma in Katajanokka aufsuchte, in der es einen Raubüberfall gegeben hatte. Ich bemerkte, dass ein Bündel Geldscheine hinter den Schreibtisch gefallen war. Im Raum war gerade niemand außer mir und ich war so verrückt, das Geld an mich zu nehmen. Es waren nicht mehr als tausend Mark. Zu meinem Pech wurden die Räuber auf der Flucht gefasst und die Firma bekam die ganze Beute zurück. Als das Geld gezählt wurde, stellte man fest, dass ein Teil fehlte. Der Inhaber hatte keine Versicherung, sodass er kein Motiv hatte, Geld zu unterschlagen. Ikonen befragte meinen Partner und mich und begriff, dass ich das Geld hatte. Er versprach, das Ganze zu vergessen, wenn ich das Geld zurückgebe. Ich brachte alles zu der Firma zurück und erzählte, dass wir es im Fluchtauto unter den Sitzen gefunden hatten. Von da an glaubte Ikonen wohl, dass er mich damit erpressen könnte, falls ich seinen Machenschaften auf die Spur käme. Er hatte keineswegs aus purer Güte bei mir ein Auge zugedrückt.«

»Woher kam damals der Hinweis auf Väistö?«

»Ich bin nicht sicher, aber ich glaube, dass er von Väistös Exfrau kam.«

»Von Maija Erkkilä?«

»Ja. Ikonen traf sich mit ihr und ich wusste, dass er auch früher schon Informationen von ihr bekommen hatte.«

»Maija Erkkilä wurde in ihrer Wohnung zusammen mit Ikonen getötet, wusstest du das?«

»Hat also jemand schließlich die Spinnenfrau getötet?«

»Wie gut kanntest du sie?«

»Ich kannte sie überhaupt nicht, hatte nur ein paarmal beiläufig mit ihr zu tun, als ich Väistös Delikte untersuchte, und natürlich wusste ich, welchen Ruf sie hatte. Ich selbst war damals im Raubdezernat. Väistö war allerdings eher ein Einbrecher, technisch äußerst begabt und mit geschickten Händen, aber ein Krimineller nimmt es ja letztlich nicht so genau damit, was er tut, Hauptsache, er kommt an Geld.«

»Väistö verschwand nach dem Bankraub nach Schweden und dort ist er nie in Erscheinung getreten. Wäre es möglich, dass er Ikonen und Erkkilä getötet hat? Er hätte gute Gründe dafür gehabt, denn seine frühere Ehefrau bespitzelte ihn und traf sich außerdem mit einem Polizisten.«

»Vielleicht. Da gibt es nur ein großes Aber. Ich bin ziemlich sicher, dass er tot ist. Lappalainen erzählte, dass Väistö mit Gewichten an den Füßen im Mälaren ertränkt wurde. Er hatte die falschen Leute gelinkt. Ich habe extra bei der Stockholmer Polizei angefragt und dort hatte man schon seit zehn Jahren nichts mehr von dem Mann gehört.«

»Aber gesicherte Erkenntnisse über Väistös Tod gibt es nicht? Nur Lappalainens Behauptung?«

»Stimmt, so war es jedenfalls damals.«

»Er könnte selbst die Geschichte von seinem Tod in Umlauf gesetzt haben, weil er wegen des Banküberfalls von Pitäjänmäki gesucht wurde. In dem Falle hätte Lappalainen in seinem Interesse gehandelt.«

»Auch das ist möglich.«

»Und Lappalainen selbst?«

»Wäre zu der Tat fähig gewesen, aber er hat keinen Grund dafür. Lappalainen wäre jetzt bereits über sechzig. In dem Alter mordet man nicht mehr so leicht, am allerwenigsten einen Polizisten. Er war ein intelligenter und berechnender Halunke und tat nichts ohne Grund. Habt ihr herausgefunden, wie es ihm geht?«

»Er ist verschwunden, genau wie Väistö. Allerdings haben wir seine Fingerabdrücke in Erkkiläs Wohnung gefunden. Er hat vor über fünfzehn Jahren in Schweden einen Führerschein bekommen und außerdem ist eine Verhaftung dokumentiert, auch die ist mehr als zehn Jahre her. Danach gibt es nicht mal mehr eine Adresse. Er hat auch keine Steuern bezahlt und keine Sozialleistungen in Anspruch genommen, lebt illegal.«

»Oder unter falschem Namen. Oder er hat sich in ein entfernteres Land abgesetzt. Er sprach ganz gut Schwedisch und Englisch.«

»Wo hast du Lappalainen getroffen, als er dir das von Ikonen erzählte?«

»In Helsinki.«

»Warum hat er dich kontaktiert?«

»Das war in einem ganz anderen Zusammenhang. Seine Mutter war gestorben und er rief mich an und fragte, ob er es wagen könnte, nach Finnland zu kommenn oder ob nach ihm gefahndet würde. Ich überprüfte es und sagte ihm, dass keine Fahndung läuft. Wir trafen uns nach der Beerdigung und er erzählte, dass er plante, nach Australien oder Neuseeland zu gehen. Er mochte angeblich den hiesigen Winter nicht. Wir unterhielten uns in bestem Einvernehmen. Beim Aufbruch sagte er, dass er mich in den nächsten Tagen wegen einer Sache kontaktieren wollte, die mich bestimmt interessieren würde.«

»Und das tat er anscheinend auch«, konstatierte Simolin.

»Stimmt, ich war selbst ganz überrascht. Zwei Tage später rief er an und erzählte, dass er damals in der Hütte in Vihti gewesen war, als Väistö Ikonen ins Bein schoss. Der hatte angeblich sorgfältig zielen müssen, damit nur eine ungefährliche Fleischwunde entstand. Zuvor hatte er Ikonen eine halbe Million Mark von der Beute abgegeben. Als dann die Verstärkung eintraf, musste Ikonen eine irreführende Beschreibung der Täter geben und die Suche in die falsche Richtung lenken.«

»Was geschah dort bei der Hütte?«

»Ikonen und ich fuhren allein hin. Er sagte, dass er nur den Hinweis überprüfen wollte, und sollte der sich bewahrheiten, würde er sofort Verstärkung anfordern. Wir stellten das Auto mindestens dreihundert Meter vor der Hütte am Rande eines Waldweges ab und gingen die restliche Strecke zu Fuß durch den Wald. Ich wunderte mich ein wenig, dass Ikonen die Stelle so ohne Weiteres fand. In der Hütte selbst war niemand, aber es war zu sehen, dass dort eben noch jemand gehaust hatte, sogar der Ofen war noch warm. Als Ikonen unter dem Bett die leere Geldkassette der Bank entdeckte, schickte er mich zum Auto, ich sollte Verstärkung anfordern. Er war sicher, dass die Räuber nicht weit sein konnten. Als ich beim Auto ankam, hörte ich mindestens vier Schüsse. Ich gab schnell den Alarm durch und rannte zur Hütte zurück. Ikonen lag am Boden und hielt sich das Bein, er hatte eine Schusswunde in der Wade. Er sagte, dass einer der Räuber ihn überrumpelt habe und dass es zu einem Schusswechsel zwischen ihnen gekommen sei, aber nur er habe einen Treffer abbekommen und der Schütze sei geflüchtet. Ikonen hatte in ihm jedoch Petteri Väistö wiedererkannt, der damals ein bekannter Krimineller war.«

»Und was tat Lappalainen in der Hütte?«

Laurila stieß eine röchelnde Lache aus. »Er war der zweite Bankräuber.«

Ich dachte einen Augenblick über Laurilas Erzählung nach. Sie passte zu allem, was über Ikonen ans Licht gekommen war, aber gleichzeitig bekam ich das Gefühl, dass sämtliche Sünden Ikonen angelastet wurden, der sich nicht mehr verteidigen konnte.

»Glaubtest du Lappalainen?«

»Hundertprozentig. Oder zumindest, was Ikonens Anteil betraf. Als ich nachträglich alles bedachte, begriff ich, dass der ganze Banküberfall und die Flucht nach Vihti genau geplant worden waren. Ikonen hatte durch Maija Erkkilä Kontakt mit Väistö und Lappalainen aufgenommen und den Überfall vorgeschlagen. Er war scharf auf Geld und gerade zu jenem Zeitpunkt hatte er hohe Schulden wegen des Hauses in Myllypuro. Ein Ziegelhaus mit mehr als zweihundert

Quadratmetern war auch zu jenen Zeiten eine große Anschaffung vom Gehalt eines Polizisten, zumal Ikonens Frau nicht arbeitete.«

»Wie wagte er es, Väistö und Lappalainen zu vertrauen? Sie hätten ihn schlicht und einfach töten können. Oder umgekehrt, wie konnten Väistö und Lappalainen ihm, einem Polizisten, trauen?«

»Darüber habe ich ebenfalls lange nachgedacht. Dann bin ich zu dem Schluss gekommen, dass Ikonen und Väistö wohl bereits früher gemeinsame Sache gemacht hatten. Oder vielleicht verband sie eine unheilvolle Verstrickung. Es kann sogar sein, dass Ikonen ihnen Informationen über die Bank und deren Sicherheitsvorkehrungen gab. Ich hörte, dass er dort eine Art Sicherheitsberater war.«

»Noch ein Name. Sagt dir Heikki Tapani Isaksson etwas?«

»Isaksson, na sicher. Er war Maija Erkkiläs zweiter Ehemann nach Petteri Väistö. Was hat er mit der Geschichte zu tun?«

Ich erzählte ihm, dass wir von Isakssons Ehe mit der Erkkilä wussten und dass Ikonen sich nach einem Sohn dieses Namens erkundigt hatte.

»Auch Isaksson ist ein möglicher Täterkandidat, sofern er noch lebt«, sagte ich. »Er ist ebenfalls verschwunden, wie so viele andere in dieser Geschichte. Was meinst du, würde er als Täter passen?«

»Ich habe noch nicht alles erzählt. Als Lappalainen sagte, dass Aimo Ikonen in den Bankraub verstrickt war, grübelte ich darüber nach, warum Aimo dann trotzdem einen der Räuber als Väistö identifiziert hatte, denn damit wäre der niemals einverstanden gewesen. Die einzige Erklärung, die ich fand, war die, dass Väistö überhaupt nicht beteiligt gewesen war und dass er zum Sündenbock gemacht werden sollte. In Wahrheit war der zweite Räuber jemand ganz anderer, jemand, der Väistö loswerden wollte. Ich stellte mir die Frage, wer das gewesen sein könnte. Auf jeden Fall Maija Erkkilä. Denn Petteri Väistö war gewalttätig und unberechenbar und ich hörte, dass er versuchte, wieder bei Maija zu landen. Die zweite Alternative war Isaksson, Maijas neuer Ehemann. Er fürchtete Petteri Väistö und war ihm rein körperlich nicht gewachsen. Isaksson war ein Betrüger und hatte viel mehr Grips als Väistö. Ich glaube, dass das Paar gemeinsam nach einem Mittel suchte, Petteri Väistö loszuwerden und doppelten Nutzen davon zu haben. Der Betrüger und die Spinnenfrau waren eine ziemlich üble Kombination. Während die Ermittler nach Väistö suchten, hatten die wahren Räuber ihre Ruhe. Und dann vereinbarten sie gemeinsam mit Ikonen, dass Petteri Väistö zum Schuldigen gestempelt wird.«

»Also in Wahrheit war Isaksson der zweite Bankräuber?«

»Der Gedanke drängte sich mir zwangsläufig auf.«

»Aber warum ging Lappalainen denn das Risiko ein, dir von Ikonen zu erzählen? Das gefährdete ja auch ihn und Isaksson.«

»Als er mir das erzählte, war die Sache schon verjährt und er hatte keinen Ruf zu verlieren, Ikonen hingegen schon. Ich glaube, Lappalainen war einfach wütend, dass Ikonen einen Anteil an der Beute beanspruchte. Und vielleicht hatte er schon beschlossen, ins Ausland zu gehen, so wie er sagte. Ich bin mir ziemlich sicher, dass Petteri Väistö nicht mehr auf dieser Welt weilt, aber ich glaube nicht, dass Isaksson ihn getötet hat, der hatte nicht die nötige Härte. Lappalainen hingegen hatte sie.«

»Mit anderen Worten, du hältst es für möglich, dass Lappalainen sowohl Petteri Väistö als auch später Erkkilä und Ikonen getötet hat?«

»Wenn man von den Genannten jemanden auswählen soll. Mir fällt allerdings kein Grund für die Ermordung Erkkiläs und Ikonens ein.«

»Hast du die kopierten Zeitungsausschnitte dabei?«, fragte ich Simolin.

Er holte einen Umschlag hervor und entnahm ihm ein Bündel Zeitungsausschnitte, es waren Berichte über Fälle, die Ikonen untersucht hatte. Die Verdächtigen waren jeweils Isaksson oder Väistö gewesen.

»Fällt dir dazu irgendetwas ein?«

»Könnte ich die Brille vom Nachtschrank haben?«

Ich reichte ihm die randlose Lesebrille, die offensichtlich aus einem Supermarkt oder von der Tankstelle stammte.

Laurila studierte die Artikel sorgfältig. »Ikonen stand immer gern in der Öffentlichkeit. Was sollte ich über die Texte sagen?«

»Wir suchen das Motiv für den Mord an Ikonen in der Vergangenheit. Und unter diesen Fällen könnte sich der finden, der Isaksson und Ikonen dazu brachte, einander zu vertrauen.«

»Ich glaube, dass die alle nicht infrage kommen. Zum Beispiel der hier war völlig unwichtig.« Laurila deutete auf einen Bericht vom Überfall im *Marski*. »Ein paar Junkies stießen im Salon des Hotels zufällig auf den Außenminister und den Generaldirektor und die Zeitungen machten eine große Sache daraus, weil die beiden Herren das Ganze aufbauschten und die Helden spielen wollten.«

»So lief das ab?«

»Wie denn sonst? Die Gauner gestanden und wurden verurteilt.«

»Die beiden Junkies waren immerhin Väistö und Isaksson«, warf ich ein.

»Tatsächlich?«

»Wusstest du es nicht?«

»Nein, wirklich nicht. Wann passierte das?«

»Im Herbst 1979.«

»Das erklärt alles. Zu der Zeit war ich im Dienste der UNO auf den Golanhöhen. Aber wenn ihr irgendeinen Verdacht habt, fragt die Ermittler.«

»Das haben wir schon getan.«

»Wen habt ihr gefragt?«

»Salo.«

»Aha.«

Laurilas Ton war eindeutig, deshalb fragte ich: »Was ist mit ihm?«

»An eurer Stelle würde ich ihm nicht hundertprozentig vertrauen. Obwohl man es dem Backpfeifengesicht nicht zutrauen würde, aber er ist ein Spieler, und ein äußerst intelligenter obendrein.«

Kapitel 12

Als ich nach Hause kam, lag Eli im Wohnzimmer auf dem Sofa und schaute fern. Er war leger gekleidet, trug Jeans und einen grauen Collegepullover. Auf dem Fußboden neben dem Sofa stand eine geöffnete Bierdose.

»Ich beginne, das Junggesellenleben zu genießen.«

»Mir scheint, dass du übertreibst.«

»Sagen wir lieber, dass ich übe. Auf dem Heimweg machte ich Abstecher in zwei Kneipen. Es ist lange her, dass ich das tun konnte, ohne ein schlechtes Gewissen zu haben.«

Ich holte mir eine Bierdose aus dem Kühlschrank und öffnete sie, dann setzte ich mich Eli gegenüber in den Sessel.

»Warum hast du mir nicht gesagt, dass Kotala dein Mandant ist?«, fragte ich, als mir einfiel, was Stenman erzählt hatte.

»Damit du nicht denkst, dass ich dir Insiderwissen entlocken und es zugunsten meines Mandanten einsetzen will.«

»Zugunsten Kotalas ist nicht viel zu tun. Ich hörte, dass er nicht mal in eine psychiatrische Untersuchung einwilligt. Stimmt das?«

»Der Standpunkt meines Mandanten ist diesbezüglich unentschieden«, sagte Eli, so als argumentierte er vor Gericht.

»Kanntest du ihn schon vorher?«

»Ein bisschen. Er war leitender Ermittler in ein paar Fällen, in denen Mandanten von mir als verdächtig galten. Ich war selbst überrascht, dass er mich wollte.«

Ich betrachtete Elis legeren Look. Seine Jeans war nagelneu, in der Fabrik mit modischen Rissen versehen.

»Um was handelt es sich da, um den zweiten Frühling oder eine Revolte?«

»Weder noch, es handelt sich um Krieg.«

Eli rappelte sich hoch, setzte sich hin und nahm einen langen Schluck aus seiner Bierdose. Plötzlich verdrehten sich seine Augäpfel, er war viel betrunkener, als ich angenommen hatte.

»Krieg?«

»Du hast es nur noch nicht gemerkt, weil du jünger bist als ich. Ich befinde mich in einem Krieg, in dem man Gnade nicht gewährt und nicht kennt. Es ist ein Krieg, der erst mit fünfzig beginnt, und die Namen der Opfer findet man jeden Morgen in der *Helsingin Sanomat* unter den Todesanzeigen. Auch viele gute Freunde von mir sind gefallen. Herzinfarkt, Gehirnschlag, Prostatakrebs. Alles ebenso tödlich wie Kugeln und Granaten – und verdammt viel heimtückischer.«

»Nimm es mir nicht übel, aber ich finde, du dramatisierst die Situation.«

»Findest du? Vor gut einem Monat starb einer meiner früheren Kommilitonen an Magenkrebs, vor drei Wochen starb mein Armeekamerad an einem Herzanfall. Die Todesanzeige stand in der gestrigen Ausgabe. Wenn ich jetzt morgens die Zeitung aufschlage, mache ich mich darauf gefasst, dass wieder ein Bekannter gegangen ist. Das ist keine angenehme Art, den Tag zu beginnen. Kapierst du? Ich stehe in der vordersten Linie. Jedes Mal, wenn ich ein Stechen in der Brust spüre, bin ich sicher, dass jetzt das Ende gekommen ist, oder wenn es im Magen brennt, dass ich Krebs habe. Wenn ich zweimal nachts aufstehen muss, um zu pinkeln, frage ich mich, wie es wohl ist, wenn ich eines Morgens in einen Beutel pinkeln muss. Wenn ich zum Friseur gehe, schneidet er mir immer zum Schluss die Haare aus den Ohren. Weißt du noch, wie wir als Kinder über Skurnik, unseren Mathelehrer, gelacht haben, dessen Ohren behaarter waren als die eines Eichhörnchens? Jetzt habe ich selber jede Menge Haare in den Ohren.«

»Du solltest dich mehr bewegen und gesünder essen! Und dir öfter die Ohren rasieren.«

Eli zielte mit der Bierdose auf mich. »Es geht nicht nur darum. Ich möchte keineswegs ewig leben, aber ich möchte leben, bevor ich sterbe. – War das schön gesagt?«

»Was hindert dich daran?«

»Silja, die Kinder, die Familie, die guten Sitten, die Traditionen, Rabbiner Liebstein, der Vorsitzende der Repräsentantenversammlung, Silberstein, alle meine zahlungskräftigen Mandanten, mein Schneider und mein Anlageberater. Sie alle wollen was von mir, was ich nicht zu geben bereit bin, nicht mehr. Jeder Mensch muss sich auch mal suhlen dürfen. Ich möchte nicht so sterben, dass ich den anderen nur in Erinnerung bleibe als ein Mann, der gute Manieren hatte und stets einen korrekt sitzenden Anzug und ein sauberes Hemd trug.«

Obwohl mir Elis Sorge künstlich und überspitzt vorkam, glaubte ich trotzdem, dass seine Furcht echt war. Er hatte während der letzten dreißig Jahre ein behütetes Leben in seiner Eiraer Luxuswohnung geführt. Er übernahm selten Kriminalitätsfälle und selbst dann waren es zumeist Betrugsdelikte. Jetzt, da er auf die fünfzig zuging, kamen der Tod und die damit einhergehende Angst hinterrücks in sein Leben. Für mich waren beide schon zwanzig Jahre lang Alltag. Ich hatte nie aufgehört, mich über den Tod zu wundern, aber ich hatte gelernt, seine Unausweichlichkeit zu akzeptieren, zwangsläufig.

Außer der Angst vor dem Tod hatte Eli so etwas wie das Syndrom eines ordentlichen Mannes.

Deshalb fragte ich denn auch: »Wäre es besser, dass man dich in Erinnerung behält wegen dreckiger Kleidung und schlechter Manieren?«

»Vielleicht. Weißt du, was im Nachruf meines Armeekameraden stand? Nämlich ungefähr Folgendes: *Jeder hat ihn als bescheidenen und verantwortungsbewussten Mann in Erinnerung, der seine ganze Freizeit der Entwicklung der Hilfstätigkeit des Lions Clubs widmete. Er besaß einen stillen Humor und alle Lions-Brüder empfinden seinen Tod als schweren Verlust.*«

»Gehörst du dem Lions Club an?«, fragte ich verwundert.

»Nein, wirklich nicht, aber man wollte mich anwerben, und speziell dieser bescheidene und verantwortungsbewusste Armeekamerad hat es versucht. Deshalb erhielt ich auch die Mitgliederzeitung zur Ansicht und darin stand letztlich der Nachruf.«

»Bescheidenheit und Verantwortungsbewusstsein sind ja nun keine schlechten Dinge«, warf ich ein.

»Du willst nicht verstehen, was ich andeuten möchte.«

»Ich wiederum glaube zu verstehen. Was, meinst du, ist das, was du mit deiner Mandantin auf deinem Schreibtisch getrieben hast?«

Eli schnaubte nur. »Da ist gar nichts passiert. Ich habe die ganze Sache erfunden.«

»Warum?«

»Der große Bruder muss nun mal mit entsprechenden Geschichten aufwarten. Du warst damals mit der sexy Rothaarigen zusammen und die Story war der einzige Gegenzug, der mir einfiel. Anfangs war sie als Witz gedacht, aber als ich merkte, dass du sie ernst nahmst, brachte ich es nicht fertig, alles richtigzustellen.«

»Falls du dich nicht mehr erinnerst: Du hast sie nicht nur mir, sondern auch einem halben Dutzend meiner Kollegen in der Sauna des Polizeiklubs erzählt.«

»Trotzdem habe ich dabei auch an dich gedacht! Dass dein Ruf wächst, wenn die anderen mitkriegen, wen du als großen Bruder hast.«

»Ziemlich armseliger Versuch.«

»Das ist es ja gerade. Unsereiner hat letzten Endes ein verdammt armseliges Leben geführt. Geld war genug da, aber das Leben war trotzdem armselig, ein Irrtum von Anfang an. Statt Anwalt zu werden, hätte ich gern etwas mit meinen Händen gemacht oder wäre noch lieber zur See gefahren. Ich wäre ein guter Seemann geworden.«

Ich musste lachen, als ich mir vorstellte, wie Eli im weißen Matrosenanzug und mit kesser Mütze auf den Locken am Mast einer Fregatte hochkletterte.

Eli lachte ebenfalls. »Der Seemann ist wahrlich kein Schneemann.«

Später ging Eli wieder in die Nachtbar. Ich legte mich schlafen und nahm nicht wahr, als Eli hereingepoltert kam. Ich kannte ihn so gut, dass ich wusste, dass er stets polterte, wenn er betrunken war. Ich erwachte erst, als er mich an der Schulter rüttelte.

»Wach auf, Superbulle, dein Telefon klingelt.«

Ich rappelte mich schlaftrunken hoch und sah Eli schwankend neben meinem Bett stehen, ein Butterbrot in der einen, mein Handy in der anderen Hand. Er war so betrunken, dass er mir zunächst das Butterbrot reichte, und ich war so müde, dass ich danach griff.

»Du hast meine Stulle genommen.«

Ich tauschte das Brot gegen das Handy, meldete mich und erkannte Huovinens müde, aber besonnene Stimme.

»Entschuldige, dass ich dich geweckt habe, Ari, aber es interessiert dich bestimmt zu hören, dass Ikonens Haus brennt.«

»Ikonens?«, wiederholte ich begriffsstutzig.

»Ikonens Haus in Myllypuro. Simolin ist bereits dort.«

»Gut.«

»Könntest du hinfahren? Du kannst dann nachher ausschlafen.«

»Ja, klar.«

»Schlaf nicht wieder ein«, sagte Huovinen warnend.

Ich schaltete das Handy aus. Eli saß auf meiner Bettkante und mümmelte sein Brot. In der anderen Hand hielt er eine Bierflasche.

»Ich hab mir aus dem Kühlschrank etwas zu beißen geholt.«

»Wie spät ist es?«

»Gleich drei Uhr.«

»Ich habe Arbeit«, sagte ich.

»Dann hast du wohl nichts dagegen, wenn ich mich in dein Bett lege, die Couch ist mir ein bisschen zu hart.«

Kapitel 13

Ikonens Haus brannte so heftig, dass der Feuerschein weithin leuchtete. Als ich näher kam, sah ich, dass die Brandstätte von orangefarbenen Löschfahrzeugen eingekreist war.

Löschwasser, mit Schaumflocken durchsetzt, floss rauschend die Straße hinunter. Vier oder fünf Wasserfontänen waren in die Flammen gerichtet und mindestens ein Dutzend Feuerwehrmänner mit gelben Helmen tummelten sich an dem brennenden Gebäude. Alle Anzeichen deuteten darauf hin, dass die Mühe trotzdem umsonst war, das Feuer hatte sich schon zu weit ausgebreitet. Einiges an Möbeln und anderem Inventar hatten die Löschmannschaften nach draußen auf den Hof geworfen.

Die Polizei hatte das Gelände bis zur nächsten Kreuzung abgeriegelt. An der Absperrung lungerten ein paar Nachtschwärmer und Bewohner der benachbarten Häuser herum. Ich ging an der Menschenansammlung vorbei, und als ich mich den Feuerwehrautos näherte, sah ich Simolin und Salo. Ich trat zu ihnen.

Simolin fror augenscheinlich. Er trug eine Windjacke und darunter ein Sakko, keine Mütze und keinen Schal. Salo hingegen schien bestens gerüstet in seiner dicken Flößerjacke, dem Wollpullover und dem Hut mit Ohrenklappen. Ich hätte mich nicht gewundert, wenn er eine Thermosflasche mit heißem Kaffee und Käsebrote, die in Pergamentpapier eingewickelt waren, aus der Tasche geholt hätte.

»Hast du die Feuerwehr alarmiert?«, fragte ich ihn.

»Ich spielte Computerschach und hörte ein seltsames Pluffen. Als ich ans Fenster trat und hinaussah, stand das Haus schon in Flammen.«

»Was für ein Pluffen?«

»Das Geräusch muss von so was wie einer Brandbombe gekommen sein. Ein normales Feuer verbreitet sich nicht so schnell. Oder jemand hat Benzin ausgegossen und etwas Brennbares hineingeworfen, sodass alles aufgeflammt ist.«

»Was hast du gemacht, nachdem du in der Zentrale angerufen hattest?«

»Ich habe mich angezogen und bin herübergekommen.«

»Hast du an der Brandstätte jemanden gesehen?«

»Keine Seele.«

»Nicht mal ein Auto oder Sonstiges?«

»Sonstiges? Etwa ein Pferdefuhrwerk? Nein, ich habe kein Auto gesehen, das hätte ich sofort erzählt.«

Das brennende Dach stürzte ein und eine Funkenwolke sprühte in den Himmel, mindestens zehn Meter hoch. Es sah aus, als wäre aus dem Haus eine Feuerwerksrakete abgeschossen worden. Der Wind trieb schwarzen Rauch und den Gestank von brennendem Plastik zu uns herüber, der vermutlich von Möbelpolstern oder Schaumgummimatratzen stammte.

»Die ganze Chose stürzt ein«, kommentierte Salo fast wütend. »Da ist nichts mehr zu machen. Die Ziegel platzen, wenn sie sich erst erhitzen und dann mit kaltem Wasser in Berührung kommen. Alles fällt in Schutt und Asche.«

Als ich Ikonens zerbrochenen Traum – und ein Traum war das Haus sicher mal gewesen – betrachtete, bekam ich das Gefühl, als wollte jemand nicht nur ihn, sondern auch alles, was er erreicht hatte, auslöschen. Erst verlor er seine Tochter, dann sein Leben, anschließend das Haus und schließlich auch noch den Ruf. Mehr konnte ein Mensch nicht verlieren.

Ich nahm Simolin beiseite. »Seine Aussage hast du vermutlich schon?«

»Ja, fein säuberlich auf Band.«

»Wirkte alles normal?«

»Ich fand schon, falls du Salo meinst.«

»Genau den meine ich. Hat Huovinen dich hergeschickt?«

»Der Wachhabende. Ich hatte ihn gebeten, anzurufen, falls etwas reinkommt, was mit unseren Ermittlungen zu tun hat. Und dies hat ja wohl mit dem Fall Ikonen und Erkkilä zu tun, oder?«

Salo hatte sich herangeschlichen und den Schluss gehört.

»Na klar hat es damit zu tun«, betonte er, ehe ich etwas sagen konnte.

»Es scheint so«, ergänzte ich. »Wo sind die Brandursachenermittler?«

»Erst im Anmarsch.«

Salo drängte sich noch näher heran. »Derjenige, der das Feuer gelegt hat, ist vermutlich von hinten ins Haus eingedrungen und hat sein Auto in einiger Entfernung abgestellt«, sagte er. »Ich war bestimmt der Einzige hier in der Gegend, der um die Zeit noch wach war. Sollte es allerdings eine Brandbombe gewesen sein, hatte sie vielleicht einen Zeitzünder. In dem Fall konnte der Täter die Bombe zu einem beliebigen Zeitpunkt platzieren, gegebenenfalls auch mitten am Tag.«

»Warst du den ganzen Tag zu Hause?«, fragte ich Salo.

»Fast durchgängig, nur gegen Mittag war ich im Einkaufszentrum und in der Baumschule. Nachmittags habe ich den Vorplatz gesäubert, habe aber im Nachbarhaus keinerlei Bewegung bemerkt.«

»Kannst du dir einen Grund vorstellen, warum Ikonens und Erkkiläs Mörder das Haus angezündet haben könnte?«

»Angst. Etwas anderes fällt mir nicht ein.«

»Angst wovor?«

»Der Mörder fürchtete, dass Aimo irgendwelche Informationen über ihn aufbewahrte, oder er hatte im Haus selbst etwas Verräterisches hinterlassen und wollte nicht, dass man ihn mit Aimo in Verbindung bringt. Beides deutet darauf hin, dass Aimo ihn kannte. Aimos Adresse ist außerdem geheim. Ein gänzlich Außenstehender hätte nicht mal gewusst, wo er wohnt.«

»Was könnte das Verräterische sein?«

»Aimo erwähnte gelegentlich, dass er seine Memoiren schreiben wollte, wenn er pensioniert wäre. Und er besaß ein kleines Buch mit schwarzem Deckel, in dem er Tipps und andere Informationen notierte. Er zeigte es mir irgendwann und sagte, dass ich gar nicht ahnen könnte, was alles darin steht. Ich antwortete ihm, er könne es mir doch einfach erzählen, wo er nun sowieso schon damit angefangen hatte, aber er tat nur geheimnisvoll und redete nicht mehr davon.«

»Auch später nicht? Ihr wart immerhin Freunde.«

»Aimo genoss es, geheimnisvoll zu sein, das konnte ziemlich nerven. Manchmal machte er halb beiläufig irgendeine Andeutung, um die Neugier seines Gesprächspartners zu wecken, aber wenn der dann nachhakte, verschloss er sich wie eine Auster.«

»Was glaubst du, hat er gemeint?«

»Dass er Dinge wusste, die hätten untersucht werden müssen oder die er selektiv untersucht hat, Dinge, die wichtige Persönlichkeiten betrafen, nicht Hinz und Kunz.«

»Warum hätte er dabei mitmachen und sich hinterher auch noch damit brüsten sollen?«, fragte ich verwundert.

»Wir fingen beide gleichzeitig bei der Polizei an, das war Ende der Fünfzigerjahre. Jene Zeiten unterschieden sich enorm von den heutigen, das könnt ihr, die Ermittler eurer Generation, euch gar nicht vorstellen. Das Wort des Vorgesetzten war damals Gesetz, wer protestierte, dem erging es schlecht. Da war schnell mal die Karriere zu Ende. Denkbar wäre, dass er Fälle meinte, die er auf Anweisung von oben selektiv untersucht hat.«

»Kennst du einen solchen Fall?«

»Nein. Ich versuche nur, die Situation zu schildern. Natürlich kann es auch sein, dass es sich um Aimos speziellen Humor handelt, den ich nicht immer verstand.«

»Hast du das Buch gesehen, nachdem Ikonen pensioniert worden war?«

»Nein, aber vernichtet hat er es nicht. Und jetzt ist es wahrscheinlich Asche. Ihr hättet das Haus genauer durchsuchen müssen.«

Ich reagierte nicht auf Salos Tadel, sondern ging zum Brandmeister, um mich mit ihm zu unterhalten. Er vermutete, dass das Feuer mithilfe von Benzin entzündet worden war, denn im Wohnzimmer hing immer noch der entsprechende Geruch. Das Nachlöschen würde sich bis weit in den Morgen hinziehen. Frühestens am Vormittag könnten wir mit der Untersuchung beginnen und das wäre dann auch nicht meine Aufgabe, sondern die der Techniker und der Brandermittler. Die Brandursachenermittlung war eine Kunstgattung für sich. Da das Geschehen jedoch aller Wahrscheinlichkeit nach mit dem Fall Ikonen und Erkkilä zu tun hatte, würden wir vermutlich zusammenarbeiten.

Am Rande des abgesperrten Geländes hielt ein Taxi. Dem Wagen entstieg ein Mann, der sich zunächst mit der Streife der Ordnungspolizei unterhielt und dann in Begleitung eines der beiden Polizisten zu uns kam.

»Dieser Herr wohnt in der Nachbarschaft und hat vielleicht etwas gesehen«, sagte der Polizist.

Der Mann war etwa vierzig, sein langer Mantel stand leger offen, er war dezent betrunken.

»Jemand saß im Auto, dort gleich um die Ecke«, sagte er und zeigte auf die nahe Kreuzung.

»Wann war das?«

»Kurz vor zehn Uhr. Ich wartete auf ein Taxi, und als es kam, ging ich ihm entgegen. Das Auto stand hinter der Fichtenhecke. Als der Mann auf dem Fahrersitz mich entdeckte, drehte er das Gesicht weg, deshalb fiel er mir überhaupt auf.«

»Wie gut haben Sie ihn sehen können?«

»Nicht sehr gut. Es war schon dunkel, in unmittelbarer Nähe stand keine Straßenlaterne, und der Mann hatte einen Hut auf.«

»Und das Auto?«

»Ein silberfarbener Volvo Kombi, ein siebziger.«

Kapitel 14

Erst gegen sechs Uhr morgens war ich wieder zu Hause, draußen wurde es bereits hell. Eli schnarchte in meinem Bett und ich musste mich auf die Couch legen. Trotzdem schlief ich sofort ein. Um acht Uhr scheuchte mich mein Wecker hoch. Ich kam gerade aus der Dusche, als mein Handy klingelte. Maija Erkkiläs Exmann Nikutin war am anderen Ende.

»Entschuldigen Sie, dass ich so früh anrufe.«

Nikutin hatte seine Zähne wiedergefunden, denn er sprach sauber und ohne Gezischel.

»Macht nichts, sprechen Sie nur.«

»Bin hier in Puistola in Maijas Wohnung … Wollte meine Arbeitsklamotten holen, hab wieder für zwei Wochen Arbeit in Aussicht.«

»Wie sind Sie reingekommen?«

»Mir fiel ein, wo Maija den Reserveschlüssel aufbewahrte. Obwohl wir geschieden waren, kam ich ab und zu her. Als ich letztes Mal hier war, ließ ich mein Zimmermannswerkzeug zurück, dann machte ich ’ne kleine Sauftour, und so blieb das Zeug liegen.«

»Tja.«

»Das Zeug lag im Keller. Als ich es holte, guckte ich mal in den alten Kesselraum. Dort stand mal ein Heizöltank, aber der wurde abgebaut, weil Maija auf Fernheizung umsteigen wollte. Der Fußboden in dem Raum besteht zum Teil aus Felsen und zum Teil aus Sand, der Fels ist schräg, und deshalb wurde die andere Hälfte mit Sand aufgeschüttet. Jetzt war über den Sandboden Beton gegossen.«

»Ja und?«

»Der war vor vier Wochen noch nicht da.«

»Sind Sie sicher?«

»Ich bin damals in den Keller runtergegangen, hab mein Werkzeug selber dort abgelegt und in den Raum geguckt.«

»Und Ihre frühere Frau hat nicht gesagt, dass sie dort Beton gießen lassen wollte?«

»Nee, und das kapier ich nicht. Ich bin vom Fach, hätte das mit links hingekriegt. Für den Raum braucht man höchstens einen halben Kubikmeter Beton. Außerdem habe ich für Maija immer alle Reparaturen halb umsonst gemacht.«

»Vielleicht war sie so wütend, dass sie Sie nicht holen wollte.«

»War sie nicht. Wir haben viele Male telefoniert, aber vom Fußboden hat sie nichts gesagt. Und wenn Maija jemand anderen bestellt hätte, hätte sie mich auf jeden Fall um Rat gefragt, wie viel sie ungefähr bezahlen sollte. Und ich kapier nicht, wieso da überhaupt Beton gegossen werden musste. Mir kommt da so ein Gedanke ...«

Ich begriff sehr wohl, welcher Gedanke Nikutin da gekommen war. Ich spürte ein schneidendes Gefühl der Spannung im Bauch.

Eli kam in die Küche, wobei er sich das Haar raufte. Er nahm sich einen Becher aus dem Schrank und bediente sich an der Kaffeemaschine. Dann steckte er zwei Brotscheiben in den Toaster. Er hatte sich gut eingelebt, ein bisschen zu gut.

»Sie sind also momentan im Haus?«

»Ja, bin ich.«

»Warten Sie auf mich, ich bin in spätestens einer halben Stunde dort.«

»Na gut, ich warte.«

»Wie lange hast du überhaupt geschlafen?«, fragte Eli und griff sich die Brotscheiben, die der Toaster hochgeschleudert hatte.

»Insgesamt fast zwei Stunden.«

»Ich dachte, wir machen heute einen Brüdertag, reden mal richtig ... tiefschürfend.«

»Hast du denn keine Arbeit?«

»Doch, aber die habe ich verschoben.«

»Gut, reden wir, sobald ich zurück bin. Am Abend also.«

Simolin war sofort startbereit und hielt nach einer Viertelstunde vor meiner Tür. Wir brauchten für die Strecke zwanzig Minuten, obwohl Simolin schneller fuhr als erlaubt.

Vor Erkkiläs Haus stand ein rostiger weißer Toyota Hiace Lieferwagen. Nikutin sah uns kommen und öffnete die Tür. Aus der Wohnung wehte uns stickige, feuchte Luft entgegen, drinnen waren höchstens zehn Grad. Nach dem Tod der Eigentümerin war das Haus nicht mehr geheizt worden. Wir traten hinter Nikutin ein, er war nüchtern und wirkte zurückhaltend. Offenbar wollte er direkt zur Arbeit fahren, denn er trug einen mit Leim bekleckerten Overall, der gut zu dem rostigen Lieferwagen passte.

»Ich muss zugeben, dass es verdammt unheimlich ist, an solch einem Ort allein zu sein, ich meine da, wo Menschen getötet wurden. Man denkt an all die Gespenstergeschichten, ruhelose Seelen hausen in den Ecken und so weiter. Sogar unsereiner mit seiner wenigen Fantasie kommt da ins Grübeln.«

Nikutin führte uns in den Keller, öffnete eine Metalltür und zeigte uns den Raum, in dem früher ein Öltank gestanden hatte.

»Da ist er«, sagte er und deutete auf den Fußboden.

Nikutin hatte recht, der Fußboden sah ganz neu aus. Der Raum maß etwa drei mal zwei Meter, der rissige Felsen nahm mehr als die Hälfte der Fußbodenfläche ein, der Anteil der gegossenen Fläche betrug ungefähr zwei Quadratmeter.

Nikutin hatte einen Hammer bei sich, damit schlug er auf den Fußboden, es gab ein dumpfes Geräusch.

»Ziemlich dünn. Höchstens zehn Zentimeter«, schätzte er wie ein Experte.

»Haben Sie ein Stemmeisen?«, fragte ich.

»Etwas Besseres.« Er holte aus dem benachbarten Raum eine schwere Brechstange und reichte sie mir. »Wenn man Risse in den Boden kriegt, kann man ihn leicht hochbiegen.«

Ich probierte zunächst etwas anderes aus und schlug mit der Brechstange auf die Naht zwischen Beton und Felsen.

Nach ein paar Versuchen brach der Beton so weit auf, dass die Brechstange in den Zwischenraum passte. Ich bog kräftig und dann fiel von dem Beton ein großes Stück herab. Ich setzte die Stange ein Stückchen weiter und wiederholte die Prozedur. Die Betonplatte zerbrach in der Mitte, es waren keine Eisenträger vorhanden. Jetzt schob ich die Brechstange zwischen die beiden Teile und bog kräftig. Simolin und Nikutin assistierten und versuchten, eine Plattenhälfte am Rand anzuheben. Schließlich hob sie sich und fiel krachend auf den Felsen. Da, wo das Teilstück gelegen hatte, blieb eine Mischung aus grobem Sand und Splitt zurück. Nikutin holte aus dem anderen Raum einen Spaten, schabte damit auf der Splittfläche und schaufelte eine Ladung heraus, dann stellte er sich breitbeinig in Positur und stieß den Spaten mit Wucht in den Boden. Das Metall bohrte sich knirschend in den Splitt. Nikutin schaufelte eine weitere Ladung heraus und warf sie vor der Wand ab.

»Warte!«

Am Boden der kleinen Vertiefung war ein Streifen schwarzer Stoff sichtbar geworden. Ich beugte mich hinunter, grub mit den Fingern um den Stoff herum. Ein kleines rundes und flaches Stück Kunststoff kam zum Vorschein, es war ein Knopf. Der Stoff erwies sich als Ärmelbund, aus dem eine Hand ragte, eine grobschlächtige Männerhand. Ich schüttelte sie, bis sie von Sand und Splitt frei war. Am Gelenk war eine Uhr mit Lederarmband befestigt, und am Zeigefinger steckte ein Goldring mit schwarzem Stein.

»Was ist denn das? Ist es …?«, stotterte Nikutin.

»Ja, ganz sicher.«

Simolin zog sich Gummihandschuhe an, hockte sich neben mich und drückte auf den Daumenwurzel der Hand.

»Noch in ziemlich gutem Zustand. Wer könnte das sein?«

»Ich denke, dass sich das ziemlich bald herausstellen wird. Ruf die Technik her und dazu noch eine Streife der Ordnungspolizei.«

Zwei Stunden später war die technische Untersuchung so weit fortgeschritten, dass der Tote gänzlich ausgegraben werden konnte. Er lag auf dem Rücken in weniger als zwanzig Zentimetern Tiefe, sodass es nicht viel Zeit beanspruchte. Sand und Beton hatten das Gesicht des Mannes mindestens ein paar Wochen lang platt gedrückt, er sah aus wie ein Eskimo, der eine Schlägerei am Würstchenkiosk hinter sich hatte. Über dem rechten Auge hatte er ein Einschussloch. Der Tote trug schwarze Jeans und eine braun karierte Jacke aus Wollstoff. Ich öffnete die Jacke und fuhr tastend über die Innenseite. Die Brieftasche war vorhanden, ich zerrte sie heraus. Simolin drängte sich in seiner Neugier ganz dicht an mich heran. Unter der Plastikfolie steckte ein schwedischer Führerschein, ausgestellt auf Keijo Lappalainen.

»Es ist genau unser Lappalainen!«, rief Simolin aufgeregt.

Ich verglich das Führerscheinfoto mit dem Toten, dazu befreite ich sein Gesicht vom Sand, so gut es ging. Nach kurzer Prüfung war ich mir sicher.

»Sieht ganz so aus.«

Eines der vermissten schwarzen Schafe war gefunden. Das bedeutete, dass wir auch einen Mörderkandidaten weniger hatten.

Huovinen wollte mich sprechen, sowie ich wieder in der Dienststelle wäre. Da war es kurz nach elf Uhr. Ich nahm Simolin und Stenman mit.

»Schieß los, Ari«, sagte Huovinen.

Ich erzählte von den letzten Etappen der Untersuchung, es dauerte etwa fünf Minuten. Je weiter ich in meinem Bericht kam, desto besorgter wirkte Huovinen.

»Üble Geschichte, wirklich übel. Ikonen ist tot und leidet nicht mehr, auch wenn sein Ruf flöten geht. Aber wir leiden, unser ganzer Apparat leidet.« Er seufzte und fuhr fort: »Aber dagegen ist nichts zu machen. Unsere Aufgabe ist es nicht, Tatsachen zu beschönigen, nicht mal unangenehme. Hast du gute Theorien, Ari?«

»Nach der letzten Leiche mag man schwerlich noch daran glauben, dass es sich nur um einen zufällig entstandenen Streit handelt. Es scheint, dass die Morde miteinander zu tun haben, aber auf welche Weise, das lässt sich bisher schwer einschätzen. Kann sein, dass sowohl Lappalainen als auch Erkkilä und Ikonen von derselben Person oder denselben Personen getötet wurden, oder aber die letzteren Morde sind eine Folge des ersten, zum Beispiel Rache. Lappalainen wurde nicht erstochen, sondern erschossen, wahrscheinlich mit einer Ein-Millimeter. Die Kugel ist nicht wieder ausgetreten, sodass man sie bei der Obduktion finden wird.«

»Falls es Rache war, würde das ja bedeuten, dass Ikonen und Erkkilä den Mann erschossen haben«, sagte Huovinen.

»Richtig. Deshalb müssen wir klären, ob irgendeine Person Grund gehabt hat, Lappalainen zu rächen. Vielleicht hat er Angehörige, einen Bruder oder einen guten Freund.«

»Lappalainen war kein angenehmer Zeitgenosse, schwer zu glauben, dass er viele Freunde hatte«, meinte Stenman.

Ich erzählte, was Vizepolizeichef Leivo über die Beziehungen zwischen Ikonen und Lappalainen gesagt hatte.

»Falls Ikonen den Kerl für den Drogenkonsum seiner Tochter verantwortlich machte, hätte er einen guten Grund gehabt, ihn zu töten. Der Tod der Tochter hat möglicherweise bei Ikonen den Rachegedanken ausgelöst. Zeitlich passt es jedenfalls gut«, sagte Huovinen.

»Außerdem hat Lappalainen die letzten zwanzig Jahre in Schweden gelebt. Man sollte denken, dass auch all seine Kumpel dort sind«, warf Stenman ein. »Der echte schwedische Führerschein deutet darauf hin, dass er ein relativ normales Leben geführt hat. Jedenfalls hat er sich nicht versteckt, so wie Väistö und Isaksson.«

»Väistö könnte eventuell sein Freund gewesen sein, war jedenfalls vom gleichen Kaliber. Vielleicht waren sie gemeinsam auf Rachetour unterwegs, und als Erkkilä und Ikonen Lappalainen ausschalteten, machte Väistö weiter, wo der andere aufgehört hatte.«

»Und die Messerattacke auf die Frau in Espoo?«, wandte sich Simolin fragend an mich.

»Tuula Uotila hat der Erkkilä möglicherweise auf die eine oder andere Art geholfen, Väistö zu betrügen. Sie hat ja zugegeben, dass sie Väistö kannte. Vielleicht kannte sie ihn besser, als sie eingestand.«

»Ein wahrer Rachefeldzug von Väistö. Warum hätte er zwanzig Jahre warten sollen, um erst dann hier aufzutauchen und loszuschlagen?«, äußerte Huovinen seine Verwunderung.

»Vielleicht hat er erst jetzt von Erkkiläs Spitzeldiensten erfahren.«

»Wer sollte es ihm erzählt haben?«

»Ikonen«, schlug Stenman vor. »Die Erkkilä wollte ihm nicht die Adresse seines Sohnes – oder seines vermeintlichen Sohnes – verraten, und da fiel ihm kein anderes Mittel ein, als damit zu drohen, sie als Spitzel bloßzustellen.«

»So etwas macht ein Polizist nicht«, murmelte Huovinen.

»Ikonen war kein Polizist mehr. Er war ein verzweifelter Vater, der seine Tochter verloren hatte und seinen Sohn sehen wollte, bevor er starb. Und ...« Stenman hatte eine neue Idee und fuhr eifrig fort: »Ikonen wollte zwei Fliegen mit einer Klappe schlagen, Erkkilä Angst machen und Lappalainen nach Finnland locken.«

»Und was wäre Erkkiläs Anteil an Lappalainens Ermordung?«, wollte Huovinen wissen.

»Sie war auf die eine oder andere Weise mit beteiligt, entweder freiwillig oder gezwungenermaßen. Andernfalls hätte sie nicht gebilligt, dass die Leiche im Keller ihres Hauses begraben wird. Im Falle, dass sie Väistö und Lappalainen bespitzelt hat, hatte sie guten Grund, beide zu fürchten.«

»Besorgt euch ein möglichst aktuelles Foto von Väistö und schreibt ihn zur Fahndung aus. Das Foto soll an jede Streife und an die Grenze«, sagte Huovinen.

»Wie Salo und Laurila behaupteten, ist der Mann schon vor zwanzig Jahren gestorben«, gab Stenman zu bedenken.

»Geister begehen keine Morde«, sagte ich.

»Noch mal zu Lappalainen«, fuhr Stenman fort. »Die andere Alternative wäre, dass Erkkilä dafür bezahlt wurde, ihn nach Finnland zu locken. Ikonen hatte reichlich Geld.«

Huovinen verschränkte die Arme vor der Brust und sah Stenman an. Ich kannte ihn so gut, dass ich merkte, wie er auf ihre Nähe reagierte. Ich erinnerte mich, wie wir mal gemeinsam ausgegangen waren und Stenman und Huovinen die langsamen Stücke so miteinander getanzt hatten, dass Ehebruch nicht weit gewesen war. Huovinen war jedoch allein nach Hause gegangen. Ich wusste, dass er ein Mann mit Prinzipien war, außerdem war er zum zweiten Mal glücklich verheiratet. Seine Frau war eine schöne estnische Musikerin, fünfzehn Jahre jünger als er.

»Der Gedanke hat etwas für sich. Und der Brand in Ikonens Haus? Gibt es irgendwelche Erkenntnisse über die Ursache?«

»Keine sicheren, aber das Feuer wurde anscheinend gelegt. Im Arbeitszimmer hat jemand brennbare Gegenstände auf einen großen Haufen geworfen und angezündet. Dem Geruch nach zu urteilen, wurden Benzin und vielleicht auch ein Zeitzünder verwendet. Unser Bekannter, Kommissar Salo, alarmierte die Feuerwehr. Er hatte eine Art Pluff gehört und fast sofort danach durchs Fenster Flammen gesehen. Menschen hat er nicht entdeckt. Ein Nachbar hat in der Nähe einen silberfarbenen Volvo Kombi gesehen, in dem ein Mann saß. Die Streifenbesatzungen wurden informiert, aber mit den paar Hinweisen ist es fast unmöglich, den Wagen zu finden oder gar zu beweisen, dass er vor Ort war. Mir fällt für die Tat kein anderes Motiv ein, als dass eventuelle Beweise vernichtet werden sollten, entweder im Zusammenhang mit Ikonens und Erkkiläas Ermordung oder anderweitig.«

»Aber warum erst jetzt?«, fragte Huovinen. »Das Haus wurde ja bereits von uns durchsucht.«

»Vielleicht nicht gründlich genug. Oder wir wussten einfach nicht, wonach wir suchen sollten.«

»Ikonen besaß kein Archiv und keinerlei Aufzeichnungen?«

»Nein, jedenfalls haben wir keine gefunden. Seine übrigen Papiere haben wir mitgenommen. Er besaß dem Vernehmen nach ein Notizbuch und Salo gegenüber hat er angedeutet, dass es brisante Interna enthielt.«

»Irgendetwas muss jedenfalls dort gewesen sein. Oder das Haus wurde sicherheitshalber angezündet. Auf jeden Fall wissen die Journalisten bereits, dass das verbrannte Haus Ikonen gehörte, und sie haben eins und eins zusammengezählt. Was sagen wir ihnen?«, fragte Huovinen.

»Dass wir nicht wissen, ob der Brand mit den Morden zusammenhängt.«

»Einverstanden. Wurde Ikonens Tochter schon über den Brand informiert?«

»Noch nicht, aber ich bin ziemlich sicher, dass Salo es ihr erzählt hat.«

»Halte trotzdem Kontakt mit ihr. Gibt es etwas Neues über die Frau, die die Morde gemeldet hat? Sie hatte ja von einem öffentlichen Telefon aus angerufen.«

»Niemand hat sie gesehen«, erzählte ich. »Von den Überwachungskameras der Station Pukimäki, die sich neben dem Einkaufszentrum befinden, wurde sie nicht erfasst, auch nicht von denen der gegenüberliegenden Post, des Bankautomaten oder der Tankstelle. Von Letzterer gibt es keinen direkten Sichtkontakt zur Telefonzelle. Das Personal der Tankstelle ist befragt worden. Die anderen Geschäfte waren zu dem Zeitpunkt geschlossen. Auch in den Überwachungsbändern der Umgebung haben wir bisher nichts gefunden. Es scheint so, als ob der Standort für den Anruf mit Bedacht gewählt wurde.«

»Falls die Anruferin nichts mit den Morden zu tun hat, welchen Grund hätte sie dann, sich so hartnäckig versteckt zu halten?«, sinnierte Huovinen. »Andererseits, wenn sie in die Morde verwickelt ist, warum hätte sie dann überhaupt anrufen sollen?«

Mein Handy klingelte. Ich sah, dass der Anruf vom Landeskriminalamt kam. Es war Kriminalchemiker Askola.

»Wir haben uns beeilt mit der DNA-Analyse, um die ihr gebeten hattet, und das Ergebnis liegt jetzt vor. Ich dachte, ich erzähle dir das Wichtigste schnell.«

»Das *Mora*-Messer, ja?«

»Genau. An der Klinge und am Griff befinden sich DNA-Spuren von drei verschiedenen Personen, nämlich von Tuula Uotila, von der wir das Messer bekommen haben, und dann von den beiden anderen Opfern aus Puistola, also von Erkkilä und Ikonen. Zwar gehört es nicht zu meinen Aufgaben, irgendwelche Schlussfolgerungen zu ziehen, aber in allen drei Fällen ist mit großer Wahrscheinlichkeit dieselbe Waffe verwendet worden.«

»Fand sich in Erkkiläs Papieren irgendeine Notiz darüber, dass sie vor einem Monat in einem Kurort in Estland war?«, fragte ich Stenman, sowie wir draußen auf dem Gang waren.

»Doch, ich glaube schon, in ihrem Kalender. Ich habe die Papiere in meinem Büro. Wieso?«

»In Lappalainens Jackentasche fanden wir eine Taxiquittung, die einen Monat alt ist. Die Fahrt begann am Stand vom Karhunpuisto und abgesetzt wurde Lappalainen in Puistola. Das war mit ziemlicher Sicherheit seine letzte Fahrt. Die Quittung enthält Datum und Uhrzeit.«

»Wir können den Reisetermin sofort überprüfen«, sagte Stenman. »Ich habe inzwischen auch die Anruflisten der Uotila.«

Stenmans Büro war sauber und ordentlich und sie hatte das triste Dienstmobiliar mit einigen mitgebrachten Gegenständen aufgelockert, auch ein paar Pflanzen gehörten dazu. Auf ihrem Schreibtisch standen die Fotos ihrer Kinder, ein Mädchen und ein Junge. Auf den Fotos waren sie etwa fünf bis sieben Jahre alt, inzwischen war das älteste der beiden fast im Teenageralter. Früher hatte auf dem Schreibtisch auch ein Foto ihres Mannes gestanden. Jetzt nicht mehr. Der Unternehmer stand derzeit wegen schweren Steuerbetrugs vor Gericht.

Stenman wühlte eine Weile in dem Umzugskarton.

»Hier ist er.« Sie zeigte mir einen Tischkalender mit blauem Deckel, gab ihn mir aber nicht, sondern fragte: »Welcher Tag steht auf der Taxiquittung?«

»Der sechste März.«

»Laut diesem Eintrag reiste Erkkilä am fünften ab und kehrte am achten zurück.«

»Wenn Maija Erkkilä verreist war, wer ließ dann Lappalainen ins Haus und tötete ihn dort?«

»Ikonen allein«, schlug Stenman vor. »Lappalainen bedrohte die Erkkilä und sie wandte sich an Ikonen, der wegen seiner Tochter noch eine Rechnung mit Lappalainen offen hatte. Erkkilä fuhr weg und gab ihm die Schlüssel, damit er dann im Haus wartete. Oder Ikonen zwang die Erkkilä oder bezahlte sie dafür, dass sie Lappalainen nach Finnland lockte, damit er sich rächen konnte.«

»Und Ikonen soll ganz allein die Leiche im Keller vergraben und eine fünf Zentimeter dicke Betonschicht darübergegossen haben?«

»Lappalainen war relativ groß und wog fast hundert Kilo. Vielleicht konnte Ikonen ihn nicht aus dem Haus schaffen.«

»Auf jeden Fall benötigte der Mörder eine große Menge Zement für den Fußboden. Auch das ist recht seltsam. Jemand tötet erst einen Mann, holt dann eine Ladung Zement, mischt ihn und gießt einen Fußboden. Das dauert mehrere Stunden. Wie konnte derjenige sicher sein, dass Maija Erkkilä ihn nicht auf frischer Tat ertappt?«

»Er hat gewusst, wann sie zurückkehrt«, sagte Stenman.

»Dann gibt's nicht viele Alternativen, es bleibt nur Nikutin.«

»Oder jemand, der von Erkkilä selbst oder durch Nikutin von der Reise erfahren hatte. Die Erkkilä könnte ihren Freunden davon erzählt haben, womöglich sogar ihren Stammkunden, damit sie nicht umsonst anriefen. Nikutin wiederum hat vielleicht gegenüber all seinen Kumpels ausgeplaudert, dass er bei Maija Erkkilä das Haus hütet, während sie verreist ist. Wobei mir einfällt, dass es sich auch um einen Zufall handeln könnte. Nikutins Kumpel gehören vermutlich nicht gerade zu den ehrlichsten Leuten, vielleicht ist einer auf die Idee gekommen, Erkkiläs Wohnung auszuräumen.«

Stenmans letzter Gedanke war auch nicht schlechter als alle übrigen.

»Du meinst, dass der Einbrecher Lappalainen tötete, als der ihn überraschte?«

»Ja. Allerdings bevorzuge ich Nikutin. Er hütete das Haus, und als Lappalainen wie selbstverständlich dort auftauchte, tötete Nikutin ihn.«

»Der Mann macht mir nicht den Eindruck, als wäre er so schlau, uns zu Lappalainens Leiche zu führen, damit er selbst nicht in Verdacht gerät. Das würde schon einige gedankliche Anstrengung erfordern.«

Ich überlegte, ob ich Nikutin nicht vielleicht doch zu voreilig als dumm abgestempelt hatte. Vielleicht hatten sein betrunkener Erstauftritt und sein Gezischel mich verwirrt. Er gehörte sicherlich nicht zum Hochbegabtenklub *Mensa,* war aber auch nicht zwangsläufig dumm.

»Man hat uns auch früher schon manchmal irregeführt«, warf Stenman ein. »Und warum ist Lappalainen überhaupt nach Helsinki gekommen? Er hielt sich schon viele Jahre im Ausland auf, obwohl seine Taten verjährt waren.«

»Zumindest wollte er Erkkilä treffen, denn andernfalls wäre er in ein Hotel gezogen«, sagte ich.

»Aber sie wollte ihn offenbar nicht treffen. Die Tatsache, dass sie nach vielen Jahren erstmals wieder verreiste, gerade als er kam, sieht nicht nach Zufall aus.«

»Zeig mal, was du von Tuula Uotila gefunden hast.«

Stenman suchte auf ihrem Schreibtisch, griff nach einer gelben Kunststoffmappe, die sie mir reichte, wobei sie gleichzeitig erklärte:

»Die Uotila hat zwischen Erkkiläs und Ikonens Ermordung und der Messerattacke auf sie selbst nur vier Telefonate geführt. Zunächst mit ihrer Schwester, das war am Samstagabend, einen Tag nach Erkkiläs und Ikonens Tod. Zum Zeitpunkt des Anrufs befand sich das Handy in Koskela. Ein wenig später rief sie ihren Mann an, der sich in Vaasa aufhielt. Sie selbst, oder jedenfalls ihr Handy, war da in Süd-Haaga, sie bewegte sich also von Ost nach West, vermutlich in Richtung ihres Hauses. Ein weiteres Gespräch führte sie zehn Minuten später, und zwar mit der Auskunft, das Handy befand sich da in Leppävaara.«

Mein Blick verharrte, ich hatte einen mir bekannten Namen entdeckt.

»Besaß die Uotila ebenfalls Aktienanlagen?«

»Wieso?«

»Laut dieser Liste hat auch sie die *Elektrada AG* angerufen, genau wie Ikonen.«

Kapitel 15

Ikonens Tochter öffnete mir die Tür ihres Studios, sie trug einen weißen Overall, der mit Farbklecksen übersät war. Drinnen roch es stark nach Terpentin. Das Porträt der jungen Frau auf der Staffelei war immer noch unvollendet. Daneben stand ein großer Rahmen mit einer eingespannten Leinwand, auf der erst ein paar Umrisse zu sehen waren.

»Hoffentlich nehme ich dir nicht die Schaffensfreude.«

»Die verschwindet nicht so schnell. Du hast wahrscheinlich neue Informationen?«

Ich hatte Saara Ikonen angerufen und ihr erzählt, dass ihr Haus durch einen Brand vernichtet worden war. Wie ich geahnt hatte, hatte sie schon frühmorgens durch Salo davon gehört. Über Lappalainen wollte ich persönlich mit ihr sprechen.

Ich erzählte ihr, dass wir in Erkkiläs Haus bereits die dritte Leiche gefunden hatten. »Ich weiß, dass das ein Schuss ins Blaue ist, aber sprach dein Vater je von einem Kriminellen namens Keijo Lappalainen?«

»Vater sprach nie über solche Dinge.«

»Ich frage danach, weil Lappalainen deine Schwester gut kannte.«

»War er es, der Tarja die Drogen verkaufte?«

»Ja.«

»Und auch er ist tot, ermordet?«

Ich nickte.

»Dann hat wenigstens mal die Gerechtigkeit gesiegt.«

»So kann man das auch sehen«, bestätigte ich. »Aber auch Verbrecher zu töten ist ein Verbrechen.«

»Ich erinnere mich trotzdem nicht, dass Vater je von einem Lappalainen gesprochen hätte.«

»Nicht mal nach dem Tod deiner Schwester?«

»Warum hätte er sollen? Dieser Lappalainen hat meine Schwester ja wohl nicht getötet?«

»Nein, aber dein Vater gab ihm möglicherweise eine Teilschuld am Drogenkonsum deiner Schwester und damit auch an ihrem Tod.«

»Willst du damit sagen, dass Vater ihn vielleicht getötet hat?«

»Nein, aber ich will sagen, dass es nicht auszuschließen ist. Maija Erkkilä hat es nicht getan, sie war in Estland, als Lappalainen umgebracht wurde. Und dein Vater wusste möglicherweise, dass der Mann sich in Erkkiläs Wohnung aufhielt. Besaß dein Vater Waffen?«

»Nicht dass ich wüsste, außer in der Zeit, als er noch Polizist war. Ich habe jedenfalls nie welche gesehen.«

Ich trat an die große Leinwand und versuchte, ein Bild zu erkennen. Die Striche erinnerten an einen fliegenden Vogel.

»Darf man die Künstlerin fragen, was aus der angefangenen Arbeit werden soll?«

»Man darf, aber die Künstlerin antwortet vermutlich nicht darauf. Es ist eine Auftragsarbeit, kommt in die Eingangshalle einer Firma.«

»Kann man davon leben?«

»Bisher ist es mir gelungen.«

»Du hast nie die Hilfe deines Vaters gebraucht?«

»Ich bin allein klargekommen. Vater hat mich allerdings ein paarmal gefragt, ob ich Geld brauche. Ich habe verneint.«

»Hat dein Vater dir von seinen Krankheiten erzählt?«

»Nicht direkt. Ich wusste von der Bypassoperation und er gab mir zu verstehen, dass er nicht sehr lange leben wird. Einmal fragte er mich, ob ich in dem Haus in Myllypuro wohnen möchte, wenn er nicht mehr ist. Ich sagte ihm, dass ich lieber in der Stadt wohne. Versteh das nicht falsch. Es gibt auch schöne Erinnerungen an die Kindheit von meiner Schwester und mir, es war nicht alles nur Leid und Hass. Vater war eben ein Mensch, der seine Gefühle nicht so ausdrücken konnte wie andere. Man musste ihn nur zu interpretieren wissen. Mutter konnte das nie, auch Tarja nicht. Aber ich weiß, dass Vater mich und meine Schwester liebte, und unsere Mutter wahrscheinlich auch, auf seine Weise. Vielleicht habe ich Vaters Gene geerbt, denn auch mir fällt es nicht leicht, über solche Dinge zu sprechen.«

Ich fragte mich, ob meine Mutter uns, Eli, Hanna und mich, vielleicht doch auf ihre Weise geliebt hatte und wir es nur nicht erkannt hatten. Der Gedanke rief sofort unangenehme Erinnerungen wach, sodass ich ihn schnell verdrängte.

»Du hast gute finnische Gene geerbt. Ich bin Jude, aber auch mir fällt es schwer.«

»Fällt es einem jüdischen Junggesellen schwer, eine Singlefrau auf ein paar Drinks einzuladen?«, fragte Saara Ikonen.

Ihre überraschende Initiative lähmte mich vorübergehend. Dann fiel mir eine Antwort ein: »Möchtest du, dass ich es ausprobiere?«

»Na, los.«

»Würdest du nach der Arbeit auf ein paar Drinks mitkommen?«

»Gern. Ich war so lange weg aus Helsinki, dass du das Lokal vorschlagen darfst.«

Ich schlug die Bar eines Hotels direkt im Zentrum vor.

»Also dort dann um …?«

»Siebzehn Uhr. Einverstanden?«

»Sehr einverstanden.«

Bevor ich ging, fragte ich noch: »Woher wusstest du, dass ich Junggeselle bin beziehungsweise keine Freundin habe?«

Saara Ikonen lächelte und ließ mich fast niederknien. »Ich habe mich erkundigt.«

Oksanen war kein schlechter Polizist. Wenn er sein Rallyehobby ein wenig eingeschränkt hätte, hätte er sogar ein sehr guter Polizist sein können. So jedoch beanspruchte der Rallyesport einen Großteil seiner Aufmerksamkeit und seines Interesses, und die Arbeit kam erst auf Rang zwei. Als er mit einem Stapel Papier in der Hand in mein Büro kam, sah ich, dass ihm wieder mal vorübergehend eingefallen war, wofür er sein Gehalt bezog.

»Ich habe das ganze Material von dem Vorfall im *Marski* gecheckt. Komische Geschichte, das muss ich sagen.«

Der Fall hatte eindeutig sein Interesse geweckt. Ich bat ihn, Platz zu nehmen. Er tat es, blieb aber in Skisprunghaltung auf der Stuhlkante sitzen.

»Ich bin alles durchgegangen, angefangen von der ersten Meldung, die eine Streife der Ordnungspolizei durchgab, habe sogar die Zeitungsausschnitte gelesen. Das Ganze stimmt hinten und vorn nicht.«

»Wie das?«

»Nimm nur mal die Ausgangssituation. Der Außenminister und der Generaldirektor der Sozialversicherung sitzen in einem Salon beisammen. Drei Männer stürmen herein. Es kommt zu einem Handgemenge, dabei trägt der Generaldirektor eine Schnittwunde auf der Hand davon. Die drei Kerle verschwinden, werden aber schon am nächsten Tag verhaftet. Wie in aller Welt soll das denn wohl funktioniert haben?«

»Salo erzählte, dass ein Einbruchswerkzeug zurückgeblieben war und dass dadurch der Benutzer leicht ermittelt werden konnte.«

»Überleg doch mal. Drei Gangster, davon zwei – Väistö und Isaksson – hartgesottene Berufsverbrecher, können entkommen und eine Personenbeschreibung gibt es kaum. Ausgerechnet sie sollten sofort alles gestehen, als die Polizei vor der Tür steht und den Dietrich schwenkt? Und was tat ein Grünschnabel wie Sippola unter den Profis? Er hatte nichts weiter aufzuweisen als einen einzigen Fall von Trunkenheit am Steuer und einen Autodiebstahl, hatte noch nicht mal im Knast gesessen.«

»Die Täter wurden doch identifiziert? Die Fotos der Verdächtigen wurden dem Außenminister und dem Generaldirektor gezeigt, und beide erkannten sofort in einem von ihnen – Isaksson – einen der Eindringlinge. Er wurde festgenommen, und als man ihn unter Druck setzte, verriet er seine beiden Komplizen.«

»Identifiziert, ja? Ich frage mich nur, wie?«, schnaubte Oksanen. »Laut Untersuchungsprotokoll sagte der Generaldirektor aus, dass alle drei Angreifer mittelgroß und brünett gewesen waren und auch sonst ganz gewöhnlich ausgesehen hatten. In Wahrheit war Väistö 1,95 Meter groß und sah aus wie ein Straßenräuber. Sippola war 1,65 Meter groß und hatte ein Gesicht voller Pickel. Isaksson war tatsächlich ein Durchschnittstyp, der sich niemandem einprägte. Und wohin verschwand der vierte Angreifer?«

»Was meinst du?«

»Der Mann mit dem Dietrich und zwei seiner Komplizen wurden gefasst. Laut Protokoll schworen der Außenminister und der Generaldirektor jedoch felsenfest, dass es vier Angreifer gewesen waren. Sie beschrieben sogar genau, an welcher Stelle des Zimmers jeder jeweils gestanden hatte.«

»Das Ganze spielte sich rasch und heftig ab, vielleicht irrten sie sich. So etwas kommt vor.«

»Beide sagten bei der Befragung durch die eintreffende Polizeistreife aus, dass sie sicher waren, dass es vier Angreifer gewesen waren. Sippolas Anwalt wies sogar vor Gericht auf diesen Widerspruch hin. Aus irgendeinem Grunde ging niemand weiter darauf ein.«

»Was gibt es sonst noch?«

»Väistö und Isaksson hatten bis dato nie auch nur eine ihrer Taten gestanden, nicht mal, wenn die Beweislage wasserdicht war. Ganz zu schweigen davon, dass sie ihre Komplizen ans Messer geliefert hätten. Jetzt auf einmal gaben sie auf Anhieb alles zu und nannten sogar noch die Mittäter, obwohl dafür gar kein Grund bestand. Irgendwas ist da faul – und zwar gewaltig.«

»Zu welchem Schluss bist du gekommen?«, fragte ich.

»Es muss einen echt guten Grund dafür geben, warum Sippola, Isaksson und Väistö das Ganze auf ihre Kappe nahmen.«

»Welcher könnet das sein?«

»So weit bin ich noch nicht, aber hör dir das an: *Auf Befragen erzählte Generaldirektor Esko Kaipio weiterhin, dass er nach Verlassen des Salons in die dritte Etage hinaufstieg und an der Tür klingelte. Die Tür wurde geöffnet und er bat die entsprechende Person, die Polizei zu rufen. Später stellte sich heraus, dass die Person, die die Tür geöffnet hatte, die Frau des Haushandwerkers gewesen war. Noch ehe die Frau die Polizei rufen konnte, kam ein Mann mit gezücktem Messer aus dem Fahrstuhl. Kaipio rannte ins Treppenhaus und flüchtete zurück ins Erdgeschoss. Bei den späteren Ermittlungen der Polizei stellte sich heraus, dass der Mann, der aus dem Fahrstuhl kam, der Haushandwerker gewesen war.* Und jetzt kommt die beste Stelle: *Handwerker Heimo Marjamaa erzählte auf Befragen Folgendes: Ich betreibe Tauchsport und war im Lagerraum im Keller des Hotels gewesen, um meine Tauchausrüstung, die ich dort im Winter aufbewahre, zu inspizieren. Als ich den Keller wieder verließ, nahm ich mein Tauchermesser mit, um es instand zu setzen, den Oberflächenrost zu entfernen und es zu schärfen. Im Fahrstuhl zog ich das Messer aus dem Futteral und prüfte den Zustand der Scheide. Als ich aus dem Fahrstuhl trat, sah ich, dass unsere Wohnungstür offen stand und dass meine Frau drinnen mit einem unbekannten Mann sprach. Der Mann erschrak offenbar vor dem Messer und ergriff sofort die Flucht, noch ehe ich etwas zu ihm sagen konnte. Erst später erfuhr ich, was im Salon geschehen und wer der aus unserer Wohnung geflüchtete Mann war. Es war Esko Kaipio, der Generaldirektor der Sozialversicherung. In jenem Moment hatte ich ihn jedoch nicht erkannt, denn alles ging so schnell. Zum Zeitpunkt des Geschehens hatte sich Kaipio im Salon in Gesellschaft von Außenminister Matti Matinoja befunden.* Stell dir das mal vor! Zur selben Zeit, während im Erdgeschoss Männer mit dem Messer wüten, läuft der Haushandwerker mit einem Tauchermesser hinter dem Generaldirektor her und keiner der Ermittler findet etwas dabei. Sachen gibt es! Wie ist es möglich, dass dieser Mist durchgehen konnte?«

Ich nahm Oksanen das Protokoll aus der Hand und las die Stelle durch, die sein Missfallen erregt hatte. Das Verhör des

Handwerkers war tatsächlich lasch geführt worden und es schien in der Tat so, als hätte man sein Tun nicht näher hinterfragen wollen.

»Und Ikonen war der leitende Ermittler in diesem Fall?«

»Auch das ist eine komische Soße. Als der Alarm aus dem Hotel kam, wurde eine Streife der Ordnungspolizei hingeschickt. Sie traf als Erste vor Ort ein und begann mit der Befragung der Beteiligten. Gleich darauf erschienen Ikonen und Salo und damit landete der Fall natürlich bei Ikonen. Wie Außenminister Matinoja aussagte, hatte er außerdem sofort auch den Chef des Geheimdienstes angerufen und ihm gesagt, was passiert war. Generaldirektor Kaipio wiederum erklärte, dass er zuerst seine Sekretärin angerufen hatte.«

»Hat er gesagt, warum?«

»Nein. Vielleicht hatten sie etwas miteinander.«

»Ist jemand vom Geheimdienst gekommen?«

»Auch das wird nicht klar. Im Protokoll heißt es nur, dass Matinoja den Chef angerufen und mit ihm darüber diskutiert hat, ob es sich um einen politischen Terrorakt handeln könnte, mehr nicht.«

Ich dachte über Oksanens Bericht nach.

»Das Trio wurde wegen versuchten schweren Diebstahls angeklagt. Dafür gibt es verhältnismäßig kurze Haftstrafen. Vielleicht hatten sie ein größeres Ding geplant, das aber schiefging, und so kassierten sie lieber ein Urteil für ein geringfügigeres Delikt.«

»Was hätte ihr Ziel sein können? Den Außenminister und den Generaldirektor zu entführen und vom Staat Lösegeld zu erpressen?«

»Das Ziel war möglicherweise irgendeine andere Person im Hotel oder etwas Wertvolles, vielleicht Geld oder Drogen, was auch immer, aus einem der Zimmer. Der Handwerker war vielleicht mit von der Partie und gab den Tipp, aber die Gangster überfielen versehentlich die Falschen.«

Ich begriff, dass meine auf die Schnelle entwickelte Theorie nicht erklärte, warum der Außenminister und der Generaldirektor nicht sofort Isaksson, Väistö und Sippola oder den Handwerker identifiziert hatten. Beim Handgemenge im Salon hingegen handelte es sich vielleicht nur um einen Schnellschuss übernervöser Gangster.

»Eine gute Theorie, sie geht in die gleiche Richtung wie meine«, bestätigte Oksanen. »*Helsingin Sanomat* brachte am Tag vor Beginn des Prozesses eine Meldung zu diesem Fall. Derzufolge hatte einer der Beschuldigten angekündigt, dass er bei seiner Aussage vor Gericht eine echte Bombe platzen lassen wollte. In der Verhandlung am nächsten Tag sagte er jedoch kein Wort. Die Ankündigung hatte ganz nach einer Drohung geklungen.«

»Was hätte er enthüllen können?«

»Das habe ich mich auch gefragt. Sicher ist nur, dass die Sache nicht so ablief, wie behauptet wurde. Ich habe Kaipios Sekretärin angerufen, die bereits im Ruhestand ist. Sie sagte, dass Kaipio, als er sie anrief, berichtete, dass es sich bei einem der Angreifer um den Handwerker des Hotels gehandelt hatte. Der Polizei und dem Gericht gegenüber erwähnte Kaipio das jedoch mit keiner Silbe, nicht mal andeutungsweise. Welchen Grund hätte er haben sollen, einen der Angreifer zu schützen?«

Oksanen war so erregt, dass er aufstand und sich wie ein Volkstribun vor meinen Schreibtisch stellte. Es fehlte nur noch, dass er die rote Fahne schwenkte. Ich forderte ihn auf fortzufahren.

»Ich glaube, dass der Haushandwerker der von Kaipio und Matinoja erwähnte vierte Mann war. Vom früheren Sicherheitschef des Hotels hörte ich, dass der Handwerker und seine Frau gleich nach dem Vorfall eine Stelle als Hausmeister in der finnischen Botschaft in Moskau annahmen. Da kam mir die Idee, dass es sich um eine Spionagegeschichte handeln könnte. Spionage war möglicherweise die große Sache, die durch Inszenierung einer kleineren kaschiert werden sollte.«

»Was könnten Gangster wie Väistö und Isaksson mit Spionage zu tun haben?«

»Väistö war ein exzellenter Geldschrankknacker. Vielleicht wurden seine Dienste gebraucht, den Tresor des Hotels zu öffnen. Im *Marski* logierten wahrscheinlich hochrangige ausländische Gäste und sie bewahrten natürlich ihre Sachen und wichtigen Papiere im Tresor auf.«

»Vermutest du, dass Matinoja und Kaipio mit den Ganoven zusammenarbeiteten?«

Oksanen ging gestikulierend auf und ab.

»Ich gebe zu, dass es vielleicht ein wenig konstruiert wirkt, aber stell dir die Situation vor: Väistö, Isaksson und Sippola brechen auf Bestellung den Hoteltresor auf. Sie müssen die Dokumente natürlich rasch loswerden für den Fall, dass man sie schnappt. Also geben sie das Zeug dem Außenminister, denn es ist absolut sicher, dass er nicht durchsucht wird, welche Polizei auch immer im Hotel auftaucht.«

»Das erklärt nicht das Handgemenge im Salon.«

»Und wenn das Trio den Tresor aufgebrochen hat, in den Salon gegangen ist und dort die Papiere übergeben hat? Inzwischen wurde der Einbruch bemerkt und auch die Tatsache, dass sich die Einbrecher im Salon aufhielten. Vielleicht wurde die ganze Geschichte vorab für den Fall des Falles erdacht. Als die Polizei eintrifft, erzählen Matinoja und Kaipio die erfundene Geschichte vom Überfall. Sicherheitshalber wird Ikonen herbeigerufen, damit er alles in dieser Form protokolliert. Als Ermittlungsleiter kann er die Untersuchung in die gewünschte Richtung lenken.«

Oksanens Spionagetheorie war nicht von dieser Welt, aber er hatte ganz sicher recht damit, dass die Geschichte nicht so einfach war, wie sie wirkte. Zudem glaubte ich ebenfalls, dass Ikonen nicht zufällig anwesend gewesen war. Mir kam der Gedanke, dass er Isaksson und Väistö vielleicht ins Hotel gefolgt war. Dann wurde mir klar, dass die Sache nicht so simpel sein konnte. Wozu wäre dann die Identifizierung über den Dietrich nötig gewesen?

»Wenn die drei entkommen konnten, wozu mussten sie dann noch von den Opfern identifiziert werden?«, fragte ich. »Matinoja und Kaipio hätten einfach behaupten können, dass es sich nicht um die Angreifer handelte.«

»Man brauchte passende Schuldige, damit die Geschichte in Vergessenheit geriet. Alle drei waren gewöhnliche Kriminelle und niemand wäre auf die Idee gekommen, dass es sich um Spionage handelte, in der der Geheimdienst und hohe finnische Beamte bis zu den Eiern mit drinsteckten.«

»Ziemlich vertrauensselig vom Geheimdienst und vom Außenministerium. Sie hätten doch zumindest darauf gefasst sein müssen, dass Väistö, Sippola oder Isaksson im Suff quatschten.«

»Niemand hätte ihnen geglaubt. Außerdem starb Sippola noch im Gefängnis und Väistö und Isaksson verschwanden aus Finnland ziemlich bald nach ihrer Entlassung.«

Ich wollte Oksanens Eifer nicht dämpfen. Hochfliegende Theorien störten nicht weiter und es bestand kein Grund, sie abzuschießen. Außerdem war Oksanens Schlussfolgerungskette ziemlich gut begründet.

»Ich stimme mit dir darin überein, dass damals nicht alles so abgelaufen ist, wie behauptet wurde. Trotzdem kann ich mir kaum vorstellen, dass die Ereignisse im *Marski* etwas mit den aktuellen Mordfällen zu tun haben. Das Ganze liegt schon mehr als zwanzig Jahre zurück.«

»Die Sünden der Vergangenheit kommen an die Oberfläche«, sagte Oksanen dramatisch. »Und wenn nun Ikonen oder die Erkkilä plötzlich beschlossen haben, mit ihrem Wissen im Fall *Marski* eine der beteiligten Seiten zu erpressen, und man hat sie deshalb umgebracht? Es kann doch sein, dass die Erkkilä durch Isaksson oder Väistö den wahren Hergang erfahren hat. In ihrer Gier wollte sie abkassieren und hat Ikonen überredet oder erpresst, mitzumachen.«

»Und wo bleibt Lappalainen?«

»Väistö hat ihm die Konstellationen erklärt und sie haben gemeinsam beschlossen, sich ihren Anteil am Kuchen zu sichern. Das ganze Hyänenrudel hat sich, angelockt vom selben Aas, in Bewegung gesetzt.«

»Wer hätte ein ausreichendes Motiv, sie zu töten? Matinoja und Kaipio sind Geister aus der Vergangenheit. Ich glaube nicht, dass einer der beiden so viel Geld besitzt, dass eine Erpressung lohnen würde. Kaipio war lange krank und sein Tod liegt jetzt auch schon ein halbes Jahr zurück. Matinoja ist bis über beide Ohren verschuldet und irgendjemand hat behauptet, dass er völlig dement ist. Ein Wunder, dass es ihm überhaupt gelungen ist, andere in seine idiotischen Geschäfte mit hineinzuziehen.«

Oksanen blickte in echter Verschwörermanier um sich und senkte die Stimme: »Geld ist genug da, wenn der Staat der Bezahler ist. Oder der Geheimdienst. Überleg mal, was los gewesen wäre, wenn Ikonen verraten hätte, dass sie Verbrecher für ein Verbrechen bezahlt haben. Ikonen war immerhin der Ermittlungsleiter und ein bekannter hoher Polizeibeamter. Welchen Grund hätte er, zu lügen? Gut möglich, dass er auch Beweise besaß. Das würde erklären, warum sein Haus angezündet wurde.«

»Unser Geheimdienst ist nicht der CIA oder der Mossad.«

»Bedenke, dass damals andere Zeiten waren. Es herrschte der Kalte Krieg und die Sowjets waren noch eine Supermacht. Irgendein ehemaliger Geheimdienstboss sagte mal in einem Zeitungsinterview, dass damals der Teufel durch den Belzebub ausgetrieben wurde. Das bedeutet, dass auch unsere Leute in jenem Spiel schmutzige Tricks anwandten, nicht nur die Sowjets.«

Wenn ich es genauer bedachte, hörte sich Oksanens Spionagetheorie gar nicht mehr so unmöglich an. Ich wollte mich trotzdem nicht davon blenden lassen und kehrte auf den Boden der Tatsachen zurück.

»Mir genügt vorläufig das Wissen, dass Ikonen, Väistö und Isaksson bereits vor dem Banküberfall gemeinsam in irgendwelche dunklen Machenschaften verstrickt waren. Wenn sich etwas Neues ergibt, stellen wir neue Überlegungen an.«

»Mich würde trotzdem interessieren, worum es da ging. Hast du etwas dagegen, wenn ich mich weiter erkundige?

Ich könnte Salo erneut befragen. Kaipio ist leider tot und Matinoja geistig weggetreten. Aber den Handwerker könnte ich ausgraben.«

»Ja, mach nur. Aber zuerst möchte ich weitere Informationen über Väistö und Isaksson. Wie es scheint, sind alle anderen Personen, die mit Erkkilä und Ikonen in Verbindung stehen, tot und begraben.«

»Tot, aber nicht begraben, Lappalainen jedenfalls nicht«, sagte Oksanen und lachte. »Ach so, zum Schluss noch das Schmankerl. Rat mal, wer sonst noch an den Ermittlungen im *Marski* beteiligt war?«

»Keine Ahnung.«

Das Gespräch war ein wenig anstrengend geworden, aber ich gewann erneut Interesse.

»Der damalige Polizeiobermeister Arto Leivo, nunmehr großer Boss und Vizepolizeichef höchstderoselbst.«

»Zeig her.«

Oksanen reichte mir das Protokoll der Befragung von Außenminister Matinoja und deutete auf den oberen Rand des Deckblattes.

In der Spalte der verhörenden Beamten standen zwei Namen: Kauko Salo und Arto Leivo.

Huovinen wirkte eher wütend als besorgt.

»So ein verdammter Schweinepriester! – Willst du, dass wir gemeinsam hingehen und ihm die Pistole auf die Brust setzen? Mir würde es sofort passen.«

»Will ich nicht, jedenfalls noch nicht. Es könnte sich um einen Zufall handeln. Außerdem war Leivo nur Ermittler, Ikonen war Ermittlungsleiter.«

»Aber warum hat er den Fall denn nicht mal mit einem Wort erwähnt?«

»Er hat vielleicht nicht erkannt, welche Verbindungen zu unserer aktuellen Untersuchung bestehen. Die andere Alternative ist, dass es da etwas gibt, das, wenn es ans Licht käme, immer noch unangenehm wäre, vielleicht nicht für ihn, aber ganz allgemein. Allerdings ist es nicht zwangsläufig von Bedeutung für die Untersuchung unseres Falles.«

»Glaubst auch du, dass die Untersuchung des Falles *Marski* eine Auftragsarbeit war und dass damit etwas vertuscht wurde?«

»Jedenfalls bin ich mit Oksanen einer Meinung darin, dass die Sache stinkt und dass Ikonen und Salo einen Anteil daran haben. Aber weil Sippola, Väistö und Isaksson Haftstrafen bekamen, hat man zumindest nicht sie schützen wollen. Als Alternative bleibt, dass Matinoja und Kaipio geschützt werden sollten. Beide hatten Spitzenpositionen im Staat und waren Saunapartner von Präsident Kekkonen. Der Schutzbefehl kam möglicherweise von ganz oben. Ich begreife nur nicht, welche Enthüllungen sie so sehr fürchteten, dass eine Komödie diesen Ausmaßes und bezahlte Schuldige nötig waren.«

Kapitel 16

Maija Erkkilä war nicht umsonst Spinnenfrau genannt worden, denn die Bezeichnung traf wirklich zu. Noch nach ihrem Tod führten die Fäden ihres Netzes in alle Richtungen. Wenn man an dem einen zog, vibrierte ein anderer. Sie selbst war der Mittelpunkt all dessen und jeder, der mit ihr zu tun bekam, naschte Gift, auf die eine oder andere Weise.

Meine Überlegungen wurden unterbrochen, als es klopfte und Stenman eintrat.

»Du hattest recht. Ich habe drei Geschäfte für Baumaterial angerufen und das Ergebnis ließ nicht lange auf sich warten. Nikutin hat ein Konto im Baumarkt von Vantaa. Laut Liste kaufte er dort vor einem Monat zehn Säcke Fertigzement.«

Der Wohnwagen, den Nikutin als wohnungsähnliches Heim bezeichnete, war alt und verbeult. Er sah aus, als wäre er einige Male herumgerollt, hinterher mit dem Hammer ein wenig glatt geklopft und dann erneut in Gebrauch genommen worden. Das Fenster neben der Tür war kaputt und die Öffnung mit einer Hartfaserplatte abgedeckt, am Türfenster hingen rot karierte Gardinen. Nikutins weißer Toyota Hiace stand hinter dem Wohnwagen. Rostig, wie er war, passte er gut zum ramponierten Äußeren des Wohnwagens und zur übrigen Umgebung.

Der Wohnwagen war auf dem Industrie- und Lagergelände hinter dem Flughafen Helsinki-Vantaa geparkt, am äußersten Rand und unmittelbar neben einer Kiesgrube. Weiter hinten jenseits der Grube sah man die Lichterketten einer Start-und-Lande-Bahn und Wartungshallen des Flugplatzes. Eine blau-rot-weiße Passagiermaschine startete gerade und pfiff in nur zweihundert Metern Höhe über den Platz hinweg.

Ich klopfte an die Tür. Stenman stand mit der Waffe in der Hand hinter mir. Simolin sicherte hinter dem Wohnwagen.

»Wer da?«, ertönte Nikutins besorgte Stimme.

»Kommissar Kafka.«

»Was ist?«

Ich entschied, dass ich ihn bereits gut genug kannte, um ihn zu duzen. Außerdem passte es zur Situation, denn es galt zunächst, den Mann zu beschwichtigen.

»Etwas Dienstliches. Komm heraus und rede mit uns oder lass uns rein.«

Ich hörte, wie sich Nikutin unruhig im Inneren des Wagens bewegte.

»Ich komme nicht raus, ihr steckt mich wieder in die Zelle, obwohl ich nichts verbrochen habe.«

»Warum sollten wir das tun?«

»Ihr glaubt, dass ich den Kerl im Keller getötet habe, aber ich war es nicht.«

»Warum sollten wir das glauben?«, fragte ich mit möglichst sanfter Stimme. »Glauben zählt bei der Polizei nicht, nur Wissen.«

»Quatsch. Ihr Bullen seid so, denkt vom anderen gleich das Schlimmste.«

»Jedenfalls nicht wir Juden. Die Thora verbietet es, von anderen Menschen Böses zu denken.«

»Gerade die Juden«, zeterte Nikutin.

Ich hörte, wie er drinnen einen Gegenstand verschob, dann wurde es still.

»Wenn du Lappalainen nicht getötet hast, dann erzähl doch, warum du ihn begraben hast. Wir wissen, dass du zehn Säcke Fertigzement gekauft hast.«

Simolin kam um die Ecke und sagte leise: »Das hintere Fenster ist auch abgedeckt.«

»Dort draußen ist noch ein anderer. Ich habe ihn flüstern gehört!«, schrie Nikutin.

»Konstapel Simolin, du bist auch ihm gestern begegnet.«

»Etwa der junge Bengel?«

»Genau der.«

»Und weiter keiner?«

»Nur noch Konstapel Stenman, auch sie hast du gestern gesehen, es ist die blonde Frau. Erzähl uns doch jetzt, was in Erkkiläs Wohnung geschah.«

Nikutin lugte durch einen Spalt zwischen den Türgardinen, zog sich aber sofort zurück. Es wurde wieder still und Simolin bezog seinen alten Posten hinter dem Wagen.

Ich wartete auf Nikutins nächsten Zug und überlegte gleichzeitig, was ich tun sollte, falls er nicht bereit war herauszukommen. Ich wusste, dass es nicht viele Alternativen gab. Ich hörte ein seltsames schleifendes Geräusch, begriff aber nicht, woher es kam, und als ich es begriff, war es zu spät. Ich nahm eine Bewegung zu meinen Füßen wahr und merkte, dass ich direkt auf Nikutins Gesicht und seine Hand mit einer ausgestreckten Pistole starrte. Im Wohnwagen gab es offenbar eine Fußbodenluke, aus der er sich herausgehängt und mich so überrumpelt hatte.

»Waffen auf den Boden!«, kommandierte er, wobei er Sand ausspuckte. In seinen Haaren sah ich getrocknete Erdklumpen, die wahrscheinlich von der Unterseite des Wagens gerieselt waren.

Simolin bekam mit, was geschah, und lugte um die Ecke. Stenman, mit ausgestreckter Waffe, sah mich fragend an.

»Du kannst dieses Spiel nicht gewinnen, wenn du deine Waffe benutzt«, sagte ich zu Nikutin und beobachtete, wie er reagierte. Seine Stellung war unbequem und er zwinkerte heftig, offenbar hat er auch Schmutz in die Augen bekommen. Vielleicht wäre es mir gelungen, ihm mit dem Fuß die Waffe aus der Hand zu stoßen, ehe er sie benutzen konnte, aber ich beschloss, weiter aufs Reden zu setzen. »Wir glauben dir, dass du Lappalainen nicht getötet hast. Erzähl uns, was in Erkkiläs Wohnung geschah, dann klären wir alles.«

»Ich glaube euch nicht! Ich glaube nicht, dass ihr mir glaubt.«

»Haben wir dich nicht schon einmal freigelassen?«

Nikutin schraubte seinen Körper bis zur Taille nach draußen. Er lag fast zwischen meinen Füßen, und seine Waffe ragte unangenehm auf, nur zwanzig Zentimeter unter meinen Eiern. Ich spürte, wie sie sich nach innen zogen.

»Gib mir die Waffe«, redete ich ihm zu. »Einen Polizisten mit der Waffe zu bedrohen, ist eine ernste Sache.«

Seine Unterlegenheit und die anstrengende Haltung nahmen Nikutin den Schneid.

»Gibst du mir dein Ehrenwort, dass ihr gründlich nachforscht, wer den Kerl getötet hat?«

»Ja.«

»Die Hand auf der Bibel oder auf diesem anderen Ding, hieß das Thora?«

»Genau, die Hand auf der Thora.«

»Und du legst mir keine Handschellen an! Ich kriege von den Dingern Platzangst.«

»Gut, ich verzichte darauf, du kannst sicher sein.«

Nikutin reichte mir die Waffe. Ich gab sie an Stenman weiter und half Nikutin auf. Er schüttelte sich den Schmutz aus der Kleidung und aus den Haaren und sah mich grinsend an.

»Ziemlich raffinierter Trick, oder?«

»Wirklich raffiniert. Du hast mich total überrumpelt.«

Simolin überzeugte sich, dass Nikutin keine weiteren Waffen dabeihatte, und sagte: »Weißt du, dass das, was du eben gemacht hast, im Strafgesetzbuch Widerstand gegen einen Polizeibeamten heißt? Maximal gibt es dafür vier Jahre Haft, glaube ich.«

Nikutin erbleichte. »In der Pistole war doch nicht mal Munition!«

»Trotzdem. Alles hängt davon ab, wie Kommissar Kafka zu der Angelegenheit steht.«

Nikutin sah mich flehend an. »Schon in der Bibel heißt es, seid barmherzig, dann werden auch euch eure Missetaten vergeben«, zitierte er rasch seine Restkenntnisse vom Konfirmandenunterricht.

»Gut, lassen wir das vorerst auf sich beruhen. Erzähl alles, was in der Wohnung passiert ist.«

»Nichts ist dort passiert. Ich wollte Maija zuliebe nachsehen, ob alles in Ordnung war, und der Kerl lag auf dem Wohnzimmersofa mit einem Loch im Kopf.«

»Und du hast dort niemanden gesehen?«

»Nein. Die Leiche war schon ganz kalt und steif.«

»Wann warst du dort?«, fragte Stenman.

»Vor einem Monat, am Sonntag. Maija war damals in diesem Kurort. Deshalb ging ich überhaupt hin. Ich hatte ihr versprochen, den Ofen zu heizen und Schnee zu schippen, aber es hatte nicht geschneit.«

»Sprich nur weiter«, ermunterte ich ihn.

»Ich rief Maija an und erzählte ihr von dem Kerl. Sie verlangte, dass ich die Leiche sofort wegschaffe, notfalls im Meer versenke.«

»Hast du ihr erzählt, wer der Tote war?«

»Ja, hab ich. In der Brieftasche steckte nämlich sein Führerschein.«

»Wie reagierte sie?«

»Sie sagte, dass sie den Typen kennt, dass er ein Kumpel ihres zweiten Mannes war, in Stockholm wohnte und nur auf Besuch in Helsinki war. Sie hatte ihm gesagt, wo ihr Schlüssel lag, und ihm erlaubt, eine Nacht dort zu bleiben, aber er sollte auf jeden Fall wieder weg sein, wenn sie aus Estland zurückkäme.«

»Hat sie dir erzählt, was Lappalainen in Finnland wollte?«

»Nein, hat mich auch nicht interessiert.«

»Und hat sie gesagt, wer ihn getötet haben könnte?«

»Ja, einen hat sie genannt, oder eigentlich zwei. Sie sagte, der verrückte Bulle hat das getan oder die Hure.«

»Der verrückte Bulle oder die Hure?«, wiederholte ich. »Wen meinte sie?«

»Keine Ahnung. Ich konnte sie nur ganz schlecht verstehen, das Kurbad war wohl irgendwo auf dem Land. Ich fragte sie danach, als sie wieder nach Finnland kam, aber da sagte sie nur, dass jener Polizist gefährlich sei und dass wir beide am besten die Klappe halten sollten. Sie sagte, dass niemand

Lappalainen vermisst und dass wir nichts zu befürchten hätten, wir müssten einfach bloß dichthalten.«

»Und die Hure? Was hat die Erkkilä von ihr gesagt?«, wollte Stenman wissen.

»Von der hat sie kein Wort gesagt, obwohl ich sie darauf angesprochen habe. Maija konnte schweigen wie ein Grab, wenn sie wollte. Dann konnte man sich die Fragen gleich schenken.«

»Hast du eine Vermutung, wer die Frau sein könnte?«, hakte Stenman nach.

»Nee, absolut nicht, wohl irgendeine Bekannte.«

»Hat die Erkkilä mal in deinem Beisein jemanden Hure genannt?«

»Fast alle, also die Frauen. Die Moderatorin in der Show, die Nachrichtensprecherin, ihre Kundinnen, alle möglichen Weiber, immer dann, wenn sie wütend war. Oder sie musste gar nicht unbedingt wütend sein. Sie hatte manchmal ein böses Mundwerk.«

»Und Tupu, war die in ihren Augen auch eine Hure?«

»Ja, ich glaube, sie hat gesagt, der Hure geht es zu gut, sie will ihre alten Freunde nicht mehr sehen. So was in der Art habe ich mal von ihr gehört.«

»Warum hast du wegen der Leiche denn nicht die Polizei gerufen?«

»Maija sagte, dass ich es nicht machen sollte. Man würde sie auf die eine oder andere Weise deswegen drankriegen und der Bulle würde irgendwelche Lügen über sie erzählen. Die Bullen glauben einem anderen Bullen eher als jemandem, der eine kriminelle Vergangenheit hat. Ich versprach ihr, die Sache zu regeln, und so verblieben wir erst mal. Anfangs wollte ich die Leiche ins Auto schleppen und wegbringen. Damals war noch Frost und der Boden richtig fest gefroren, es hätte Ewigkeiten gedauert und die Gesundheit gekostet, eine Grube auszuheben. Also beschloss ich, die Leiche von einer Brücke ins Meer zu schmeißen. Sie wog aber mindestens hundert Kilo und ich habe einen schwachen Rücken und zerstückeln mochte ich sie nicht, dazu fehlte mir der Mumm. Da fiel mir ein, dass Maija mich gebeten hatte, in dem alten Kesselraum einen Fußboden zu gießen. Ich hob eine Grube aus und zerrte die Leiche auf einem Teppich dorthin. Am nächsten Tag, es war Montag, kaufte ich im Baumarkt von Vantaa zehn Sack Zement, mischte ihn unten im Keller und goss den Fußboden.«

»Hast du sämtliche Gegenstände des Toten mit ins Grab gelegt?«

»Ja.«

»Auch das Mobiltelefon?«

»Den ganzen Kram, den er bei sich hatte. Ich habe nicht bemerkt, dass er ein Handy hatte, hab ihn aber auch nicht besonders gründlich durchsucht, ich bin kein Leichenfledderer. Bloß seine Pistole, die habe ich eingesteckt ... Sie lag neben ihm auf dem Fußboden.«

»Ist es die?«, fragte ich und zeigte auf die Waffe, die er abgegeben hatte.

»Ja, genau. Ich hatte vor, sie irgendjemandem zu verkaufen.«

»Als Maija nach Hause kam, hast du ihr da erzählt, wo die Leiche ist?«

»Nee, mit keinem Wort.«

»Und wenn sie den neuen Fußboden gesehen hätte? Wie, meinst du, hätte sie reagiert?«, fragte Stenman.

»Sie ging nie in den Keller, vor allem nicht in den Kesselraum. Dort war nichts, was sie benötigt hätte, oder eigentlich war er sogar ganz leer.«

»Aber ihr habt sicher noch weiter über die Sache gesprochen, als Maija wieder zu Hause war?«, schlug Stenman vor.

»Eigentlich nicht. Maija war in so gereizter Stimmung. Ich sagte ihr, dass ich die Leiche von einer Brücke ins Meer geschmissen habe.«

»Und sie hat tatsächlich nicht weiter nachgefragt?«

»Ich glaube, ich habe noch erzählt, dass es die Brücke an der Turuntie war und dass ich Gewichte an die Leiche gehängt habe.«

»Warum hast du uns trotzdem den Hinweis auf die Leiche gegeben?«, fragte Simolin seinerseits.

»Sagt das nicht schon, dass ich unschuldig bin? Weil ich euch helfen wollte! Nachdem Maija umgebracht wurde, hatte ich keinen Grund mehr, der Polizei irgendwas zu verheimlichen. Ich dachte, wenn es derselbe Kerl war, der Lappalainen und Maija und diesen dritten Typen getötet hat, dann könnt ihr gleich beide Fälle auf einmal aufklären. Ich konnte ja unmöglich daherkommen und sagen: In Maijas Keller liegt eine Leiche, ich habe sie verscharrt und ihr könnt sie dort wegholen. Ich sagte mir, ein guter Hinweis erfüllt denselben Zweck.«

Ich überlegte, ob Nikutin eventuell so raffiniert war, dass er einen doppelten Schwindel versuchte: Er wusste, dass wir herausfinden würden, wer den Fußboden gegossen hatte, und rechnete sich aus, dass wir ihn nach seiner Enthüllung nur für einen Trottel halten würden, der benutzt worden war, nicht aber für den Mörder.

Ich kam zu dem Schluss, dass der Mann tatsächlich nur ein Trottel war, der benutzt worden war, oder, alternativ, nur ein Trottel.

»Erinnerst du dich, wo du am Sonnabend warst, also an dem Tag, bevor du Lappalainens Leiche fandest?«

»Hier. Oder nein, tagsüber war ich im *Alko*-Geschäft in Tikkurila und habe außerdem Verpflegung eingekauft, dann war ich ganz in der Nähe in der Schwimmhalle, habe gebadet und sauniert. Hinterher habe ich mir ein paar Videos ausgeliehen, bin nach Hause gefahren, habe mir Essen gemacht und Videos und Fernsehen geguckt.«

»Wieso erinnerst du dich so gut an den Ablauf?«, fragte Stenman erstaunt.

»Als ich die Leiche fand, dachte ich mir, dass man mich vielleicht eines Tages fragen wird, und ich habe alles aufgeschrieben, was ich noch wusste. Ich habe sogar die Eintrittskarte von der Schwimmhalle und sämtliche Quittungen aufbewahrt.«

»Ich glaube dir, dass du die Wahrheit sagst«, erklärte ich, »aber du musst uns trotzdem begleiten. Das verstehst du sicher.«

»Ich kann es mir nicht leisten, in den Knast zu gehen. Morgen beginnt mein Job, der bringt anständig Geld, wenn ich ihn verliere, ist bei mir bald der Ofen aus.«

»Ich verspreche, dass wir versuchen werden, deine Angelegenheit möglichst rasch zu klären.«

»Seid ihr einverstanden, wenn ich euch mit meinem Lieferwagen folge?«

»Es ist besser, wenn du in unserem Wagen mitfährst. Wir müssen aber erst einen Blick in deinen Wohnwagen werfen, einfach der Form halber.«

»Schließt aber hinterher die Tür ab. Heutzutage kann man niemandem mehr trauen.«

Simolin begleitete Nikutin zum Auto, Stenman und ich unterzogen den Wohnwagen einer Schnelldurchsuchung. Falls es uns erforderlich scheinen würde, könnte ich später die Spurentechniker bitten, sich dort umzusehen. Wir zogen alle Schubladen auf und sahen in die Schränke und sämtliche Hohlräume. Wir fanden jedoch nichts weiter als die Spuren, die das schmuddelige und traurige Leben eines allein wohnenden Mannes hinterlassen hatte. Luxus und Gemütlichkeit waren weit entfernt. Männer, die verlassen worden waren, lebten einer wie der andere in einem Provisorium und in der trügerischen Hoffnung, dass sie eines Tages wieder aufgenommen würden. Es genügte eine Matratze auf dem Fußboden, ein Fernseher in der Ecke, auf dem Tisch ein paar zerlesene Männermagazine und im Kühlschrank ein paar Flaschen Bier und ein Stück Pizza.

Wir durchsuchten auch noch den Lieferwagen. Er diente offenbar als mobiles Nachtquartier, wenn Nikutin auf Fertighausmontage war, denn im Kofferraum entdeckten wir eine aufgerollte, schmutzige Schaumgummimatratze. In einer großen Kiste aus Kunststoff lagen Profi-Elektrogeräte wie ein Bohrer, eine Handkreissäge und eine Schleifmaschine.

Vorn im Auto fanden wir noch eine Motorsäge und einen Kasten mit Zimmermannswerkzeug. Die Arbeitskleidung war nachlässig in der Ecke aufgehäuft.

Stenman nahm einen fast neuen hellblauen Overall vom Fußboden auf und untersuchte die Taschen. Sie waren leer. In der Tasche der gleichfarbigen Jacke steckten der Stummel eines Zimmermannsbleistiftes und ein zusammengeknülltes Papiertaschentuch. Simolin kam neugierig herbei und erspähte unter dem Overall ein Paar derbe Arbeitsschuhe. Er stieg zu uns in das Fahrzeug und hob die Schuhe auf.

»Hieß es nicht im Bericht des Labors, dass die am Mordtag in der Wohnung der Erkkilä gefundenen Fußspuren von Arbeitsschuhen der Marke *Jalas* mit stahlverstärkter Spitze stammten? Hier hätten wir ein solches Paar.«

Kapitel 17

»Habt ihr herausgefunden, woher Vaters Geld stammt?«, fragte Saara Ikonen.

Wir saßen uns erst seit zehn Minuten gegenüber und hatten bisher über Belangloses gesprochen. Jetzt kamen wir zum eigentlichen Thema.

»Zu solchen Summen kommt man nicht mit dem Gehalt eines Polizisten, stimmt's?«

»Jedenfalls nicht mit meinem Gehalt.«

»Ich kann auf keinen Fall Geld annehmen, wenn ich nicht weiß, woher es stammt. Was mache ich, falls Vater das Geld mit unehrlichen Methoden beschafft hat?«

»Ein anderer nimmt es auch nicht. Es ist einfach Teil deines Erbes.«

Saara runzelte die Stirn. Ihre dunklen Augenbrauen bildeten einen schönen Bogen. Ich entdeckte an ihr keine Ähnlichkeiten mehr mit Vater Ikonen.

»Wie lange warst du im Ausland?«, fragte ich.

»Länger als sechs Jahre.«

»Die ganze Zeit in Kopenhagen?«

»Anderthalb Jahre in Paris und mehr als vier Jahre in Kopenhagen.«

»Und du hast ein richtiges Künstlerleben geführt?«

»Teilweise, außerdem habe ich studiert und auch gearbeitet, um mein Studium zu finanzieren.«

»Welche Art Arbeit?«

»Ich habe gekellnert, geputzt, Kinder betreut, Privatunterricht im Malen gegeben, war Nacktmodell für Kunststudenten und so was alles.«

Als sie das Wort ›Nacktmodell‹ aussprach, sah sie mich lächelnd an.

»Die Bilder würde ich gern sehen.«

»Es war kein so schönes Leben, wie es sich vielleicht anhört.«

»Und du hast nicht geheiratet und eine Familie gegründet, wie es die meisten machen?«

»Nein. Ich war zwei Jahre lang mit einem Dänen zusammen, aber die Beziehung zerbrach. Warum bist du selbst nicht verheiratet?«

»Zwei Mal war ich nahe dran.«

»Wie nahe?«

»Gestreift.«

»Du hast das Tagebuch meiner Mutter gelesen und weißt auch sonst alles über unsere Familie. Jetzt bist du dran, von deiner zu berichten.«

Ich erzählte ihr, dass meine beiden Eltern tot waren, ebenso meine Schwester, dass mein Vater Wasserbauingenieur und meine Mutter Friseurin gewesen war und dass ich einen großen Bruder hatte, den die Midlife-Crisis plagte.

»Von wo stammt deine Familie?«

»Aus Ungarn, aber wir kamen schon im vergangenen Jahrhundert über Russland nach Finnland. Mein Urgroßvater war Schneider in der russischen Armee.«

»Und du wurdest Polizist, Kommissar Kafka. Ist die Arbeit für dich eine Berufung?«

»Das war sie nicht, als ich anfing, wurde es aber ziemlich bald. Ich merkte, dass ich das richtige Gebiet gewählt hatte. Heute könnte ich mir keinen anderen Beruf für mich vorstellen.«

»Vater sagte, dass du ein guter Polizist bist.«

»Glaub deinem Vater freiwillig wenigstens in dieser Sache.«

Saara musste lachen, wurde aber gleich wieder ernst. »Würde mir der gute Polizist erzählen, wie die Untersuchung läuft? Wisst ihr schon, wer …«

»Nein.«

»Wisst ihr wenigstens den Grund, warum Vater und diese Frau umgebracht wurden?«

»Leider nicht einmal das. Wir haben natürlich Vermutungen und verschiedene Theorien, aber es ist vorerst müßig, darüber zu reden. Wir haben noch viel aufzuklären.«

»Wisst ihr denn, wer mein Elternhaus angezündet hat?«

Ich schüttelte verneinend den Kopf. Mir kamen Zweifel, ob Saara mich womöglich nur in die Kneipe eingeladen hatte, um mich nach den neuesten Ermittlungsergebnissen auszuquetschen.

Sie ahnte es und sagte: »Glaub bloß nicht, dass ich dich hierher eingeladen habe, um dir Informationen über die Untersuchung zu entlocken, ich habe dich eingeladen, weil ich es wollte. Ich war lange weg aus Helsinki und habe nicht viele Freunde hier, vielleicht keinen einzigen. Außerdem wollte ich wissen, was dem Kommissar namens Kafka so durch den Kopf geht.«

»Darüber gibt es nicht viel zu erzählen. Erzähl du lieber, warum du nach Finnland zurückgekommen bist.«

»Vaters und Tarjas wegen. Tarja hatte wieder einen neuen Entzug begonnen und ich dachte, dass sie meine Unterstützung braucht. Und Vater hatte gerade einen Herzanfall gehabt. Ich wollte, dass wir uns aussprechen, bevor es zu spät ist. Ich war zunächst nur einen Monat hier, ging dann wieder nach Dänemark und kam vor drei Monaten endgültig, oder sagen wir lieber vorläufig, zurück.«

»Hast du die Querelen mit deinem Vater beilegen können?«

»Jedenfalls konnten wir eine Art Eintracht herstellen. Ich begann ihn und er mich zu verstehen. Ich begriff, dass nicht alles seine Schuld war. Mutter hatte die Rolle der Märtyrerin für sich monopolisiert und vielleicht sogar einen gewissen Gefallen daran gefunden. Damit es ein Martyrium gibt, muss es auch einen Quälgeist geben. Vater wurde automatisch der, der quälte, Mutter die Gequälte. Ich glaube, dass das Ganze für Mutter eine Art Rollenspiel war, aus dem sie nicht mal wirklich aussteigen wollte. Als Tarja und ich jünger waren, versuchten wir sie dazu zu bewegen, Vater zu verlassen. Ein Mal zog sie tatsächlich zu Hause aus, aber die Trennung dauerte nur drei Wochen. Danach versuchten wir es nicht wieder. Wir begriffen, dass Mutter gar nicht wegwollte. Alles war nur Gerede, alles war ein Teil des Schauspiels. Wenn sie hätte gehen wollen, hätte sie es jederzeit tun können. Sie hatte alle Möglichkeiten dazu.«

»Hast du dich gut mit deiner Schwester verstanden?«

»Manchmal ja, manchmal nicht. Tarja wurde wütend, wenn ich mich in ihre Angelegenheiten einmischte. Sie war fünf Jahre älter als ich und glaubte, dass sie selbst auf sich aufpassen konnte. Ich sah, dass sie es nicht konnte, aber auch ich war nicht in der Lage, mich um sie zu kümmern. Es war ein furchtbarer Schock, als ich sie das erste Mal in der Wohnung ihres Freundes besuchte. Auch der Freund nahm harte Drogen und die Wohnung sah schrecklich aus. Tarja hätte mich vermutlich gar nicht reingelassen, wenn ich nicht überraschend erschienen wäre und mich gewaltsam hineingedrängt hätte. Die Wohnung befand sich in einem alten Holzhaus in Vallila. Beide waren völlig zugedröhnt, der Freund lag auf dem Fußboden. Ich rief einen Krankenwagen und das machte Tarja erst recht wütend.«

»Erinnerst du dich an den Namen des Freundes?«

»Nein. Später hörte ich von Tarja, dass er an einer Überdosis gestorben war. Sie wachte eines Morgens auf und er lag tot neben ihr.«

»Ich kenne den Fall, ich habe ihn untersucht«, gestand ich. »Ich musste deine Schwester damals in die Zelle stecken und verhören. Es war keine angenehme Sache, weder für mich noch für deinen Vater. Die eigene Tochter in Polizeigewahrsam.«

Saara blickte mich an. Ich sah, wie sich das Licht in ihren klaren Augen spiegelte. Dann umschatteten sie sich.

»Tarja war völlig durcheinander nach dem Tod des Mannes. Sie liebte ihn, soweit eine Drogenabhängige überhaupt jemanden lieben kann.«

Wir schwiegen eine Weile.

Dann kam mir ein Gedanke, und ich fragte: »Wie verstanden sich euer Nachbar Kauko Salo und dein Vater?«

»Gut, jedenfalls meiner Meinung nach. Sie kannten sich seit über vierzig Jahren. Manchmal bekamen sie Streit, aber ich glaube, dass sie sich jedes Mal wieder vertrugen. Und nachdem Mutter tot war, hielten sie noch engeren Kontakt. Kauko benachrichtigte mich telefonisch, als Vater den Herzanfall hatte. Er kümmerte sich um das Haus, während Vater im Krankenhaus lag.«

»Seit wann ist er euer Nachbar?«

»Von Anfang an. Er wohnte in seinem jetzigen Haus schon, bevor wir unseres bezogen. Ich erfuhr erst als Erwachsene, dass er Vater den Tipp mit dem freien Grundstück gegeben hatte. Vater kaufte es und anstelle der Hütte, die dort gestanden hatte, wurde unser Haus errichtet. Warum interessierst du dich für Kauko?«

»Weil er am meisten über deinen Vater und seine Kontakte weiß. Außerdem glaube ich, dass er mehr weiß, als er uns erzählt hat.«

»Welchen Grund sollte er haben, etwas für sich zu behalten?«, fragte Saara zweifelnd. Zum ersten Mal sah ich in ihrem Gesicht eine Spur von Abwehr.

»Eben weil sie Freunde waren ... Und sie hatten einen gemeinsamen Arbeitshintergrund.«

»Stand da etwa eben der Arbeitshintergrund in Anführungszeichen?«

»Nein, zumindest habe ich es nicht so gemeint.«

»Trotzdem hörte es sich so an. Als hätten Vater und Kauko zusammen etwas Illegales ausgeklügelt, das sie gemeinsam verheimlichten.«

Ich spürte, wie sich die Atmosphäre zwischen uns abkühlte, und steuerte in ungefährliches Gewässer.

»Dein Vater war ein geachteter Polizist.«

»Auch nach deinem Dafürhalten?«

»Auch nach meinem. Wollen wir etwas essen?«

»Einverstanden. Ich hätte Lust auf was Indisches.«

Wir gingen ins nahe gelegene indische Restaurant. Ich vermied im Gespräch alles, was mit der Arbeit zusammenhing, und kam Saara wieder um ein paar Grad näher. Ich brachte sie sogar einige Male zum Lachen, als ich meine besten Judenwitze hervorkramte. Wir waren bereits dabei, die Mahlzeit zu beenden, als mein Telefon klingelte. Die Anruferin war Tuula Uotila, jene Frau, die in Espoo mit dem Messer attackiert worden war. Ich entschuldigte mich bei Saara und trat ein paar Schritte beiseite.

»Sie erzählten, dass Sie eine Frau suchen, die Tupu genannt wurde. Ich habe über den Namen nachgedacht, und dabei ist mir etwas eingefallen, das Sie vielleicht interessieren wird.«

»Ja?«

»Ich erinnere mich, dass Maija im Gefängnis mal Besuch bekam von einer Freundin aus Kindertagen, die Tuulikki hieß. Der Name blieb mir in Erinnerung, weil er so altmodisch war, jedenfalls fand ich das. Ich bin ziemlich sicher, dass Maija sie Tupu nannte. Maija erzählte, dass sie zusammen im selben Mädchenheim gelebt hatten. Maijas Eltern waren tödlich verunglückt.«

»Befand sich das Mädchenheim in der Ruusulankatu?«

»Genau dort. Haben Sie Tupu schon gefunden?«

»Noch nicht.«

»Ich begrüßte sie damals flüchtig im Besucherraum, aber das liegt schon so lange zurück, dass ich keine Erinnerung mehr an sie habe. Weiter kann ich Ihnen, glaube ich, nicht helfen.«

Ich beschloss, die Gelegenheit zu nutzen und einen Überraschungsangriff zu starten.

»Sagt Ihnen eine Firma namens *Elektrada* etwas?«

Am anderen Ende war es einen Augenblick still. »Warum fragen Sie?«

»Was haben Sie mit der Firma zu tun?«

»Ich verstehe nicht, was Sie meinen.«

»Ich denke schon, dass Sie es verstehen.«

»Glauben Sie? Ich habe irgendwann von einer Firma dieses Namens gehört, habe aber nichts mit ihr zu tun … Doch, jetzt ahne ich, was Sie meinen, ich habe dort angerufen, weil ich nach einer alten Freundin suchte. Jemand sagte mir, dass sie dort arbeitet, aber das stimmte nicht.«

»Wie ist der Name Ihrer verschollenen Freundin?«

»Erja, Erja Laitila.«

»Und wer war es, der sich erinnerte, dass sie bei *Elektrada* arbeitete?«

»Das weiß ich leider nicht mehr. Ich hörte es irgendwo beiläufig. Das hat ja wohl keine Bedeutung?«

»Bestimmt nicht. Danke für den Anruf. Sind Sie übrigens immer noch in der Klinik?«

»Ja, bin ich. Wahrscheinlich werde ich Freitag entlassen.«

Ich wünschte ihr einen schönen Abend und grübelte, ob ich einen Fehler gemacht hatte, als ich nach der Firma fragte. Nun wusste die Uotila, dass wir ihre Anrufe gecheckt hatten.

Ich konnte mich lediglich zwei Minuten auf den Nachtisch konzentrieren, als mein Telefon erneut klingelte. Diesmal war es Simolin. Ich entschuldigte mich ein zweites Mal bei Saara.

»Ich glaube, dass Nikutin die Wahrheit sagt«, erklärte er. »Alles, was er erzählt hat, stimmt, jedenfalls soweit wir es überprüfen konnten. Ein Verkäufer bei *Alko* in Tikkurila ist flüchtig mit ihm bekannt und erinnerte sich an ihn. An jenem Sonnabend gab es dem Vernehmen nach ein Zeitfahren in der Formel 1 und sie haben darüber diskutiert, ob Räikkönen die Poleposition erreicht. Nikutin hat an jenem Sonnabend einige seiner Kollegen angerufen und ich habe da nachgehakt. Wie er behauptete, befand er sich den ganzen Tag im Bereich Vantaa. Ich habe mit den Leuten gesprochen, die er angerufen hat, und laut ihrer Aussage war Nikutin leicht angesäuselt und gut gelaunt und sie haben sich vor allem über Arbeitsbelange unterhalten.«

»Und die Arbeitsschuhe?«

»Nagelneu, ebenfalls im Baumarkt von Vantaa gekauft. Das Sohlenprofil stimmt mit den Spuren in Erkkiläs Haus überein, allerdings stammen jene von abgetragenen Schuhen. Wie Nikutin sagte, besaß er ein zweites, identisches Paar, das ihm aber abhandengekommen ist, sodass er sich ein neues kaufen musste.«

»Inwiefern abhandengekommen?«

»Er erinnerte sich, dass er die Schuhe, wie auch sein übriges Arbeitszeug, in Erkkiläs Haus zurückgelassen hatte, sie aber nicht wiederfand, als er seine Sachen abholen wollte. Mit anderen Worten, der Täter hat möglicherweise Nikutins Schuhe benutzt, um uns zu verwirren und seine eigenen Spuren zu überdecken.«

»Das Arbeitszeug befand sich ja im Keller.«

»Eben nicht, sondern im Flur. Nikutin sagte, dass er das mit dem Keller erst erfunden hat, als er uns erklären musste, wie er den frisch gegossenen Fußboden im Kesselraum entdecken konnte.«

»Wer hat dann den Haufen in den Keller geschafft?«

»Wahrscheinlich die Erkkilä. Sie bekam Besuch, vielleicht räumte sie das Zeug weg, ließ aber die Schuhe stehen. Nikutin ist außerdem sicher, dass zusammen mit seinen Schuhen auch sein Messer verschwand, ein *Mora* mit gelbem Griff, genau wie jenes, das in Espoo in der Wohnung der Uotila gefunden wurde. Ich zeigte ihm das Foto und er bestätigte, dass es das gleiche war wie seines. Mit anderen Worten, es kann gut sein, dass Erkkilä und Ikonen mit Nikutins Messer getötet wurden. Das wiederum bedeutet ...«

Ich begriff selbst, was es bedeutete. Es bedeutete, dass es sich im Falle Ikonen und Erkkilä nicht um Mord, sondern um Totschlag handelte. Der Täter hatte die Tat nicht geplant, da er nicht mal eine Mordwaffe mitgenommen hatte. Somit musste in der Wohnung etwas Überraschendes passiert sein.

Ich überdachte die Situation und beschloss, auf meine Menschenkenntnis zu vertrauen.

»Lass Nikutin frei.«

»Bist du sicher?«

Ich blickte zu Saara hinüber. Sie führte gerade den letzten Löffel Nachspeise zu Munde. Zwischen ihren oberen Schneidezähnen war eine kleine Lücke, und da sie sich die Haare hinter die Ohren gestrichen hatte, sah ich, dass sich ihre

Ohrläppchen nach oben hin stark verbreiterten. Sie hatte selten reine Gesichtszüge, ihre klaren Augen standen leicht schräg. Ihr Mund war breit und voll, genau nach meinem Geschmack. Sie sah aus wie die Elfe in einem Märchentrickfilm und ich hatte nicht die geringste Lust, wegzugehen. Ich hatte die Elfe Heli Keiju stets für sexy gehalten.

»Der Mann muss schließlich zu seiner Arbeit. Informier dich, wohin er fährt, und bitte ihn, ständig das Handy bei sich zu tragen, andernfalls lasse ich ihn abholen.«

»Eine Sache noch«, fuhr Simolin rasch fort. »Im Labor des Landeskriminalamtes machen sie anscheinend Überstunden, denn vorhin kam die Info über die Kugel, die in Lappalainens Schädel gefunden wurde. Sie stammt aus einer Ein-Millimeter-Taurus, aus derselben Waffe, mit der Ikonen im Zusammenhang mit dem Bankraub von Pitäjänmäki ins Bein geschossen wurde. Es wäre interessant zu erfahren, wo die Waffe die letzten zwanzig Jahre gewesen ist.«

Ich kehrte an den Tisch zurück.

Saara sah mich neugierig an. »Musst du noch Überstunden machen?«

»Viel fehlte nicht.«

»Wird der Fall je aufgeklärt?«

»Natürlich wird er das.«

»Bist du dir ganz sicher, Herr Meisterdetektiv? Hast du denn überhaupt keinen unaufgeklärten Mord oder Totschlag aufzuweisen?«

Doch, aber nur einen, gestand ich. Es handelte sich um einen Mord, der vor drei Jahren auf einer Insel vor Helsinki passiert war. Ein niederer Beamter in mittleren Jahren, der allein zum Angeln hinausgefahren war, war auf der Insel zu Tode misshandelt worden. Anfangs hatte es so ausgesehen, als ob wir den Fall schnell aufklären könnten, aber es war anders gekommen. Alle Hinweise hatten ins Leere geführt und wir hatten keinerlei Motiv entdecken können.

»Ich bin überzeugt, dass dieser Fall in ein paar Tagen aufgeklärt ist«, versprach ich kühn.

Als wir das Restaurant verließen, schlug ich einen kleinen Abendspaziergang vor. Die Luft war mild, irgendwo hinter der Domkirche ging gerade die Sonne unter und färbte den Himmel mit ihren Strahlen. Wir schlugen die Richtung nach Hietalahti ein und befanden uns gerade an der Kreuzung Fredrikinkatu, als ein Taxi mit quietschenden Bremsen neben uns stoppte.

Die Tür ging auf und ich sah, dass Eli auf der Rückbank saß, neben sich eine junge Frau.

»Ari, spring rein!«, brüllte Eli mit der Hemmungslosigkeit eines Betrunkenen.

»Nein, danke, wir wollen ein Weilchen spazieren gehen.«

»Dann bekommt ihr Gesellschaft.«

Eli drückte dem Fahrer ein paar Scheine in die Hand und zog die Frau mit sich. Sie war erst zwanzig, schlank und blond. Sie trug einen halblangen Pelz und lange Stiefel.

»Mein Bruder Eli«, stellte ich vor.

Eli hielt Saara seine Pranke hin. Seine Begleiterin stand schweigend abseits.

»Diese schöne Frau ist die erste Schwalbe des Frühlings aus Estland«, sagte Eli und zog die Angesprochene zu sich heran. »Ich will mich den jungen Liebenden ganz bestimmt nicht aufdrängen, aber ich könnte doch für alle Champagner spendieren.«

Saara überließ mir die Entscheidungsgewalt.

»Danke, aber wir haben einiges unter vier Augen zu besprechen. Dienstliche Angelegenheiten.«

Eli zog mich beiseite und flüsterte mir ins Ohr: »Dann hast du sicher nichts dagegen, wenn ich Piretti mit in deine Wohnung nehme?«

»Wohin wart ihr eigentlich unterwegs?«, fragte ich und versuchte, mir meine Verärgerung nicht anmerken zu lassen.

»Entweder zu Piretti in die Sepänkatu oder zu dir. Ich wollte dich gerade anrufen.«

»Höchstens für eine Stunde«, willigte ich ein und kam mir vor wie ein Zuhälter.

»Einverstanden. Eine schöne Frau«, sagte Eli und nickte in Saaras Richtung. »Bestimmt angenehme dienstliche Dinge.« Dann fasste er seine Begleiterin bei der Hand.

»Es hat mich gefreut«, sagte er zu Saara. »Hoffentlich lernen wir uns beim nächsten Mal besser kennen. Piretti und ich brechen jetzt auf zu neuen Abenteuern.«

»Du hast einen temperamentvollen Bruder«, sagte Saara, als Eli außer Hörweite war.

»Zumindest in letzter Zeit.«

Ich erzählte ihr, dass Eli von Beruf Anwalt war und vorübergehend bei mir wohnte.

Mein Handy klingelte, Stenman rief an. Ich war gezwungen, mich zu melden.

»Dienstliches«, sagte ich.

»Und du hast auch eine recht aufregende Arbeit.«

»Tuula Uotilas Schwester ist in Frankreich«, sagte Stenman ohne große Einleitung. »Sie ist am Sonntag mit ihrer Tochter für eine Woche hingefahren. Ich habe versucht, sie anzurufen, aber sie nimmt nicht ab. Ihr Chef war auf einer Dienstreise und meldete sich erst vorhin, nachdem ich ihm eine entsprechende Nachricht hinterlassen hatte. Wie er sagte, rief ihn Uotilas Schwester am Samstagabend um halb zehn zu Hause an und teilte ihm mit, dass sie ab Montag eine Woche Urlaub nimmt.«

»Ohne nähere Erklärungen?«

»Angeblich hatte sie die Reise, die sofort angetreten werden musste, als Überraschungsgeschenk bekommen. Es riecht ganz danach, als ob die Frau die Flucht ergriffen hätte.«

»Aber die Flucht vor wem? Vor uns oder vor Tuula Uotilas Angreifer?«

»Das ist das Problem ... Es gibt noch etwas. Der Volvo, der kurz vor dem Brand in der Nähe von Ikonens Haus gesehen wurde, wurde gefunden. Der Wagen hat nichts mit dem Brand zu tun, der Mann darin wartete auf seine Freundin. Kannst du es ermöglichen, herzukommen?«

»Bist du noch auf der Arbeit?«

»Ja, bin ich.«

Ich schielte zu Saara, die mich zart lächelnd ansah. Ich saß in der teuflischen Falle zweier Frauen. Die Gewissenhaftigkeit siegte.

»Eine Viertelstunde.«

Ich erzählte Saara, dass ich zur Arbeit musste. Wir gingen schweigend bis zur Alten Oper, dann sagte ich: »Ich nehme ein Taxi, du kannst gleich mitfahren.«

»Ich fahre lieber mit der Straßenbahn.«

Ich blieb bei ihr an der Haltestelle, während sie auf die Linie sechs wartete.

»Es war ein schöner Abend, aber zu kurz«, bekannte ich.

»Nichts hindert uns daran, uns wieder zu treffen. Oder doch?«

»Nein, nichts.«

Die Sechs bog um die Ecke und ratterte auf uns zu. Saara trat vor mich hin und küsste mich sanft.

Ich kam mir für einen Moment vor wie ein Bursche im Teenageralter, der sein Mädchen vom ersten Date zurückbegleitete. Saara stieg ein, drehte sich rasch um, lächelte und verschwand hinter den spiegelnden Glasscheiben. Ich stand da und sah der Straßenbahn nach.

Die Sonne ging unter und auch ihr letzter Widerschein verschwand von der Bucht vor der Werft.

Kapitel 18

Ich hatte aufgrund früherer Erfahrungen eine recht zwiespältige Meinung über Oberinspektor Sillanpää vom Geheimdienst. Trotzdem beschloss ich, unsere neuerliche Zusammenarbeit vom reinen Tisch aus zu beginnen, um es mit seinen Worten auszudrücken.

Wir trafen uns in einem Café am Anfang der Iso Roobertinkatu. Das Publikum bestand aus jungen Leuten, die nach Studenten aussahen, und ein paar Ausländern. Es gab Kaffee und Tee in vielen verschiedenen Variationen.

Sillanpää saß an der Wand. Mir schien, dass er gealtert war, obwohl unser letztes Treffen noch nicht mal ein halbes Jahr zurücklag. Die Falten auf seinem Gesicht waren tiefer und sein Haar war dünner geworden. Seine Miene ließ darauf schließen, dass er Sorgen hatte, oder vielleicht war das nur Wunschdenken. Er hatte ein Vollkornbrötchen und einen Caffè Latte vor sich.

»Du hast wieder einen schwierigen Fall zu bearbeiten. Wieso trifft es immer denselben?«, fragte er.

»Gerade deshalb habe ich dich um Hilfe gebeten.«

Sillanpää machte sich über sein Brötchen her, kaute eine Weile und schluckte dann. »Glaubst du wirklich, dass jene alte Geschichte etwas mit den beiden Morden zu tun hat?«

»Das will ich gerade klären. Wir wissen, dass die Sache nicht so abgelaufen ist, wie die Ermittler versicherten und wie das Gericht urteilte. Und so eine Inszenierung wird nicht wegen irgendeiner Bagatelle auf die Beine gestellt.«

»Du glaubst, dass wir wieder irgendwie unsere schmutzigen Finger im Spiel haben?«

»Außenminister Matinoja rief als Erstes Jaakko Lemmetty, den damaligen Chef des Geheimdienstes, an. Und selbst wenn ihr damals nicht mit an den Strippen gezogen haben solltet, wisst ihr zumindest, was dort wirklich geschah.

Lemmetty und Matinoja waren Freunde und kamen aus derselben Partei.«

»Was glaubst du denn, ist dort geschehen?« Sillanpää sah mich unter seinen buschigen Brauen mit einem Blick an, der sagte: Ich weiß Bescheid, aber du auch?

»Willst du testen, wie viel ich weiß, und erst dann entscheiden, wie viel du mir erzählen musst?«

»Nein. Es kommt mir nur so vor, als ob du über jene Ereignisse mehr weißt als ich oder unsere Leute.«

»Ich weiß, dass jemand drei Ganoven dafür bezahlt hat, dass sie die Sache auf ihre Kappe nahmen. Ich weiß nicht wer und warum, ja, ich weiß noch nicht mal, was in dem Salon wirklich geschah. Auf jeden Fall hat Ikonen sich kurz vor seinem Tod die Protokolle jenes Falles besorgt. Maija Erkkilä, die Frau, die mit ihm zusammen getötet wurde, war mit zweien der für die Tat verurteilten Männer verheiratet gewesen. Du verstehst, warum mich der Fall interessiert?«

»Mich ja auch, nicht nur rein dienstlich, sondern auch persönlich. Wir besitzen keine offiziellen Erkenntnisse in der Sache, deshalb habe ich ehemalige Kollegen befragt. Laut den Informationen, die ich zusammentragen konnte, ist eindeutig klar, dass Ikonens und Erkkiläs Ermordung nichts mit den Ereignissen im *Marski,* was immer dort auch geschehen sein mag, zu tun hat. Ich bedaure.«

Sillanpää lächelte so breit, dass seine Zähne bis zum Zahnfleisch sichtbar waren. Er genoss es eindeutig, dass er sein Wissen verpfänden konnte.

»Aber da du die menschliche Natur kennst, glaubst du mir trotzdem nicht, besonders, da die Geschichte gute Zutaten einer Verschwörungstheorie hat. Der Mensch flickt die Lücken in seinem Wissen immer so, dass das Ergebnis seiner vorgefassten Meinung entspricht.«

»Um solche Schlüsse ziehen zu können, musst du über die Dinge mehr wissen als ich«, konstatierte ich.

»Nicht unbedingt. Wir beide stellen uns lediglich unterschiedliche Fragen. Du fragst dich, was so Bedeutsames im

Hotelsalon geschah, dass Ikonen und Erkkilä, die davon wussten, getötet werden mussten, obwohl die Ereignisse mehr als zwanzig Jahre zurückliegen. Ich wiederum frage mich, was Minister Matinoja und Generaldirektor Kaipio am wahrscheinlichsten im *Marski* taten. Darauf antworte ich mir, dass feine Herren in Hotelsalons zu saufen pflegen, und vom Saufen pflegt man einen Rausch zu bekommen. Betrunkene wiederum beginnen gern eine Schlägerei. Nicht wahr?«

Ich nickte.

»Wenn die Ehefrau ermordet aufgefunden wird, verdächtigst du als Erstes ihren Mann, nicht wahr? Und wenn der Ehemann getötet wird, nimmst du dir als Erstes seine Frau vor. Meine Überlegungen sind ähnlicher Art. Was löst eine Schlägerei unter Betrunkenen aus, ein alter Zwist, eine Frau, Geld?«

»Willst du sagen, dass sich Kaipio und Matinoja im Suff prügelten und dass das ganze Überfallszenario nur zum Zwecke des Vertuschens entwickelt wurde?«

»Ich meine damit Folgendes: Wenn es für die Vorfälle eine einfache und alltägliche Erklärung gibt, sollte man lieber an sie als an eine kompliziertere glauben, auch wenn die Letztere noch so spannend ist. Fantasie schadet nicht, solange man sie nicht bei der Untersuchung von Straftaten einsetzt. Sie führt möglicherweise in eine Märchenwelt.«

»Basiert deine Trunkenheitstheorie auf Wissen oder hast du sie aus dem Hut gezaubert?«

Sillanpää kaute wieder eine Weile an seinem Brötchen. »Mein Magen muckert und der Arzt hat mir geraten, Ballaststoffe zu essen. Das Zeug verursacht Sodbrennen und Fürze. – Sowohl als auch. Aber eines kann ich mit Sicherheit sagen, nämlich, dass wir mit der Sache nichts zu tun haben. Wenn du bei deinen Ermittlungen nicht auf Irrwege gelangen oder deine kostbare Zeit sinnlos vergeuden willst, dann vergiss die ganze *Marski*-Geschichte.«

Für einen Moment kam es mir so vor, als ob Sillanpää die umgekehrte Taktik anwendete, mir also riet, das Szenario im

Marski nicht zu untersuchen, damit ich es auch bestimmt untersuchte. Dann blockte ich ab und entschied, dass er dafür keinen Grund hatte. Trotzdem war ich sicher, dass er mehr wusste, als er erzählte.

Das ärgerte mich, und ich sagte barsch: »Erzähl doch gleich den Rest, wenn du schon einmal angefangen hast.«

»Ich will nicht, und du willst es wahrscheinlich auch nicht, dass wegen eines einzelnen Falles ein neuer Samen des Misstrauens gegen Polizei und Justiz gesät wird, vor allem, da beide Organisationen als solche nichts damit zu tun haben. Die Leute glauben sowieso gern, dass das System die Bosse schützt und Wissen verschleiert, was natürlich stimmt, aber nicht in dem Ausmaß wie allgemein angenommen.«

»Mit anderen Worten, in Wahrheit zeichneten Ikonen und noch eine andere Person für Manuskript und Regie bei den Ereignissen im *Marski* verantwortlich und sie bekamen keine Befehle von oben?«

»Ein guter Rückschluss, finde ich. Ikonen war Kommissar und kannte Matinoja, eine höhere Instanz war da nicht nötig. Es genügte, dass er ein paar Vertrauenspersonen in die Untersuchung mit einbezog.«

»Trotzdem war irgendein Geldgeber erforderlich. Wenn drei Personen einwilligen, für fast zwei Jahre in den Knast zu gehen, dann muss dafür ein Haufen Kohle hingeblättert werden.«

»Matinoja war damals noch ein vermögender Mann, zweitausend Hektar Land und Wald, mehrere Eigentumswohnungen, geerbtes Geld, und auch seine Frau war betucht. Ein paar Dutzend Hektar Wald gefällt oder eine Wohnung verkauft, damit wäre die Sache klar gewesen. Inzwischen hat der Kerl sein Vermögen durch so idiotische Geschäfte verloren, dass man sich totlacht, wenn man davon hört.«

»Worauf basiert deine Theorie, auf Wissen oder Vermutungen?«

Sillanpää legte das halb aufgegessene Brötchen auf den Teller und schob ihn von sich.

»Die tägliche Ballaststoffration ist vertilgt. Wenn ich noch einen einzigen Krümel esse, kriege ich Verstopfung.«

Mit leicht angeödeter Miene holte er einen teuer aussehenden Kugelschreiber aus der Jackentasche und schrieb etwas auf die Rückseite der Rechnung. Sein Jackett stand offen und darunter lugte die Dienstwaffe hervor. Es war nicht die gleiche wie meine. Außerdem hing an seinem Gürtel ein Teleskopschlagstock.

»Frohes Schaffen«, sagte er, stand auf und entfernte sich mit den festen Schritten eines alten Boxers.

Ich nahm die Rechnung und sah nach, was Sillanpää darauf notiert hatte. Dort stand nur der Name einer Frau und das Sozialversicherungskennzeichen.

»Elina Sippola, geboren am sechzehnten Juni einundfünfzig. Wohnhaft in Laajasalo, betreibt einen Friseursalon in Kallio. Laut Adressenregister wohnte sie Ende der Siebzigerjahre in der Mannerheimintie zehn und das ist die Adresse des Hotels *Marski*«, las Stenman aus ihrem Notizbuch vor. »Ich habe im Hotel angerufen und einen alten Mitarbeiter gefunden. Nach seinen Worten war sie die Ehefrau des Haushandwerkers, ihr damaliger Name lautete Marjamaa. Sie betrieb einen Friseursalon im Hotel. Das Ehepaar ließ sich bald nach den Ereignissen scheiden. Übrigens, hieß nicht einer der drei Diebe Sippola?«, fiel ihr ein.

»Tatsächlich?«

»Ja, Ari Sippola, wenn ich mich recht erinnere. Er war derjenige, der im Gefängnis beim Brand in der Schildermalwerkstatt starb. Wollen wir Frau Sippola besuchen und sie befragen?«

Ich hielt die Befragung nicht für dringlich, aber mir fiel für den Moment auch keine andere vernünftige Beschäftigung ein. Lieber an der Basis als am Schreibtisch.

Kapitel 19

Meine Mutter war Friseurin gewesen, und sowie ich einen Salon betrat, meldeten sich unangenehme Erinnerungen.

Als Eli und ich Kinder waren, mussten wir auf Geheiß unserer Mutter in ihrem Damen-und-Herren-Salon helfen. Wir holten Ware vom Großhandel, fegten die abgeschnittenen Haare zusammen, und manchmal, wenn viel zu tun war, mussten wir den Kunden sogar vor dem Schneiden die Haare waschen. Befreit wurde ich von der Arbeit im Salon erst, als ich auf die Chemikalien allergisch reagierte und meine Arme bis zum Ellenbogen hinauf eine einzige juckende Wunde waren. Selbst heute noch ging ich so selten wie möglich zum Friseur, was man meinen Haaren durchaus ansah.

Ich wartete mit Stenman im Auto vor dem Salon, während die Sippola eine Kundin bediente.

»Meine Mutter besaß einen Damen-und-Herren-Salon«, verriet ich Stenman.

»Dann habt ihr wenigstens einen kostenlosen Haarschnitt bekommen.«

»Nein, aber Rabatt.«

»Nahm deine Mutter sogar von euch Geld?«

»Ihrer Meinung nach lehrte uns das, vernünftig mit unserem wöchentlichen Taschengeld umzugehen und uns nicht einzubilden, dass es auf dieser Welt etwas umsonst gibt. Meine Mutter war ein ziemlich schrecklicher Mensch, um ehrlich zu sein. Ich könnte Dinge erzählen, die mir niemand glauben würde.«

»Was hat dein Vater gemacht?«

»Er war Wasserbauingenieur. Ihm brauchten wir nichts zu bezahlen, er half uns sogar umsonst bei den Schularbeiten.«

Stenman lachte. »Du flunkerst bestimmt.«

»Keinen Deut. Beide Eltern sind tot. Vater ertrank schon in den Siebzigerjahren auf einer Dienstreise in Lappland.«

Ich wusste, dass Stenmans Vater Literaturprofessor, die Mutter Lehrerin und der Bruder Architekt war. Die Berufswahl der Tochter hatte denn auch heftige Diskussionen ausgelöst. Obwohl Stenman schon mehr als vier Jahre meine Mitarbeiterin war, wusste ich nicht mehr von ihr und sie wusste von mir noch weniger.

»Hast du mit deinem Bruder über Kotala gesprochen?«, fragte sie.

»Nur allgemein. Ich hörte, dass Kotala für das schwerste Delikt verurteilt werden will.«

»Für Mord?«

»Ja.«

»Sein Gewissen plagt ihn.«

Wir konnten durchs Fenster sehen, dass die Kundin aufstand und bezahlte.

»Gehen wir rein«, sagte ich.

Ich trat durch die noch offene Tür, sowie die Kundin draußen war, stellte uns vor und sagte, worum es ging. Die Sippola erschrak deutlich und begann, die Dosen und Döschen auf der gläsernen Tischplatte zu ordnen. Auf dem Fußboden lag noch abgeschnittenes Haar von der letzten Kundin. Ich spürte, wie der Geruch im Salon meine Schleimhäute reizte, und vergewisserte mich, ob ich Papiertaschentücher bei mir hatte.

»Wir möchten wissen, was im Salon des Hotels *Marski* wirklich geschah«, Stenman kam direkt zur Sache.

Die Sippola griff zum Besen, fegte die Haare zusammen und schob den Haufen in die Ecke, dann wandte sie sich uns zu. In ihrem hellgrünen Arbeitskittel wirkte sie wie eine energische und fröhliche Bauersfrau.

»Ach du liebe Güte, das ist ja eine uralte Geschichte. Wenn Sie sich dafür interessieren, lesen Sie die alten Zeitungen, damals wurde wer weiß wie viel darüber geschrieben.«

»Wir möchten hören, was dort wirklich geschah. Wir fragen nicht aus Neugier, sondern weil wir drei Morde untersuchen. Wir können das Gespräch auch auf dem Präsidium in

Pasila fortsetzen, wenn Sie möchten.« Stenman gab ihrer Stimme gerade die richtige Schärfe, ohne dass sie drohend klang.

»Ich weiß von keinen Mordfällen. Wer hat vom *Marski* gesprochen?«

»Einer der damaligen Ermittler wurde ermordet, ebenso einer jener Männer, die für den Vorfall verurteilt wurden.«

»Reden Sie von dem Polizisten? Ikonen hieß er wohl, ein gut aussehender, dunkelhaariger Mann.«

»Allerdings.«

Die Sippola betrachtete sich zerstreut im Spiegel und fingerte an ihrem Haar. »Haben Sie schon mit meinem früheren Mann gesprochen?«

»Mit Marjamaa? Noch nicht, und eventuell ist es auch nicht nötig, hoffentlich. Er wohnt heute in Rovaniemi.«

»Falls Sie mit ihm sprechen, erwähnen Sie mich bloß nicht, der Kerl hat schwache Nerven, wer weiß, was ihm einfällt.«

»Nein, natürlich nicht.«

Wir warteten schweigend, bis die Sippola endlich begann.

»Der Polizist, also Kommissar Ikonen, hat sich die ganze Erklärung ausgedacht. Er kannte die beiden Männer, diese Kriminellen ... Der dritte war mein Cousin, er wohnte eine Zeit lang bei uns, als er nach Helsinki gekommen war.«

»Ari Sippola, der bei dem Brand im Gefängnis starb?«

»Ja. Sie wollten noch einen dritten Mann. Minister Matinoja hatte den Polizisten gegenüber, die zuerst eintrafen, von vier Angreifern gesprochen. Wenn man also nur zwei Verbrecher verhaftet hätte, hätte sich womöglich jemand gewundert. Dass nur einer fehlte, interessierte keinen Menschen. Dem armen Ari wurden dafür dreißigtausend Mark versprochen. Ich beschwor ihn, auf keinen Fall einzuwilligen, aber er wollte sich ein Auto kaufen und war durch nichts umzustimmen.«

»Also alle drei wurden gekauft?«

»Und Ikonen plante genau, was jeder der drei zur Polizei und später vor Gericht sagen sollte.«

»Nun, und was geschah dort wirklich?«, bohrte Stenman.

Die Frau dachte eine Weile nach und fuhr dann fort: »Es lief ziemlich genau so ab: Minister Matti Matinoja und Esko, also Direktor Kaipio, waren zu zweit im Salon, und mein Mann hörte davon. Er ging sofort zusammen mit meinem Cousin hin. Es kam zu einem furchtbaren Streit und Matinoja erschrak und rief bei der Polizei an. Danach ...«

»Ein Streit worüber? Und was wollte Ihr Mann überhaupt im Salon?«

Ich erriet den Grund schon, bevor die Sippola fortfuhr: »Ich kannte Esko und mein Mann hatte davon erfahren. Er war schrecklich eifersüchtig ... Ein Mal zerschoss er mit der Flinte den Fernseher, als ich sagte, dass der Rodney in *Peyton Place* genau wie mein erster Freund aussah.«

»Sie hatten also eine Beziehung mit Direktor Kaipio?«, fragte Stenman geradeheraus.

»So kann man es wohl nennen.«

Ich musterte sie und überlegte, was an ihr dem Direktor wohl so gefallen hatte, dass er seine Stellung gefährdet hatte. Andererseits hinterließen fünfundzwanzig Jahre natürlich ihre Spuren. Auf jeden Fall war sie zwanzig Jahre jünger gewesen als er, schon allein das genügte manch einem.

»Ich lernte Esko kennen, als ich ihm die Haare schnitt. Er war ein lieber und feiner Mensch, behandelte alle freundlich, während mein eigener Mann ... Kaipios Sekretärin – sie war wohl in ihn verliebt – wusste von uns und erzählte es meinem Mann. Er war eifersüchtig und begann mich zu bewachen, wollte ständig wissen, wohin ich ging und was ich tat, wuselte um mich herum und rannte hinter mir her wie ein mutterloses Lamm. An jenem Tag hatten Esko und ich vereinbart, uns in einem Hotelzimmer zu treffen. Der Minister aß währenddessen im Salon zu Mittag. Mein Mann hatte Schlüssel zu allen Zimmern und er kam herein, als Esko gerade aufbrach. Esko floh in den Salon und darüber wunderte ich mich gar nicht, denn mein Mann hatte ein großes Tauchermesser in der Hand. Als er und mein Cousin dann in den Salon rannten, kam es dort zu einer Schlägerei.«

»Und danach?«

»Minister Matinoja konnte flüchten und alarmierte sofort die Polizei. Als die Polizei bereits im Anmarsch war, begriffen natürlich alle, was die Folge wäre, wenn die Sache herauskäme. Beide Herren waren wichtige Persönlichkeiten, Matinoja war Außenminister und wohl noch Vizevorsitzender der Partei und was weiß ich alles. Mein Mann und mein Cousin verließen den Salon. Matinoja kannte Ikonen offenbar persönlich und rief ihn sofort an.«

»Und Ikonen erschien«, fuhr ich fort.

»Ja, so war es. Ikonen kam, so schnell er konnte, aber trotzdem war eine Polizeistreife zuerst da, und Matinoja und Kaipio mussten sich für sie eine Notlüge ausdenken. Als Ikonen erschien, schickte er die anderen Polizisten weg und rief seine eigenen Männer hinzu. Ikonen war die ganze Zeit mit dabei, als einer von ihnen mich und meinen Mann verhörte.«

»Wusste dieser Polizist, worum es ging?«

»Du liebe Güte, ganz bestimmt wusste er es. Er lachte nur, als mein Mann ihm das erzählte, was mit Ikonen vereinbart worden war, stellte aber trotzdem keine weiteren Fragen.«

»Warum willigten Väistö und Isaksson ein, die Schuld auf sich zu nehmen?«

»Ikonen versprach ihnen, dass sie nicht ins Gefängnis kämen, und außerdem sicherte Matinoja allen eine üppige finanzielle Entschädigung zu.«

»Und Ihnen?«

»Ich wollte kein Geld. Später rief Matinojas Frau bei meinem Mann an und fragte, ob wir Interesse an einem guten Arbeitsplatz im Ausland hätten. Ich hätte nicht gehen mögen, aber mein Mann war begeistert, und so zogen wir für zwei Jahre nach Moskau und arbeiteten in der finnischen Botschaft.«

»Minister Matinoja besorgte Ihnen also die Stelle in der Botschaft?«, fragte ich.

»Ja, so lief das.«

»Aber das Angebot unterbreitete seine Frau?«

»Ja, und die war überfreundlich und versprach sonst was. Ich dachte mir, dass die beiden uns möglichst weit weg sehen wollten, für den Fall, dass jemand Fragen stellen würde. Aber das Gehalt war gut und das Geld konnten wir beim besten Willen nicht ausgeben, in dem kommunistischen Land gab es ja nichts zu kaufen. Wenn man nur ein Paar Strumpfhosen verkaufte, kriegte man einen solchen Haufen Rubel, dass sie nicht in die Handtasche passten. Jedes Mal, wenn ich in Finnland gewesen war, brachte ich einen Koffer voller Shampoo und Haarfärbemittel nach Moskau mit. Die gingen weg wie warme Semmeln. Mein Mann kaufte sofort ein tolles unversteuertes Auto, das ihm einen Riesengewinn einbrachte, als er es später in Finnland wieder verkaufte. Ziemlich bald danach ließen wir uns dann scheiden. Mein Mann zog auf den Hof seiner Familie in der Nähe von Rovaniemi und ich kaufte mir diesen Salon.«

»Kehren wir noch mal in die Vergangenheit zurück«, schlug Stenman vor. »Was geschah, als Ihr Cousin und die beiden anderen trotzdem verurteilt wurden?«

»Ich hörte von Esko, dass einer der Männer, Väistö hieß er wohl, gegenüber einer Zeitung damit gedroht hatte, die ganze Geschichte zu verraten, falls er nicht weiteres Geld bekäme. Minister Matinoja war gezwungen einzuwilligen. Er hat wohl am Ende den ganzen Spaß bezahlt, er war ja ein vermögender Mann.«

»Und danach?«, fragte ich.

»Wir ließen uns scheiden und ich habe es keinen einzigen Tag bereut.«

»Und Kaipio?«, wollte Stenman wissen.

»Esko und ich haben uns danach nur noch zwei Mal getroffen. Esko wollte nicht … Wir haben dafür aber mehrmals telefoniert. Es war ein bisschen schade, Esko war ein feiner Mensch.«

»Wann haben Sie sich zuletzt getroffen oder miteinander telefoniert?«

»Als die zwei Männer aus dem Gefängnis entlassen wurden. Esko rief mich an und erzählte mir, dass die beiden versuchten, ihn und Matinoja um weiteres Geld zu erpressen. Ich weiß nicht, wie sie reagiert haben. Danach habe ich nichts mehr von der Sache gehört, erst vor einem Jahr wieder. Damals kam ein Journalist zu mir und wollte mich interviewen. Er sagte, dass er wisse, worum es im *Marski* gegangen sei und dass er über Eskos und meine Beziehung Bescheid wisse. Ich habe mich nicht überreden lassen, ihm etwas zu erzählen. Ich sagte ihm, dass er schreiben soll, was er will, dass er sich aber vor Gericht dafür wird verantworten müssen. Ein Artikel ist nie erschienen.«

»Sagte der Journalist, wie er von der Sache erfahren hatte?«

»Nein. Er sagte nur, dass er gesicherte Informationen besitzt. Später hörte ich, dass er auch meinen Exmann angerufen hat, aber auch der hat ihm nichts erzählt, sondern nur damit gedroht, ihn wegen Beleidigung anzuzeigen, falls er auch nur ein einziges Wort veröffentlicht.«

»Und sonst gibt es nichts weiter?«

»Als Esko starb, rief Minister Matinoja mich an und erzählte mir, dass Esko sich umgebracht hat. Dann wollte er wissen, ob mir jemand Fragen nach der alten Geschichte gestellt hat.«

»Ist Matinoja nicht inzwischen dement?«

Elina Sippola lachte. »Danach hörte es sich nicht an, er wirkte in jeder Hinsicht völlig vernünftig. Ich erzählte ihm von dem Journalisten und er fand es gut, dass ich nichts erzählt hatte, er meinte, dass wir alle den Mund halten müssten. Esko hatte sich dem Vernehmen nach umgebracht, weil man versuchte, ihn zu erpressen, und weil er das nicht länger aushielt, außerdem war er krank. Ich glaube allerdings, dass es mehr wegen der Krankheit war. Was hatte er denn noch zu verlieren?«

»Wer versuchte ihn zu erpressen?«

»Das hat mir Matinoja nicht gesagt. Danach war absolut Schweigen im Walde, bis Sie jetzt aufgetaucht sind.«

»Ihr Cousin starb im Gefängnis«, sagte ich. »Hatte das in irgendeiner Weise mit den Ereignissen im *Marski* zu tun?«

»Ich weiß es nicht. Man sagte mir, es sei ein Unglück gewesen. Armer Junge. All der Kummer nur wegen eines Autos.«

»Wir brauchen noch ein wenig Ihre Hilfe«, sagte ich. »Könnten Sie ein Telefonat führen?«

»Mit wem?«, fragte sie erstaunt.

»Mit Minister Matinoja.«

Oksanen war wütend, als er hörte, was wir herausgefunden hatten, denn er hätte bei dem Treffen mit der Sippola gern dabei sein wollen. Für den Fall *Marski* war nämlich eigentlich er zuständig. Ich versprach ihm, dass er Minister Matinoja befragen dürfte.

»Ich hätte so gern an meine Spionagetheorie geglaubt, denn sie hatte was«, sagte er wehmütig.

Ich bestätigte ihm, dass an seiner Theorie im Prinzip nichts falsch gewesen war. Sie stimmte nur nicht mit den Tatsachen überein.

»Falls die Sippola die Wahrheit gesagt hat, scheint es, als ob das Motiv für die Morde auf die eine oder andere Weise in der Erpressung Matinojas und Kaipios zu finden ist«, sagte ich.

»Und Lappalainens Ermordung?, warf Simolin ein. »Und der Messerangriff auf Tuula Uotila? Waren die beiden etwa auch Erpresser?«

»Wir müssen mal über die Alternative nachdenken, dass es sich um zwei verschiedene Fälle handelt, zwischen denen nur gewisse Verknüpfungen bestehen.«

»Matinoja ist ein alter Knacker und völlig pleite. Er selber ist nicht in der Lage, jemanden zu töten, und er hat auch kein Geld, um Killer zu engagieren«, meinte Oksanen.

»Er hat zwei Söhne. Möglicherweise haben die es für ihren Vater getan.«

»Lassen wir die Kinder vorläufig außen vor«, sagte ich. »Es sind noch viele Dinge offen.«

Ich wandte mich an Oksanen.

»Informier du dich über die Firma, bei der Ikonen angerufen hatte. Die Herkunft seines Vermögens ist weiterhin ungeklärt und Isaksson haben wir ganz und gar vergessen.«

»Klar, *Elektrada*. Ich habe mir schon die Daten der Firma aus dem Netz geholt und ausgedruckt und mir auch den letzten Jahresbericht besorgt«, sagte Oksanen. »Gegründet wurde die Firma 1988 von einem Mann namens Henrik Nyholm. Zunächst stellte sie in einem alten Kuhstall Wärmeimpulsgeber und -messer her und wuchs dann allmählich. Als sich die Produktion von Mobiltelefonen explosionsartig entwickelte, begann die Firma mit der Herstellung von Telefonkomponenten für *Nokia* und *Ericsson*. Innerhalb von zehn Jahren verzwanzigfachte sich so der Umsatz. Jetzt hat *Elektrada* mehrere Hundert Beschäftigte und ist dick im Geschäft. Ich hörte, dass Vater Nyholm sich auf den Posten als Vorstandsvorsitzender zurückgezogen hat und dass der Sohn sich als Geschäftsführer um die praktischen Dinge kümmert, sodass die Firma also fest in Familienhand ist. Überhaupt scheint der alte Nyholm etwas von einem Eremiten zu haben. Es gibt kein einziges anständiges Foto von ihm.«

»Besorg dir aus dem Register das Führerschein- oder Passfoto. Und bitte die Zentrale von *Elektrada,* wenn irgend möglich, herauszufinden, welche Apparatnummer Ikonen angerufen hat. Du hast ja den Tag und den genauen Zeitpunkt des Anrufs. Falls das nicht klappt, frag den kaufmännischen Geschäftsführer. Sollte sich Ikonen tatsächlich für die Aktien der Firma interessiert haben, hat er vermutlich mit dem Finanzvorstand darüber gesprochen.«

»Was hätte es Ikonen genutzt, selbst wenn er mit ihm gesprochen hätte?«, fragte Simolin. »Ikonen dürfte kaum die nötige Kompetenz gehabt haben, um überhaupt die richtigen Fragen zu stellen. Für den Anruf muss es einen anderen Grund gegeben haben.«

»Umso wichtiger ist es, herauszufinden, was dieser Grund war.«

»Außerdem ist er als Anleger anscheinend gut klargekommen, aus all den Millionen zu schließen«, warf Oksanen ein.

»Gibt es etwas Neues von Isaksson?«, erkundigte ich mich bei Simolin.

»Nicht wirklich. Ich bin alle Fälle durchgegangen, in denen er verurteilt wurde, aber sie sind kaum ergiebig. Sein Hintergrund ist insofern außergewöhnlich, als er aus besseren Kreisen stammt. Es handelt sich um eine finnlandschwedische Familie. Der Sohn geriet während des Studiums in schlechte Gesellschaft, wahrscheinlich als Folge seines Drogenkonsums, und dann ging es weiter mit Eigentumsdelikten und Zahlungsmittelbetrügereien. Sein adrettes Äußeres half ihm, die Kassendamen in der Bank zu täuschen. Im Gefängnis lernte er schließlich Väistö und andere hartgesottene Gangster kennen. Ich konnte außerdem mit zwei seiner Bekannten aus dem Milieu sprechen und beide wussten, dass Isaksson nach seinem letzten Knastaufenthalt – eben wegen jener Sache im *Marski* – nach Schweden ging, wo er dank seiner Sprachkenntnisse bestens zurechtkam. Der letzte Eintrag dort stammt von 1987, es war die Metallwerkstatt, von der ich schon erzählte.«

»Wie erklären die Schweden Isakssons Verschwinden?«, fragte Stenman.

»Eine Möglichkeit ist, dass auch er tot ist und die Leiche nur nicht gefunden wurde. Die andere Alternative ist, dass er eine neue Identität angenommen hat. Die damaligen Systeme waren leicht auszutricksen. Gegebenenfalls heißt er heute Pelle Svensson oder Pekka Lötjönen. Zu jener Zeit lebten in Stockholm viele Finnen, möglicherweise hat er einem Lötjönen die Identität abgekauft, als der in die finnische Heimat zurückkehrte, oder aber der richtige Lötjönen liegt als Fischfutter am Grund des Mälaren. Die dritte Alternative ist, dass er sich ins Ausland abgesetzt hat, nach Australien, in die USA, nach Kanada, Neuseeland, in irgendein Land, in dem Fachleute aus Skandinavien willkommen sind. Isaksson ist Ingenieur und die sind gefragt.«

»Um das Zeugnis der technischen Hochschule vorweisen zu können, hätte er unter seinem eigenen Namen auftreten müssen«, gab Stenman zu bedenken.

»Wie wäre es, wenn wir nach dem Mann international suchen oder fahnden ließen?«, meinte Oksanen.

»Schaden würde es nicht«, gab ich zu.

»In Finnland ist er jedenfalls, seit er das Land verlassen hat, nicht mehr unter seinem eigenen Namen aufgetreten. Falls er also die Erkkilä, Ikonen oder Lappalainen getötet hat, hat er sich hier unter falscher Identität bewegt.«

»An Alternativen gibt es da nur mehrere Millionen«, murmelte Oksanen.

»Und Lappalainens Freunde oder Verwandte und die Rachetheorie?«, fragte ich ihn.

»Lappalainen hat keine Brüder und keine nahen Angehörigen, von guten Freunden ist nichts bekannt. Auch im Gefängnis war er immer für sich. Mit anderen Worten, ich weiß von keinem, der ihn hätte rächen wollen, außer möglicherweise Väistö. Und ich begreife sowieso nicht, wie ein Rächer, wer es auch immer gewesen wäre, von Lappalainens Tod hätte erfahren können.«

»Zum Beispiel, indem er anwesend war, als der Mann getötet wurde«, sagte Simolin. »Lappalainen hatte sich möglicherweise einen Helfer besorgt.«

»Sollten wir uns vielleicht Nikutins Alibi noch mal genauer ansehen?«, überlegte Stenman.

»Konzentriert euch lieber auf Väistö und Isaksson und natürlich auf die geheimnisvolle Frau, die den Mord meldete. Wo sind übrigens die *Elektrada*-Papiere?«

Oksanen suchte in seiner Schultertasche und legte einen mit allerlei Papieren gespickten Jahresbericht vor mir auf den Tisch. Ich beschloss, ihn mitzunehmen und zu Hause zu studieren.

Kapitel 20

»Wie geht's meinem Bruder Sherlock Holmes, oder bist du lieber Columbo? Hast du große Mordfälle aufgeklärt«, fragte Eli in aufreizendem Ton, kaum dass ich die Jacke ausgezogen hatte. Seine Zunge war ein wenig schwer. Er hatte einen Drink vor sich, es schien Gin Tonic zu sein.

»Keinen einzigen. Hast du dir die Wohnung angesehen?«

»Ein finsteres Rattenloch. Aus dem hinteren Fenster sieht man den Innenhof und die Mülltonnen, aus dem vorderen die gegenüberliegende Wand. Wenn man den Himmel sehen will, muss man sich den Hals verrenken.«

»Du bist zu wählerisch.«

»Zum Glück kann ich es mir leisten. Eine schöne Wohnung ist eines der besten Mittel, Frauen flachzulegen. Eine schicke Bude und ein schwarzes Ledersofa, italienisches Spitzendesign, eine Spitzenstereoanlage und eine Küche vom Feinsten. Stahl und Edelholz.«

»Du wolltest dich doch suhlen«, erinnerte ich ihn.

»Das kann man auch stilvoll tun.« Er sah sich abschätzend um. »Du auch.«

Ich selbst fand, dass es an meiner Wohnungseinrichtung nichts auszusetzen gab. Ich besaß ein stabiles Sofa, einen alten Sessel mit stilvoller Patina, ein paar Bilder eines namhaften Malers und eine Stereoanlage in völlig ausreichender Qualität. Meine Küche hatte dieselbe Ausstattung, die sie die letzten vierzig Jahre gehabt hatte, und ich kam damit sehr gut zurecht. Irgendjemand hatte gesagt, dass der gemütliche Fünfzigerjahrelook wieder in Mode war.

»Hast du es etwa eilig, mich loszuwerden?«, fragte Eli indigniert.

Ich ging in die Küche und sah, dass er den Kühlschrank mit lauter Fertiggerichten aus der Delikatessenabteilung von *Stockmann* gefüllt hatte, Gerichte, die garantiert kein Koscher-Zertifikat hatten. Ich erkannte Pilzsalat, gegrillte Artischocken, Kartoffelsalat. Der untere Rost bog sich unter dem Gewicht mexikanischen Biers.

»Hast du Silja gesprochen?«

»Nein, und es eilt auch nicht. Was fehlt bloß den Männern in der Familie Kafka, dass sie kein Glück mit Frauen haben?«, sinnierte Eli.

»Zählst du mich auch mit?«

»Ganz besonders. Ein vierzigjähriger jüdischer Junggeselle ist ein noch traurigerer Fall als ein fünfzigjähriger geschiedener Jude. Oder man kann es natürlich auch so sehen, dass dir als Junggeselle Schlimmeres erspart geblieben ist. Die dunkelhaarige Frau ist allerdings einen Versuch wert. Ist es etwas Ernstes?«

Ich wollte nicht darüber sprechen, sagte jedoch: »Sie ist die Tochter meines ehemaligen Chefs.«

»Die Tochter vom Boss. Dem gefällt die Sache vermutlich nicht.«

»Er ist tot.«

»Der Boss ist tot, es lebe der Boss – wo habe ich das denn bloß gelesen?«

Alkohol war zurzeit eindeutig nicht gut für Eli. Er wurde zu einem richtigen arroganten Arschloch. Wenn er so weitermachte, würde ich ihm das sagen.

»Zurück zum Familienfluch der Kafka-Männer«, fuhr Eli fort. »Denk nur mal an Vater. Manchmal tat er mir leid, manchmal schämte ich mich für ihn. Ich wartete immer darauf, dass er Mutter eines Tages in ihre Schranken weisen würde, aber nein, er hatte nicht das Zeug dazu. Das einzige Mittel, das ihm einfiel, war, vor ihr zu flüchten und irgendwelche Dienstreisen in die lappische Wildnis zu machen, aber hat er je daran gedacht, dass er uns Kinder ihr auslieferte? Ich wundere mich immer, dass ich überhaupt so normal bin und du auch. Sofern man einen Polizisten normal nennen kann. Würde uns eigentlich jemand glauben, wenn wir erzählen würden, wie Mutter manchmal sein konnte?«

»Vielleicht die Verwandten, andere vermutlich nicht«, bestätigte ich.

»Erinnerst du dich, wie ich Silja das erste Mal mit zu uns brachte?«

»Ja, und?«

»Als ich sie hinterher nach Hause begleitete, sagte sie, dass wir eine wirklich reizende Mutter haben. Mutter hatte Kaffee und Pfefferkuchen angeboten und nett geplaudert wie ein ganz normaler Mensch. Am nächsten Tag rief sie Siljas Vater an und sagte zu ihm, dass er seine hurende Tochter von ihrem Sohn fernhalten soll. Danach kam Silja nie mehr wieder zu uns. Ein Wunder, dass überhaupt die Heirat zustande kam.«

»Das wusste ich nicht.«

»Ich habe nie davon erzählt, auch nicht, was geschah, als ich allein ins Krankenhaus ging, um Mutter zu besuchen. Es war am Tag, bevor sie starb.«

Ich wollte eigentlich nichts mehr von unserer Mutter hören, aber Eli fuhr trotzdem fort.

»Mutter hatte im Krankenhaus ein eigenes Zimmer und sie war allein, als ich eintrat. Unter der Bettdecke guckten nur ihr Kopf und ihre mageren Hände hervor. Als sie mich sah, versuchte sie etwas zu sagen, brachte aber keinen Ton heraus. Ich trat ganz dicht an sie heran. Erinnerst du dich, dass sie diesen kleinen karierten Schreibblock hatte, auf dem sie in der letzten Zeit niederschrieb, was sie nicht herausbrachte? Sie schrieb nur zwei Worte darauf: *Verzeih mir.* Dann sah sie mich mit Tränen in den Augen an, das Gesicht faltig wie eine Rosine.«

»Schluss, ich will es nicht hören«, sagte ich heftig.

»Du musst. Ich nahm den Block und schrieb nur ein Wort hin, rate mal, welches.«

»Das errate ich wirklich nicht.«

»Ich schrieb: *Nein.* In diesem Moment sah ich, wie Angst in Mutters Augen trat, oder eigentlich Entsetzen. Ich ahnte, was sie dachte, nämlich, wenn ihr der eigene Sohn nicht verzeiht, verzeiht ihr auch Gott nicht. Was sagt mein Bruder dazu, war ich maßlos?«

Ich sagte gar nichts.

»Ich habe das Silja erzählt und sie fing an zu weinen und warf mir vor, grausam zu sein.«

Ich lenkte das Gespräch gewaltsam in andere Bahnen, denn ich wollte nicht, dass Mutter uns auch nach ihrem Tod noch vergiftete.

»Wann gedenkst du eigentlich wieder zu arbeiten?«

»Ich arbeite ja, mache Heimarbeit. Heute zum Beispiel bin ich Kotalas Verteidigung durchgegangen. An sich ein Widerspruch, da der Mann keine Verteidigung will, sondern die höchste infrage kommende Strafe fordert.«

»Betrachtet er seine Tat als Mord?«

»Seiner Meinung nach war es Mord, Dreifachmord. Ich habe nach Kräften auf ihn eingeredet, aber er ist anscheinend entschlossen zu leiden. Das macht meine Arbeit nicht unbedingt leichter.«

Ich verstand Kotalas Gedankengang. Eine harte Strafe half, die Schuld zu ertragen. Er hätte sich ohne Weiteres auf seelischen Druck berufen können, woraufhin Eli ein Urteil höchstens für Totschlag beantragt hätte. Mord bedingte ernsthaftes Planen und Überlegen.

»Soll ich dir einen Drink eingießen?«, fragte Eli.

»Ja, nur zu.«

»Ist dir Gin Tonic recht?«

Er hantierte einen Moment wie ein Barkeeper mit Zitrone, Eis und Gin und kam dann zu mir, das Glas in der ausgestreckten Hand haltend.

»Beschwerden werden nicht entgegengenommen.«

Auf seinem runden Gesicht zeichneten sich bereits die Spuren des tagelangen Trinkens ab. Er hatte stets maßvoll getrunken und somit nicht das Durchhaltevermögen für diese Art von Dauerbeschuss.

»Ich habe mich heute mit Onkel Dennis unterhalten«, gestand er. »Er riet mir, wieder zu Silja zu kriechen.«

»Für jemanden wie dich ist das ein guter Rat.«

»Wieso für jemanden wie mich?«, regte er sich auf. »Bin ich deiner Meinung nach so verweichlicht, dass ich nicht allein zurechtkomme?«

Genau das meinte ich, aber ich sagte es meinem großen Bruder besser nicht. Eine Lebensweise, in der alles seinen sicheren Platz hatte, war aus meiner Sicht für Eli gerade richtig. Außerdem war es Teil des Judentums. Die Thora lenkte uns von Kindesbeinen an mit Befehlen, Verboten und Aufforderungen. Zu Hause und in der Schule erzählte man uns anhand von Beispielen, die als Geschichten verbrämt waren, wie sich ein anständiges jüdisches Kind zu benehmen hatte. Später erzählte die Thora, wie man leben, was man essen sollte und was man auf keinen Fall essen durfte, wie man sein Eheleben führen, seine Kinder erziehen, feiern, trauern, beten, für seine Sünden um Vergebung bitten und sterben sollte. Für die meisten Juden waren diese Vorschriften wie Verkehrszeichen, die man beachten musste, um sein Leben von der Wiege bis zum Grabe ohne Bußgeld durchzustehen. Ich selbst hatte immer von Zeit zu Zeit das Verlangen, bei Rot und in verbotener Richtung weiterzufahren.

»Wer sagt außerdem, dass ich allein bleiben will? Die Stadt ist voll von Frauen. Auch wenn ich nicht dein Aussehen habe, fällt doch immer auch eine für mich ab.«

»Du hast aber auch zwei Kinder.«

»Sie sind keine Kinder mehr. Beide sind volljährig und es kann jederzeit passieren, dass sie zu Hause ausziehen. Leo wohnt sowieso schon halb bei seiner Freundin.«

»Hast du mit ihnen gesprochen?«

»Nein. Weißt du, warum Kotala seine Frau und seine Kinder getötet und dann versucht hat, sich selbst umzubringen?«

»Weil die Frau ihn verlassen und die Kinder mitnehmen wollte?«

»Weil er fürchtete, allein zu bleiben. Er dachte, wenn er seine Familie und sich selbst tötet, dann bleiben sie ewig zusammen.«

»Hat er das so gesagt?«

»Nein, aber er hat es nicht aus Hass getan oder um seine Frau zu bestrafen. Er tat es nur um seiner selbst willen.«

Eli redete aus meiner Sicht reichlich locker daher, besonders, wenn man seine Lebenssituation bedachte.

»Das ist deine Schlussfolgerung. Was sagte er selbst?«

»Die Gespräche zwischen Anwalt und Mandant sind vertraulich.«

»Ich interessiere mich nicht als Polizist für Kotala, sondern als Bekannter.«

»Ich verstehe nicht, wieso er nicht einfach seine Familie ziehen ließ und anfing, das freie Junggesellenleben zu genießen. Für die Familie zu schuften, gehört nicht gerade zu den angenehmsten Dingen auf der Welt. Nie ist jemand zufrieden, auch wenn alles noch so gut läuft.«

»Sprichst du von dir selbst oder von Kotala?«

Eli hörte mir nicht zu, sondern setzte seinen Monolog fort.

»Man sollte Polizisten verbieten, die Dienstwaffe in der Freizeit bei sich zu haben. Wenn sie sich nicht selbst töten, dann töten sie andere.«

Mein Telefon klingelte, Elis Frau Silja war dran.

»Bist du zu Hause?«

»Ja, bin gerade gekommen.«

»Ist Eli bei dir?«

Ich überlegte kurz, ob ich lügen sollte, entschied dann aber, dass Elis Situation das Lügen nicht wert war.

»Ja.«

»Ich sitze im Auto vor dem Haus. Kannst du für einen Moment herunterkommen, damit wir reden?«

»Ja, gut.«

»Sag Eli nicht, dass ich hier bin.«

Eli sah mich neugierig an.

»Ein Krimineller, den ich kenne, will mir etwas erzählen. Es dauert eine Viertelstunde.«

»Haben die Kriminellen deine Telefonnummer?«

»Nur Informanten.«

»Und wenn es eine Falle ist?«

»Ist es nicht.«

»Möchtest du, dass ich zu deinem Schutz mitkomme?«

»Ist wirklich nicht nötig. Mach uns inzwischen ein paar Brote zurecht.«

Silja fuhr sofort los, sowie ich drinnen saß.

»Ich fahre ein Stückchen weg, ich möchte nicht, dass Eli uns auch nur aus Versehen sieht.«

Eli hätte uns schwerlich sehen können, denn fast im selben Moment, als ich ins Auto stieg, tanzten taschentuchgroße Schneeflocken vom Himmel herunter. Sie schwebten an die Windschutzscheibe und überzogen sie mit einer weißen Glasur, bis der Scheibenwischer sie beiseiteschob. Silja hielt in der Sepänkatu, schaltete den Motor aus und zündete sich eine Zigarette an. Ich öffnete das Seitenfenster. Der Park Sepänpuisto und die Mikael-Agricola-Kirche zeichneten sich weich durch den Schnee ab und wirkten wie aus einem Märchenbuch.

»Wie geht es Eli?«

Ich wusste nicht, ob ich seinen gegenwärtigen Zustand beklagen oder loben sollte, sodass ich beschloss, die Wahrheit zu sagen.

»Gut, ziemlich gut. Er hat allerdings jeden Tag getrunken.«

»War er die ganze Zeit bei dir?«

»Ja, aber er sucht nach einer eigenen Wohnung.«

»Tut er das?«, fragte Silja besorgt. »Ich habe versucht ihn anzurufen, aber er antwortet nicht.«

Silja wirkte, außer besorgt, auch verlegen. Es war deutlich zu sehen, dass die Situation für sie schwierig und peinlich war. Für wen wäre sie das nicht gewesen.

»Wie viel hat Eli von dem erzählt, was zwischen uns passiert ist?«

»Nur ganz allgemein.«

»Du kennst deinen Bruder, was sollte ich deiner Meinung nach tun?«

»Ihn zurücknehmen, ihm verzeihen. Eli hat eindeutig eine Alterskrise.«

Silja sah mich erstaunt an.

»Was meinst du? Wieso verzeihen?«

»Seinen Fehltritt.«

Ich fühlte mich wie ein billiger Psychologe, fuhr aber trotzdem fort: »Es ist eine Art Streben nach der verlorenen Jugend, das kommt öfter vor, wenn Paare so lange zusammen waren wie ihr.«

»Was meinst du mit Elis Fehltritt, die Privatdetektivin?«

Ich konnte nicht ganz folgen und fragte meinerseits: »Wieso Privatdetektivin?«

»Meintest du mit Fehltritt, dass Eli eine Privatdetektivin auf mich angesetzt hat?«

»Warst du es nicht, die eine Detektivin engagiert hat?«

»Ich sollte jemanden hinter Eli hergeschickt haben? Eli hat vielmehr eine Detektivin hinter mir hergeschickt und die hat gesehen, wie ich mich mit einem Mann im Hotel traf. Ich habe Eli gegenüber zugegeben, dass ich ihn betrogen habe. Was in aller Welt hat er denn erzählt?«

»Dass du eine Detektivin engagiert hast und er in flagranti erwischt wurde.«

Silja ordnete eine Weile ihre Gedanken. »Warum behauptet er so etwas, ich verstehe nicht ...«

Ich verstand es, wenn ich mich richtig anstrengte, aber ich beschloss, mein Wissen für mich zu behalten.

»Verbleiben wir so, dass du das von vorhin nicht gehört hast«, sagte Silja. »Wenn Eli dir erzählt hat, dass ich eine Detektivin engagiert habe, dann belassen wir es dabei.«

»In Ordnung. Aber wärst du denn bereit, Eli zurückzunehmen?«

»Natürlich. Ich habe versucht ihm zu sagen, wie leid es mir tut, aber er stellt sich taub wie ein beleidigter kleiner Junge und hört mir nicht zu.«

»Hat er denn keinen Grund, ein beleidigter kleiner Junge zu sein?«

»Er hat das volle Recht, beleidigt zu sein, aber kein kleiner Junge. Wir können vor dem Problem nicht weglaufen, sondern wir müssen es klären, unabhängig davon, ob er weitermachen will oder nicht. Könntest du vielleicht mit ihm reden, nicht heute, aber vielleicht morgen? Sag ihm, dass ich angerufen habe und dass ich mit ihm sprechen möchte. Du weißt mit ihm umzugehen, und er schätzt dich.«

»Warum hast du Eli betrogen?«

Silja sog heftig an ihrer Zigarette und stieß eine Rauchwolke durchs geöffnete Seitenfenster.

»Ich war gerade mal sechzehn, als wir uns begegneten. Vor Eli hatte ich lediglich eine einzige Beziehung gehabt und so bekam ich plötzlich das Gefühl, dass ich etwas versäumt habe.«

»Hast du Eli auch früher schon betrogen?«

»Nein!«

»Verbleiben wir also so, dass ich versuche, ihm gut zuzureden und ihn dazu zu bringen, sich mit dir zu treffen. Mehr kann ich nicht versprechen.«

»Das genügt, danke.« Silja zögerte kurz und sagte dann: »Ari, ich weiß, dass dir meine Tat billig und gemein vorkommen muss, und das ist sie vermutlich … Du glaubst es vielleicht nicht, aber auch wenn Eli nicht dahintergekommen wäre, hätte ich es ihm wahrscheinlich selbst erzählt. Denn ich habe inzwischen eingesehen, wie falsch ich ihm gegenüber gehandelt habe. Ich hoffe, dass er fähig sein wird, mir zu verzeihen.«

»Ich ebenfalls. Glaub mir, ich hoffe es wirklich.«

»Hast du interessante Informationen bekommen?«, fragte Eli und stellte einen Teller mit belegten Broten vor mich hin. Sie sahen gut aus und ich griff zu.

»Wirklich interessante.«

Eli setzte sich mir gegenüber. »Eine Sache wundert mich bei Kotala. Willst du wissen, welche?«

»Lass hören.«

»Die Tatsache, dass er sich am Ende gar nicht umgebracht hat. Wenn einer es fertigbringt, seine Familie zu töten, sollte man denken, dass ihm die Selbsttötung viel leichter fällt.«

»Vielleicht wollte er am Leben bleiben, um sich bestrafen zu lassen.«

»Ob ich das als Argument bei der Verteidigung benutzen kann?«

Mir fielen die *Elektrada*-Papiere ein, die ich von Oksanen bekommen hatte. Ich holte sie aus dem Flur. Eli war Geschäftsjurist und intimer Kenner der Branche.

»Vergiss es für einen Moment und sieh dir das hier an.«

Eli blätterte in dem auf Hochglanzpapier gedruckten Jahresbericht. »Planst du, dein Urlaubsgeld in Aktien anzulegen?«

»Weißt du etwas über diese Firma?«

»Bitte ein bisschen genauer. Was möchtest du hören?«

»Mein ehemaliger Chef Ikonen hat kurz vor seinem Tod dort angerufen und außer ihm noch eine zweite Person, die in den Fall verwickelt ist.«

»Die Firma gilt als rasanter Aufsteiger.«

»Ich glaube nicht, dass eine der beiden Personen Anlagepläne hatte. Gibt es in der Firma deiner Meinung nach irgendetwas Seltsames, nein, vielleicht ist es das falsche Wort, ich meine etwas vom Üblichen Abweichendes?«

»Nein ... Wenn man vom Konzerngründer und Vorstandsvorsitzenden Henrik Nyholm absieht. Er ist ein geheimnisvoller Mann, tritt nie in der Öffentlichkeit auf. Jemand behauptete, dass er eine Hautkrankheit hat, die ihn wie Michael Jacksons Großvater aussehen lässt. Der Sohn, der noch nicht mal dreißig ist, führt die Firma.«

Ich nahm Eli den Jahresbericht aus der Hand. Auf der ersten Seite stand ein Grußwort des Vorstandsvorsitzenden, sein Foto war nicht dabei. Auf der nächsten Seite posierte Geschäftsführer Petri Nyholm vor der neuen Fabrik des Konzerns. In seinem dunklen Anzug und mit dem ernsten Gesicht wirkte er älter, als er war. Das blonde Haar war kurz geschnitten, die Augen, die fest in die Kamera blickten, und die zusammengepressten Lippen hatten etwas, das mir bekannt vorkam.

»Gibt es sonst noch etwas?«, fragte ich zerstreut.

»Mir fällt nichts ein. Vielleicht hatte dein Exchef in der Firma Bekannte und es gibt überhaupt nichts Mysteriöses an der Geschichte.«

»Genau das behauptet auch die zweite Person.«

»Warum sollte es nicht stimmen? Die Firma hat fast fünfhundert Beschäftigte.«

Ich sah noch die anderen Papiere flüchtig durch, aber sie enthielten nur Zahlenangaben über die Firma und zwei Kopien von Zeitungsartikeln. Einer handelte von der Eröffnung der neuen Fabrik, der zweite davon, dass *Elektrada* über die Gründung einer Fabrik vor den Toren Tallinns verhandelte.

Ich warf die Papiere auf den Tisch und sah Eli an, der auf dem Sofa flegelte. »Ich an deiner Stelle würde Silja anrufen und mich mit ihr treffen.«

»Habe ich dich um deinen Rat gebeten? Ich bin einer der teuersten Juristen der Stadt. Ich erteile Ratschläge gegen hohe Honorare. Und es sind gute Ratschläge. Ich erbitte sie nicht.«

»Mein Rat kostet nichts.«

»Diese Geschichte ist nicht so einfach, wie du vielleicht denkst. Was hältst du davon, wenn ich uns zwei estnische Huren bestelle?«

»Lass es. Du bekommst einen zweiten kostenlosen Rat. Geh schlafen, ich tue es ebenfalls.«

Ich erwachte von einem Schrei, der sich wie das Jaulen eines gequälten Tieres anhörte. Es dauerte einen Moment, ehe ich begriff, woher die Stimme kam. Ich rannte ins Wohnzimmer und sah Eli auf dem Sofa sitzen. Er keuchte, die Augen vor Entsetzen weit aufgerissen, sein Oberkörper schwankte hin und her. Ich schüttelte ihn, aber er blickte durch mich hindurch, ohne etwas zu sehen.

»Wach auf, Eli, du hast schlecht geträumt.« Ich schüttelte ihn, bis er erwachte und seine Augen wieder die Umgebung erfassten. Ich saß neben ihm und hielt die Hand auf seiner Schulter. »Du hast schlecht geträumt«, wiederholte ich.

Eli wischte sich die Stirn und atmete tief. »Schrecklicher Traum … Ich habe geträumt, dass ich Silja und die Kinder getötet habe …«

Ich holte ein Glas kaltes Wasser und reichte es ihm.

»Silja hatte einen neuen Mann gefunden und das war Max … Als ich nach Hause kam, lachten mich alle aus, vor allem Max. Er wieherte wie ein Irrer. Ich hatte eine Pistole und erschoss alle. Trotzdem kam es mir so vor, als hätte ich sie vor etwas Schlimmem bewahrt … Als hätte ich gewissermaßen eine gute Tat getan …« Eli sah mich geistesabwesend an. »Morgen gehe ich wieder nach Hause.«

»Das ist jedenfalls ein guter Gedanke«, sagte ich.

»Wie spät ist es?«, wollte er wissen.

Ich sah auf die Wanduhr. »Viertel vor vier.«

Ich leistete Eli noch einen Augenblick Gesellschaft, ehe ich mich wieder in mein Bett legte.

Kurz vor dem Einschlafen hatte ich das deutliche Gefühl, dass ich kurz davor stand, etwas Wichtiges zu begreifen. Ich kritzelte in Blockbuchstaben in das Notizbuch, das auf meinem Nachtschrank lag: NEUE ERKENNTNIS, ELIS TRAUM, VERLUSTANGST, SCHUTZ, und am Schluss ein großes Fragezeichen.

Kapitel 21

Minister Matti Uolevis Matinojas totaler Bankrott war zumindest nicht erkennbar, wenn man sein Anwesen betrachtete. Das alte Hauptgebäude war hellgelb gestrichen und sah aus wie ein Gutshaus. Ringsum standen zahlreiche weitere Gebäude, in einem von ihnen erkannte auch der Stadtmensch einen Kuhstall, in einem zweiten die Wohnung des Verwalters und in einem dritten den Pferdestall. Alles war hübsch und adrett wie in Legoland.

Oksanen und ich waren gekommen, ohne uns vorab anzumelden. Das war nicht höflich, aber ich war nicht in höflicher Stimmung. Außerdem wusste ich genau, wie listig Matinoja war und wie er versuchen würde, uns mit seiner gespielten Demenz zu täuschen. Auf dem Hof stand ein metallisch glänzender Opel Omega, sodass zumindest jemand zu Hause war. An der Eingangstür befand sich eine Klingel, die ein harfenähnliches Klimpern verursachte. Es öffnete eine grauhaarige Frau, deren Alter schwer zu schätzen war, denn ihr Gesicht wirkte vergleichsweise jung.

Ich zeigte meinen Polizeiausweis. »Wir möchten Matti Uolevi Matinoja sprechen.«

Die Frau musterte uns abschätzend von Kopf bis Fuß. Ihr Blick verharrte für einen Moment auf Oksanens Baseballkappe.

Er nahm die Mütze gehorsam ab.

»Sie meinen Minister Matinoja«, sagte sie schnippisch. »Ich bin seine Frau. Könnten Sie mir sagen, warum Sie ihn sprechen möchten?«

»Es hat mit der Untersuchung eines schweren Verbrechens zu tun.«

»Wie in aller Welt sollte der Minister darüber Bescheid wissen?«

»Er war unmittelbar betroffen.«

»Sei es, wie es sei, sein Zustand ist denkbar schlecht.«

»Können wir hereinkommen?«

»Ist dafür nicht eine Genehmigung erforderlich?«

»Wir machen keine Hausdurchsuchung, wir möchten uns nur mit Ihrem Mann unterhalten.«

»Es dürfte wohl das Beste sein, wenn ich unseren Anwalt, Assessor Sorjonen, anrufe.«

»Vielleicht, falls Sie wirklich vermuten, dass Ihr Mann einen Anwalt braucht. Wir glauben nicht, dass er ihn braucht.«

Sie überlegte eine Weile. »Der Minister bekommt gerade physikalische Behandlung.«

Sie ließ uns widerstrebend ein, machte aber im Flur Halt.

»Ich sehe nach, ob er in der Verfassung ist, Sie zu empfangen. Könnten Sie mir genauer sagen, um welches Verbrechen es geht?«

»Sagen Sie ihm, dass die Sache mit Direktor Kaipio und den Ereignissen im Hotel *Marski* zu tun hat.«

»Kaipio ist tot«, bemerkte die Frau. »Und jene Ereignisse liegen schon mehr als zwanzig Jahre zurück. Wie kann eine so uralte Geschichte mit der Untersuchung eines Verbrechens zu tun haben, das verstehe ich nicht.«

»Wir versuchen, das zu klären, und wir glauben, dass uns Ihr Mann dabei helfen kann.«

Sie schnaubte hörbar und entfernte sich.

Wir warteten länger als fünf Minuten, dann kam sie wieder zurück.

»Die Physiotherapeutin wird gerade fertig, anschließend können Sie hineingehen. Aber ich glaube nicht, dass es eine Hilfe sein wird. Mein Mann ist müde und wahrscheinlich wissen Sie, dass die Demenz das Gedächtnis beeinflusst. Sie können im Wohnzimmer warten.«

Wir setzten uns auf die unbequemen antiken Bauernstühle und warteten weitere fünf Minuten. Das Ölbild des Hausherrn beherrschte den Raum, es war fast einen Meter breit und um einiges höher. Matinoja trug darauf den klassischen Jägeranzug mit Federhut, unter dem Arm hielt er die Flinte und zu seinen Füßen stand der Hund mit einer Wildente in der Schnauze. Im Hintergrund saßen Männer am Lagerfeuer.

Matinojas Frau kam herein und bemerkte, dass ich das Gemälde betrachtete.

»Präsident Kekkonen schenkte es meinem Mann im Jahre 1976. Es basiert auf einem Foto, das bei einem Jagdausflug des Präsidenten in der Sowjetunion aufgenommen wurde. Wenn Sie genau hinsehen, erkennen Sie, dass der Präsident selbst am Lagerfeuer sitzt, neben ihm der sowjetische Außenminister und der Kommandeur des Leningrader Militärbezirks, General Nikutjew.«

Die Frau erklärte die Geschichte des Gemäldes mit deutlichem Stolz auf ihren Gatten, den Herrn Minister.

Ich schärfte den Blick und erkannte am Lagerfeuer die vertraute Gestalt mit der Brille, sie blieb freilich im Schatten des bombastisch posierenden Matinoja. Es wirkte sogar so, als stünde vorn seine Exzellenz und dahinter hockten ein paar demütige Untergebene.

»Ein schönes Gemälde«, erklärte Oksanen.

Die Frau führte uns ins Arbeitszimmer des Hausherrn, zumindest standen dort ein Schreibtisch und vollgestopfte Bücherregale. An der Wand hingen weitere Bilder seines Erfolgsweges: Matinoja als junger Bursche auf dem Siegerpodest, wie er eine Medaille im Weitsprung entgegennimmt; Matinoja ein wenig älter beim Lachsangeln im Tenofluss; Matinoja noch älter, wie er neben einem erlegten Bären posiert. Die Jagdgesellschaft mit Pelzmützen und die im Hintergrund aufragenden Berge ließen vermuten, dass das Foto in irgendwelchen nördlichen Regionen der Sowjetunion aufgenommen worden war. Den passenden Kontrast zur rauen Jagdszenerie bot das nächste Foto, auf dem Matinoja mit dem Champagnerglas in der Hand auf dem alljährlichen Empfang im Präsidentenschloss posierte, das Revers voller verdienter und unverdienter Orden.

An der Wand hing außerdem ein großes Elchgeweih, daran baumelten eine Flinte und ein Jagdgewehr.

»Die Herren sind jetzt da«, sagte seine Frau.

Matinoja saß im Schaukelstuhl am Fenster und starrte auf den Hof. Das fast weiße Haar war oben auf dem Kopf dünn geworden und rötliche Kopfhaut schimmerte hindurch. Die graue Strickjacke hing auf den mageren Schultern, an den Füßen trug er altmodische Pantoffeln. Er stieß sich ab und der Stuhl schaukelte, schaukelte und schaukelte, bis ich ihn anhielt.

»Könnten wir uns ohne Außenstehende unterhalten?«, sagte ich zu der Frau.

Ihre Miene wurde noch missbilligender, doch zu meinem Erstaunen entfernte sie sich, nachdem sie uns noch mitgeteilt hatte, dass der Minister heute besonders müde sei.

»Sie wissen sicherlich, worüber wir mit Ihnen sprechen möchten«, sagte ich zu Matinoja.

Er beugte sich vor und spähte durchs Fenster auf den Hof. Dort schlich eine schwarz-weiße Katze herum.

»Das ist Pekkas Katze, sie heißt Misu«, sagte Matinoja. »Vater hat sie gestern aus der Stadt mitgebracht.«

»Wer ist Pekka?«, fragte ich und warf Oksanen einen Blick zu.

»Mein kleiner Bruder. Er ist zwei Jahre jünger als ich.«

Matinoja stieß sich wieder ab, stoppte aber den Stuhl sofort. Er blickte über die Schulter und fragte mich: »Wer bist du?«

»Ein Polizeionkel.«

»Hat Pekka etwas Böses angestellt?«

»Nicht Pekka, aber du.«

»Ich war immer brav.«

Ich musste unwillkürlich lachen. Auch Oksanen wieherte los.

»Guter Versuch, Herr Minister, aber wir haben mit Elina Sippola gesprochen und sie erzählte uns, dass Sie mit ihr telefoniert haben. Wir haben den Anruf überprüft. Sicherheitshalber haben wir gestern Frau Sippola gebeten, Sie anzurufen, erinnern Sie sich? Wir haben das Gespräch hier auf

Band, möchten Sie es hören? Sie brauchen uns nicht den Demenzkranken vorzuspielen, wir erzählen dem Gerichtsvollzieher oder Ihren Gläubigern nichts von Ihnen, wir untersuchen Morde.«

»Worum geht es?«, fragte Matinoja mit völlig veränderter Stimme und schwenkte den Schaukelstuhl zu uns herum. Anstelle der idiotischen Miene zeigte sich listige Wachsamkeit auf seinem Gesicht.

Ich erzählte ihm von den Morden an Ikonen und Erkkilä und ihrer Verknüpfung mit den Ereignissen im *Marski*.

»Wenn Sie mit Elina Sippola gesprochen haben, dann wissen Sie, worum es dort ging. Mehr kann ich Ihnen auch nicht helfen.«

»Wir möchten wissen, wer Sie und Kaipio erpresst hat.«

»Das glauben Sie mir sowieso nicht. Außerdem ist die Sache, was mich betrifft, abgehandelt.«

»Wir möchten es trotzdem wissen.«

»Der Erpresser war Ihr Amtsbruder, Oberkommissar Aimo Ikonen. Es ging über einen Zeitraum von fast zwanzig Jahren. Seinetwegen bin ich in dieser Klemme, völlig blank, Schulden und Pfändung, liegt alles schon hinter mir. Dieses Haus ist Teil meines Erbhofes, es befindet sich seit über hundert Jahren im Besitz unserer Familie und nächsten Monat wird es versteigert. Schlagen Sie keinen Geschlagenen. Ikonen ist tot und von dem anderen Mann weiß ich nichts. Lassen Sie einen alten und müden Mann in Frieden.«

»Von welchem anderen Mann reden Sie?«

»Von diesem Bekannten Ikonens, der verurteilt wurde.«

»Meinen Sie Isaksson oder Väistö?«

»Väistö, aber über ihn weiß ich nichts.«

»Hat er Sie auch erpresst?«

»Es ging los, als er aus dem Gefängnis kam. Er erschien sogar hier und forderte Geld oder er rief mitten in der Nacht aus irgendwelchen Kneipen an. Dann sagte meine Frau Ikonen Bescheid und danach haben wir nichts mehr von dem Mann gehört.«

»Aber Ikonen erpresste Sie weiter.«

»Ja, das tat er.«

»Wenn Ikonen Sie erpresst hat, hatten Sie einen guten Grund, ihn zu töten«, warf Oksanen dazwischen.

Matinoja lachte bitter. »Ich sollte ihn getötet haben? Damit?« Er streckte seine mageren Hände aus.

»Sie hätten jemanden dafür bezahlen können, dass er ihn tötete.«

»Mit welchem Geld? Wenn ich Geld hätte, würde ich meine Schulden bezahlen, damit ich mich draußen bewegen kann, ohne dass mir die Gläubiger im Nacken sitzen! Und ich würde mir dieses Haus kaufen. Ich bin vierundachtzig und lebe höchstens noch ein paar Jahre. Ich möchte hier sterben. Ist das zu viel verlangt?«

»Hat Ikonen auch Kaipio erpresst?«

»Allerdings, er erpresste uns beide. Sind Sie jetzt zufrieden?«

»Leider nicht«, sagte ich. »Wenn es nur darum ging, dass sich Kaipio während der Dienstzeit mit einer Frau traf, dann gab es da nicht viel zu erpressen. Wegen so was muss man sich nicht arm zahlen.«

Matinoja presste die Lippen zu einem schmalen Strich zusammen und runzelte die hohe, mit Leberflecken übersäte Stirn. »Ich war Außenminister und Kaipio Generaldirektor der Sozialversicherung. Es hätte einen Skandal gegeben, wenn der Vorfall als Schlagwaffe gegen die Partei und den Präsidenten benutzt worden wäre. In den Zeitungen der Sozis wären boshafte Fragen gestellt worden, etwa, ob Kaipios Freundin womöglich aus der Rentenkasse bezahlt worden ist oder welchen Grund wir hatten, am helllichten Tag im Salon des Hotels zu saufen und so weiter. Sie wissen ja, wie die Zeitungen es verstehen, aus einem kleinen Funken ein großes Feuer zu entfachen.«

Ich überdachte kurz die Antwort, dann entschied ich, dass ich immer noch nicht zufrieden war.

»Damit hätte man sie vielleicht erpressen können, als Kekkonen Staatspräsident, Karjalainen Ministerpräsident und

Sie und Kaipio in Ihren Ämtern waren. Was aber hatten Sie danach noch zu verlieren?«

Matinoja drehte sich zum Fenster um. Ich sah ein Funkeln in seinen Augen. Er war eindeutig nicht so erledigt, wie er glauben machen wollte. Er war ein alter Fuchs und ein zäher Knochen, auch wenn er ganz auf Mitleid setzte.

»Sie heißen Ariel Kafka, sind wohl Jude?«

Ich antwortete nicht.

»Ich habe einen jüdischen Anwalt.«

Ich spürte, wie es mir kalt durch den Magen fuhr.

Aber dann sagte Matinoja: »Er heißt Roni Hasan, kennen Sie ihn?«

Hasan war Mitglied der jüdischen Gemeinde von Helsinki und ein bekannter und teurer Anwalt. Natürlich kannte ich ihn, aber nicht sehr gut.

»Mehr oder weniger.«

»Er ist ein sehr guter Anwalt. Ihr Juden seid tüchtig.«

»Manche sind es, manche nicht. Sie werden mir vielleicht nicht glauben, aber ich kenne viele außerordentlich dumme Juden.«

Matinoja lachte, ebenso Oksanen.

»Sie haben recht, es ging nicht nur um Kaipios Frauengeschichte. Die allein war schlimm genug, wobei ich niemals verstanden habe, was er an der Kuhmagd fand. Vielleicht hatten sie ... Nun, lassen wir das. Es gab etwas anderes, noch Schlimmeres. Wenn ich schwöre, dass die Sache strafrechtlich nicht mehr relevant ist, sondern nur noch politisch, sind Sie dann damit einverstanden, dass ich nur das erzähle, was für das Verständnis notwendig ist?«

»Ich kann nichts versprechen, ehe Sie mir nicht mehr erzählt haben.«

Ich sah, wie Oksanen einen kleinen Rekorder umklammerte und die Hand hinter den Rücken führte.

Matinoja schwieg nachdenklich und strich sich mit seinen langen, mageren Fingern über das Gesicht. Sein Handrücken war behaart und fleckig.

»Im Salon befanden sich gewisse Papiere und die steckten in meinem Aktenkoffer. Als es zu der Auseinandersetzung mit dem Ehemann und dem Cousin Elina Sippolas, damaliger Name Marjamaa, kam, rannte ich raus, um die Polizei zu rufen, Kaipio flüchtete auf den Flur. In dieser Zeit stahl jemand den Aktenkoffer. Er wurde später im Innenhof gefunden, aber die Papiere waren weg. Ich hatte mich mit dem damaligen Chef des Geheimdienstes getroffen, bevor Kaipio und ich im Hotelsalon zu Mittag aßen. Im Aktenkoffer befand sich sensibles außenpolitisches Material, außerordentlich geheimes also. Und gerade diese Papiere verschwanden.«

Ich sah ein inneres Leuchten auf Oksanens Gesicht. Er hatte doch noch seine Spionagegeschichte bekommen.

»Den Eisernen Vorhang gibt es nicht mehr, den Kalten Krieg ebenfalls nicht und die Sowjetunion ist zerfallen. Welche Informationen könnten heute noch eine Bedeutung haben?«

Matinoja schüttelte den Kopf. »Mehr kann ich nicht verraten. Ich erzähle nur ein einziges Beispiel. Verstehen Sie, dass es Operationen gibt, die Jahrzehnte dauern? Ihr Samen wurde vielleicht vor zwanzig Jahren gelegt und allmählich ist daraus ein großer Baum gewachsen.«

»Wollen Sie behaupten, dass es sich um eine Art Spionageoperation handelte?«

»Sie sind auf keiner ganz falschen Spur.«

»In dem Falle haben Sie das Verschwinden der Papiere sicher weitergemeldet?«

»Natürlich, aber alle Uhren kann man nicht zurückdrehen. Wir mussten das Risiko eingehen.«

»Haben Sie auch gemeldet, dass Ikonen Sie mit den Papieren erpresste?«

»Letztendlich lag die Schuld bei mir. Ich beschloss, die Verantwortung zu tragen und selber zu zahlen, solange ich konnte. Ikonen zu verraten hätte nur das Risiko erhöht, dass die Operation bekannt geworden wäre.«

Dass Matinoja Verantwortung übernahm, passte nicht recht zu dem Bild, das ich mir von ihm gemacht hatte. In meinen Augen wirkte er eher wie jemand, der sich geschickt aus der Verantwortung stahl.

»Wie kamen die Papiere zu Ikonen?«

»Mir fällt keine andere Möglichkeit ein als die, dass Elina Sippolas Cousin sich den Aktenkoffer griff, weil er glaubte, dass darin die Brieftasche oder etwas anderes Wertvolles wäre. Als er nur Papiere fand, mit denen er nichts anfangen konnte, warf er den Koffer auf den Hof. Einer der Polizisten fand ihn und brachte ihn Ikonen, der den Inhalt prüfte und begriff, was er in Händen hielt.«

Ich dachte über Matinojas Erzählung nach. Falls sie stimmte, war Ikonens Sündenliste um Landesverrat gewachsen, denn als solchen durfte man die private Nutzung als geheim eingestufter Dokumente betrachten. Allerdings fiel es mir schwer, Ikonen den Mantel des Landesverräters umzuhängen.

»Laut Untersuchungsprotokoll riefen Sie noch aus dem Salon Jaakko Lemmetty, den Chef des Geheimdienstes, an«, erinnerte sich Oksanen. »Warum haben Sie da nicht gleich von dem Aktenkoffer erzählt?«

»Dass die Papiere verschwunden waren, stellte sich erst später heraus. Lemmetty kam aus derselben Partei wie ich und ich erzählte ihm, dass ich in eine unangenehme Situation geraten war, die möglicherweise gegen die Partei und den Präsidenten ausgenützt würde. Er versprach, den Präsidenten zu informieren, aber sonst konnte er in keiner Weise helfen, wie er sagte. Das war auch schon alles.«

»Sie waren es, der Ikonen herbeirief?«

»Ja, ich. Leider muss ich mir selbst die Schuld geben. Ich kannte ihn durch meine Frau, sie waren Freunde aus Kindertagen. Ikonen versprach zu helfen, und das tat er auch, ein effizienter Mann, das muss ich zugeben. Er entschied, was wir erzählen und was die Ermittler ins Protokoll schreiben sollten. Dort entstanden zwangsläufig kleine Widersprüche, weil eine Streife der Ordnungspolizei als Erste vor Ort gewesen war und sich Notizen gemacht hatte, die ins Protokoll eingefügt wurden. Vor Gericht äußerte dann auch jemand sein Erstaunen über die Widersprüche, aber wir erklärten, dass alles so hektisch gewesen war und wir uns falsch erinnert hatten. Kaipio bekam von einem Psychologen, den er kannte, sogar ein Gutachten darüber, dass das Einwirken plötzlicher Gewalt Gedächtnislücken verursachen kann. Danach stellte niemand mehr Fragen.«

»Laut Elina Sippola nahm ein Journalist zu ihr Kontakt auf und behauptete zu wissen, was im Salon tatsächlich geschah. Hat sich derselbe Journalist auch an Sie gewandt?«

»Ja. Ein selten frecher Mensch. Ließ uns nicht in Ruhe, bis ich seinen Verleger anrief. Er kam hierher und zwang auch meiner Frau ein Gespräch auf, befragte sogar unsere Nachbarn. Das war sehr schwer für meine Frau, zumal sie sich gerade von einer Brustkrebsoperation erholte. Wir hatten auch sonst genug Schwierigkeiten und glaubten eigentlich, jene alte Geschichte hinter uns zu haben.«

»Also ist nie ein Artikel veröffentlicht worden?«, vergewisserte sich Oksanen.

»Zum Glück nicht. Der Verleger begriff, dass es mehr um eine Hetzjagd als um Journalismus ging.«

»Sie haben zu Elina Sippola gesagt, dass sich Kaipio wegen der Erpressung umgebracht hat.«

»Nein, ich sagte ihr, dass ich glaube, dass sie eine der Ursachen war. Er war ohnehin ein schwer kranker Mann und die Erpressung brach ihm vielleicht endgültig das Rückgrat.«

»Ich möchte Genaueres über die Erpressung hören. Wie bezahlten Sie Ikonen und welche Summen waren es?«

»Bar, in unregelmäßigen Abständen. Manchmal ließ er uns lange Zeit in Ruhe, aber dann meldete er sich wieder. Ich zahlte insgesamt mehrere Millionen an ihn, Mark damals noch. Es war der Einstieg in meine finanziellen Schwierigkeiten.«

»Wusste Ihre Frau davon?«

»Nein, da passte ich genau auf und auch Ikonen hätte es nicht gewollt. Sie waren ja Freunde. Wenn man einen Freund wie Ikonen hat, braucht man keine Feinde.«

»Und wie viel zahlte Kaipio ihm?«

»Viel weniger, höchstens einige zehntausend, vielleicht insgesamt hunderttausend. Er war kein vermögender Mann und dann kam noch die Krankheit hinzu.«

»Wo waren Sie am letzten Wochenende?«

»Hier, die ganze Zeit. Glauben Sie, dass ich ausgehe, wenn überall Gläubiger und Gerichtsvollzieher lauern? Auch alle meine Kinder waren hier, weil meine Frau und ich unseren sechzigsten Hochzeitstag feierten. Eigentlich haben wir am Johannistag geheiratet, aber wir wollten feiern, solange wir das Haus noch zur Verfügung haben. Wer weiß, was im Sommer kommt, dann ist vielleicht schon der ganze Hof unter dem Hammer.«

»Haben Sie eine Ahnung, wer Ikonen und die Frau, die bei ihm war, getötet haben könnte?«

»Falls Ikonen noch andere Leute so behandelt hat, wie er Kaipio und mich behandelte, gibt es an Tätern keinen Mangel. Mehr kann ich dazu nicht sagen. Ich kenne weder seine Freunde noch seine Feinde.«

Matinoja begleitete uns zur Tür, indem er mit steifen Knien hinter uns herschlurfte wie ein Schlossgespenst. Seine Frau ihrerseits folgte schützend in seinem Kielwasser, gleichsam bereit, ihn aufzufangen, falls er fiele. Matinoja musste auch gute Eigenschaften haben, da seine Frau sich immer noch so eifrig um ihn kümmerte.

Plötzlich begriff ich, was mich am Verhältnis der beiden irritiert hatte. Es war nicht das Verhältnis zwischen Mann und Frau, sondern das zwischen Mutter und Sohn. Und eine Mutter will ja nie schlecht über ihren Sohn denken. Die Schuld hat nie ›unser Matti‹, sondern die haben die bösen Nachbarsjungen und die breitärschigen Huren.

Als ich ins Auto stieg, drehte ich mich noch mal zum Haus um und sah Matinoja am Fenster stehen und uns nachblicken. Vertrauter des Präsidenten, Außenminister, Chef eines großen Staatskonzerns, ehemals mächtig und einflussreich, und jetzt wirkte er trotz seiner Vergangenheit so schwach, dass man meinte, ein Windhauch könnte ihn umpusten. Plötzlich fielen mir Salos Worte ein, dass Matinoja ein echter Fuchs gewesen war. Und wenn er das nun immer noch war, zwar räudig und krank, aber trotzdem ein Fuchs?

»Was habe ich gesagt? Der alte Instinkt trügt nicht, das Ganze kommt meiner Spionagetheorie ziemlich nahe«, freute sich Oksanen, sowie wir losgefahren waren.

Ich gab zu, dass seine Theorie überraschend viel Übereinstimmung mit Matinojas Bericht aufwies. Er zückte den Minirekorder, spulte zurück und schaltete ihn ein:

Bar, in unregelmäßigen Abständen. Manchmal ließ er uns …

»Gut zu verstehen, ich habe das ganze Gespräch drauf. Mannomann, ich hatte die ganze Zeit Angst, dass das Band zu Ende ist und anfängt zu piepen.«

»Trotzdem schwer vorstellbar, dass Ikonen andere mit Geheimdokumenten erpresste, deren Entdeckung das Interesse des Landes gefährdet hätte.«

»Gelegenheit macht Diebe. Er sah seine Chance gekommen und griff danach.«

»Es passieren die seltsamsten Dinge«, gab ich zu. »Auch sonst hat es Spaß gemacht, aber in der eigentlichen Morduntersuchung sind wir kein Stück vorangekommen.«

»Zumindest haben wir ein gutes Motiv gefunden. Vielleicht hat Ikonen tatsächlich noch weitere Personen erpresst und jemand hatte die Schnauze voll. Knick, knack, kurzer Prozess.«

Wir fuhren einige Zeit schweigend, jeder war in seine Gedanken vertieft.

»Ein Spionagering«, sagte Oksanen plötzlich.

»Was?«

»Ich bin sicher, dass es sich um einen Spionagering handelte. Matinoja sagte ja, dass damals der Samen gelegt wurde, das heißt, der Ring wurde gegründet und die Spione wurden eingeschleust. Jetzt, mehr als zwanzig Jahre später, ist der

Samen ›zu einem großen Baum‹ gewachsen. Also existiert der Ring immer noch und die Spione sitzen in wichtigen Positionen.«

»Finnische Spione?«

»Ja, oder russische. Vielleicht wurde der hier bei uns aufgebaute Ring gleich zu Beginn entdeckt und man beschloss, ihn zu beobachten und bei Bedarf zu nutzen. Spione hat es immer gegeben und wird es immer geben, deshalb ist es am besten, wenn hier Spione agieren, die von vornherein bekannt sind. Ein hochrangiger russischer Überläufer hat möglicherweise sein Wissen an unsere Leute verkauft.« Oksanen pfiff und schlug sich an die Stirn. »Der russische Spion Reino Gikman wohnte damals in Helsinki! Seine ganze Legende stammte aus dem Register der karelischen Umsiedler in Mikkeli. Er hatte sein spurloses Verschwinden inszeniert. Vielleicht hat unser Geheimdienst ihn aufgespürt und er hat den ganzen Spionagering verraten. Dafür bekam er eine neue Identität und einen großen Haufen Geld. Der CIA nimmt gern Leute dieses Kalibers auf. Heute lebt er vielleicht in Florida und betreibt eine kleine Bar für Rentner.«

Oksanen trug diese Geschichte in der für ihn typischen überzeugenden Art vor, und obwohl ich nicht alles schluckte, war ich doch so beeindruckt, dass ich den Rest der Fahrt darüber nachgrübelte, wie ich dem Geheimdienstler Sillanpää die Geschichte beibringen könnte.

Sillanpää musterte mich mit einem lauernd-amüsierten Blick, typisches Verhalten für jemanden, dessen Arbeit es ist, Geheimnisse zu bewachen, und der glaubt, über die Dinge mehr zu wissen als andere. Wahrscheinlich traf Letzteres sogar zu.

»Wie kann sich so ein dementer Kerl dermaßen verrückte Geschichten ausdenken?«, wunderte er sich.

»Matinojas Demenz existiert nur fürs Gericht und für die Gläubiger.«

»Dann hat er irgendeine andere psychische Krankheit. Ich sage offen, dass der Mann absoluten Mist redet. Wenn im

Hotel *Marski* irgendwelche für uns lebenswichtigen und geheimen Papiere verschwunden wären, wüsste ich wohl davon und auch das ganze Volk wüsste es. Das hätte schon längst die Presse groß ausgeschlachtet. Auch Kekkonens Frauengeschichten sind inzwischen allen bekannt und jeder auch nur halbwegs wichtige Politiker hat die eigenen Heldentaten aus Gefahrenzeiten zu Papier gebracht.«

Sillanpää hob die Stimme und ich blickte mich um. Wir saßen im Café *Viiskulma.* Der Gast, der uns am nächsten saß, schien unser Gespräch nicht zu beachten.

»Warum hätte er sich diese Geschichte ausdenken sollen? Sie ließ ihn ja selbst in schlechtem Licht erscheinen: ein Außenminister, der geheime Papiere verliert.«

»Erinnerst du dich, was ich letztens sagte? Die Sache ist im Allgemeinen genau so simpel, wie sie scheint. Ein Mann wie Matinoja hat sich seine eigene Realität geschaffen und lebt in seiner eigenen Welt. Wenn seine und die andere Welt aufeinanderprallen, verliert die andere Welt fünf zu null. Er erzählt alles Mögliche, Hauptsache es beschönigt sein Bild und seine Rolle. Wenn also das Motiv klein und nichtig ist, bläst er es zu einer großen Spionagegeschichte auf. Und er hält sich nicht für schuldig am Verschwinden der Geheimpapiere, weil es gar keine Geheimpapiere gegeben hat. Er hat nur eine Story erzählt, die ihm vorübergehend aus der Klemme half. Wenn du jetzt erneut hingehen und sagen würdest, dass du weißt, dass er lügt, würde er dir eine noch unglaublichere Geschichte erzählen. Für jemanden wie Matinoja ist die Wahrheit wie ein störendes Sandkorn in einer Muschel, um das herum eine Perle entwickelt wird, damit es nicht scheuert. Danach wird die Perle an den Meistbietenden verkauft.«

»Du glaubst also, dass Kaipio sich mit einer Frau traf, dass es eine Schlägerei gab, die verheimlicht wurde, und dass sonst nichts weiter passierte?«

»Hundertprozentig. Für einen großen Mann ist es das Schlimmste, bei einer kleinen und unbedeutenden Sache erwischt zu werden und sich lächerlich zu machen.«

Auf der Fahrt zur Dienststelle kaute ich an Sillanpääs Vortrag über die Gesetzmäßigkeiten des menschlichen Wesens. Selbst wenn er nicht recht haben sollte, glaubte ich ihm mehr als Matinoja, was auch nicht unbedingt viel war.

Kapitel 22

»Wir haben wohl endlich Tupu gefunden«, rief Stenman, als ich an ihrem Büro vorbeikam. Sie telefonierte gerade und winkte mich zu sich herein.

Ich setzte mich ihr gegenüber und wartete, bis sie mit ihrem Telefonat fertig war.

»Danke, ich hätte dann noch gern Ihre Handynummer«, sagte sie und kritzelte etwas auf ein Blatt Papier. »Auf Wiederhören. – Ja, ich sage Bescheid.«

Stenman drehte sich zu mir um.

»Ich habe gerade mit der ehemaligen Leiterin des Jugendheimes von Ruusula gesprochen, die heute Inspektorin im Sozialamt der Stadt Helsinki ist. Sie konnte sich sehr gut an Maija Erkkilä und deren Zimmerkameradin Tuulikki Ruohonen, genannt Tupu, erinnern. In diesem Heim waren nur knapp zwanzig Mädchen und sie erinnerte sich an beide. Das Heim in der Ruusulankatu gehörte der Stadt und deshalb wies das Sozialamt dort nur Mädchen aus Helsinkier Problemfamilien ein.«

»Das macht neugierig auf die Fortsetzung.«

»Wir hatten tatsächlich mal das Glück auf unserer Seite. Die ehemalige Leiterin traf die Ruohonen zufällig vor zwei Jahren in einem Autoverleih in Ost-Helsinki, wo Ruohonen beschäftigt ist. Die Leiterin hatte einen Unfall gebaut und bekam auf Kosten der Versicherung für die Dauer der Reparatur einen Leihwagen. Sie erkannte die Ruohonen sofort und die beiden unterhielten sich eine Weile.«

»Hast du gefragt, ob sie auch von der Erkkilä gesprochen haben?«

»Ja, haben sie. Die Leiterin hat sich erkundigt, ob die Ruohonen etwas von ihrer ehemaligen Zimmerkameradin weiß. Die erzählte daraufhin, dass sie zwanzig Jahre im Ausland gelebt und deshalb keinen Kontakt gehalten hat.«

»Vergewissere dich, ob die Ruohonen gerade Schicht hat. Falls ja, dann statten wir ihr einen Besuch ab.«

»Jetzt gleich?«

»Falls es dir passt. Mika trifft sich gerade mit einer seiner Quellen und Oksanen ist anderweitig verschwunden.«

»Dann muss es mir ja passen.«

Der Autoverleih war schwer zu finden, denn er befand sich im Gewirr eines Industriegeländes, ein ziemlich ungewöhnlicher Standort für Unternehmen dieser Branche. Auf dem Hof standen zwei nagelneue, glänzende Wagen. Am Tresen tat nur eine einzige Frau Dienst, sodass sie Tuulikki Ruohonen sein musste. Im Raum hinter einer Wand saß ein hemdsärmeliger Mann und sprach ins Telefon. Stenman machte uns bekannt.

»Ist es Ihnen recht, wenn wir uns hier unterhalten? Ich muss die Kundenanrufe entgegennehmen«, sagte die Ruohonen.

»Ja, natürlich. Wir können auch sofort unterbrechen, wenn Kunden kommen.«

»Geht es um John?«

»Um wen?«, fragte Stenman erstaunt.

»Um John, meinen Sohn.«

»Nein, um Maija Erkkilä. Sie kennen sie von früher?«

Die Ruohonen schien erleichtert.

»Wissen Sie, warum wir nach ihr fragen?«

»Nein, wirklich nicht. Warum?«

»Darüber haben sogar die Zeitungen geschrieben«, sagte Stenman.

»Ich lese die Abendzeitungen nicht. Ist ihr etwas passiert?«

Ich erzählte ihr, dass die Erkkilä ermordet worden war und dass wir den Mord untersuchten.

»Bedauerlich, aber warum glauben Sie, dass ich Ihnen helfen kann?«

»Sie wirken nicht sehr überrascht«, bemerkte ich.

»Bei Maijas Lebenswandel wäre ich nur überrascht gewesen, wenn ich gehört hätte, dass sie an Altersschwäche gestorben ist.«

»Sie sind trotzdem eine alte Freundin der Erkkilä.«

»Alte Freunde sind nicht für ewig gute Freunde. Dass wir uns kennenlernten, war eigentlich durch die Umstände bedingt, wir landeten im Mädchenheim von Ruusula im selben Zimmer. Wer hat übrigens von mir erzählt, Maijas Mann?«

»Nein.«

»Nun, ist ja auch egal. Wir begegneten uns also in Ruusula, ich war damals sechzehn und Maija siebzehn. Wir hatten beide fast denselben Hintergrund und identische Anpassungsprobleme, wir fanden wohl aneinander eine Art Halt. Ich war neunzehn, als ich dort auszog. Danach lebte ich mehr als zwanzig Jahre im Ausland. Während der ganzen Zeit hatte ich nur ein einziges Mal mit ihr Kontakt, als ich sie nämlich im Gefängnis besuchte.«

»Wann haben Sie sie zuletzt gesehen?«

»Das ist mehr als einen Monat her. Wir bekamen Streit wegen ihrer Arbeit und ich mochte sie auch sonst nicht mehr treffen.«

»Meinen Sie die Hellseherei?«

»Ja, falls man das so nennen darf. Wie ich fand, war es eher eine Täuschung leichtgläubiger Menschen. Als ich das erste Mal davon hörte, musste ich einfach lachen. Maija war zu Tode beleidigt. Sie bildete sich tatsächlich ein, hellsehen und Menschen heilen zu können.«

»Gab es einen besonderen Grund, warum Sie Maija vor einem Monat getroffen haben?«

»Sie rief an und bat mich zu kommen. Sie wirkte verängstigt und flehte inständig, deshalb ging ich hin, obwohl ich es eigentlich nicht wollte. Ich hatte ihr bereits bei einem früheren Treffen geradeheraus gesagt, dass wir uns besser nicht mehr sehen sollten.«

»Und wie lautete ihr Anliegen?«

»Das war sogar für jemanden wie Maija eine ziemlich seltsame Geschichte. Sie sagte, dass eine bestimmte Person sie bedroht hätte und dass sie absichern wollte, dass nichts Ernsthaftes passierte. Auf ihren Wunsch hin sollte ich jene

Person anonym anrufen, sollte sagen, dass ich weiß, wer sie ist, und dann sollte ich fragen, was sie vorhatte, und ihr damit drohen, dass ich die Polizei benachrichtigen würde, falls Maija etwas geschieht. Ich erklärte, dass ich in solche Geschichten nicht hineingezogen werden wollte, und weigerte mich. Und ich fragte Maija, warum sie sich wegen der Drohung nicht direkt an die Polizei wandte.«

»Was antwortete sie?«

»Sie sagte, dass die Drohung von jemandem aus ihrem Bekanntenkreis käme und dass sie deshalb keine Polizisten behelligen könnte.«

»Hat sie denn nichts Genaueres über jene Person erzählt, nicht mal, ob es ein Mann oder eine Frau war?«

»Nein. Ich wollte wissen, um wen es sich handelte, aber sie war nicht bereit, es mir zu sagen, da ich nicht bereit war anzurufen. Ich beließ es dabei.«

Ein Kunde kam herein, um ein gemietetes Auto zurückzugeben. Das Ganze dauerte fünf Minuten. Als er gegangen war, setzten wir die Unterhaltung fort.

»Wir sprachen von der Person, die Maija Erkkilä bedroht hat. Die Erkkilä war wohl eine ziemlich hartgesottene Frau, die sich nicht so leicht fürchtete?«

»Das stimmt. Sogar einige ihrer männlichen Freunde hatten Angst vor ihr. Maija war gewalttätig und jähzornig. Wie sie selbst erzählte, hatte sie ihrem letzten Mann mal so heftig mit einer Flasche auf den Kopf gedroschen, dass die Flasche kaputtging. Der Mann blieb angeblich völlig ungerührt. Ein anderes Mal hat sie ihm drei Zähne aus dem Oberkiefer geschlagen. Deshalb nahm ich an, dass jene Person jemand war, den sie als gefährlich einstufte, vielleicht jemand von ihren Verbrecherfreunden.«

»Kannten Sie Erkkiläs andere Freunde oder Bekannte oder sind Sie ihnen jemals begegnet?«

»Flüchtig. Ich habe Maija nie aufgesucht, wenn dort andere waren. Den Exmann, diesen letzten also, habe ich ein paarmal gesehen, aber er verschwand immer sofort, wenn ich kam.«

»Die Erkkilä war drei Mal verheiratet, sind Sie den früheren Ehemännern begegnet?«

»Nein ... Oder doch, ihr erster Mann war mal in der Ruusulankatu, also bevor sie geheiratet haben. Maija war damals erst achtzehn. Wir verließen eines Tages zusammen das Haus und er erwartete sie auf der Straße. Ich übernachtete zufällig an diesem Tag bei Verwandten und Maija erzählte später, dass der Mann die Nacht bei ihr verbracht hatte, obwohl das streng verboten war. Die Zimmer lagen in der ersten Etage und man konnte durchs Fenster einsteigen.«

»Hieß der Mann Petteri Väistö?«

»Kann sein, den Nachnamen kenne ich nicht, aber soweit ich mich erinnere, sprach Maija von ihrem herrlichen Petteri. Die beiden hatten sich im Restaurant von Linnanmäki kennengelernt.«

»Sind Sie verheiratet?«, fragte Stenmann dazwischen.

»Ich bin geschieden. Als ich gut zwanzig Jahre alt war, heiratete ich als kleines Dummchen, das ich damals war, einen Griechen, und ein paar Jahre später, als unser erstes Kind geboren wurde, zogen wir nach Griechenland ins Heimatdorf meines Mannes. Dann kam die Scheidung, und ich zog mit den Kindern wieder nach Finnland. Das ist jetzt sechs Jahre her.«

»Und die Kinder?«

»Meine Tochter studiert in Tampere und kommt prima zurecht, mein Sohn wohnte ein Jahr lang in seiner eigenen Wohnung, zog aber wieder zu Hause ein, nachdem er sich von seiner Freundin getrennt hatte.«

»Als wir vorhin kamen, glaubten Sie, dass wir wegen Ihres Sohnes hier wären. Warum?«

Ihrer Miene war anzusehen, dass sie viel lieber über Erkkiläs Ermordung als über ihren Sohn sprach. Sie wurde nervös.

»Er hat Anpassungsschwierigkeiten in Finnland ... Und er vermisst natürlich seinen Vater. Er hat keine anständigen Freunde.«

»Hatte er mit der Polizei zu tun?«

»Einige Male.«

»Weshalb?«

»Nichts wirklich Ernstes ... Er und zwei Kumpel hatten ein Auto geklaut und es in den Graben gefahren. Die anderen konnten flüchten, John wurde gefasst.«

»Und sonst?«, bohrte Stenman.

»Zwei Schlägereien, Körperverletzung. Man hat ihn Dreckskerl genannt und er hat zugeschlagen. Ich habe mich gefragt, ob es besser wäre, wenn er einige Zeit bei seinem Vater in Griechenland leben würde, aber ich kann ihn nicht zwingen, er ist schon volljährig.«

»Wo wohnen Sie?«

»In Kannelmäki.«

Ich versuchte rasch auszurechnen, wie weit es von dort nach Puistola war, und kam auf zehn Kilometer.

»Wo waren Sie am vergangenen Wochenende?«

»Auf einer Schiffsfahrt nach Schweden. Die Firma hatte die Fahrt für ihre Angestellten organisiert, wir sind am Freitag losgefahren und am Sonntag zurückgekommen. Sie können jeden fragen. Ich habe auch ein Foto, es wurde gemacht, als wir an Bord gingen.«

»Ich glaube Ihnen. Sagt Ihnen der Name Keijo Lappalainen etwas?«

»Nein, dabei habe ich ein gutes Namensgedächtnis.«

»Aimo Ikonen?«

»Absolut nicht.«

»Und Tuula Uotila?«, ergänzte Stenman.

»Tuula Uotila?«, sie überlegte laut. »Als ich zum ersten Mal aus Griechenland nach Finnland kam, besuchte ich Maija im Gefängnis von Hämeenlinna. Dort gab es ein Mädchen namens Tuula, ich glaube, Maija machte uns sogar miteinander bekannt. Ein schönes Mädchen, sie hätte glatt Mannequin sein können.«

»Genau um die handelt es sich.«

»Danach bin ich ihr nicht mehr begegnet, dessen bin ich mir sicher.«

»Sie erzählten, dass die Erkkilä eine hartgesottene Frau war. Glauben Sie, dass sie das Zeug zur Erpresserin gehabt hätte?«

»Ganz bestimmt, und ...« Sie unterbrach sich, aber dann fiel ihr ein, dass von der Erkkilä keine Gefahr mehr ausging. »Ich weiß, dass sie tatsächlich jemanden erpresste.«

»Wen?«

»Einen Polizisten. Ich kenne seinen Namen nicht, aber Maija erzählte, dass sie eine Beziehung gehabt hatten und dass sie schwanger geworden war. Sie hatte zwar abgetrieben, dem Mann aber eingeredet, dass sie ein Kind geboren hat. Sie hat gedroht, seine Frau und seine Vorgesetzten zu informieren, falls er keinen Unterhalt zahlt.«

»Wie konnte das klappen, wenn gar kein Kind da war?«, wunderte sich Stenman.

»Maija war eigentlich ziemlich schlau. Eine ihrer Freundinnen bekam ein Kind genau zu der Zeit, in der Maija hätte gebären sollen, und so präsentierte sie deren Kind als ihr eigenes. Wie sie selbst erzählte, kam der Mann mal zu Besuch, um das Kind zu sehen, es war damals etwa drei Jahre alt, und er merkte absolut nichts. Er fand angeblich sogar, dass es ganz nach ihm kommt. Maija hat sich über das Ganze bloß amüsiert.«

»Wusste die richtige Mutter des Kindes Bescheid? »

»Natürlich, sie spielte ja mit, Maija gab ihr einen Teil des Geldes ab. Kaum zu glauben, aber wie Maija erzählte, haben sie den Mann länger als fünfzehn Jahre ausgenommen. Dann wollte er das Kind sehen und sie hörten auf, weil die richtige Mutter wohl nicht mehr mitmachen wollte. Maija erklärte daraufhin kurz und knapp, dass sie das Kind zur Adoption weggegeben und ihm mit dem Geld des Mannes ein Konto eingerichtet hat.«

»Hat sie erzählt, wer die Frau war, deren Kind sie bei dem Schwindel benutzte?«

»Nein.«

»Und hat sie etwas von dem Kind erzählt?«

»Auch von ihm nicht. Außer dass es ein Junge war. Und ein Mal rutschte ihr aus Versehen der Name heraus, es war Petri.«

»Derselbe Junge, der auf dem verbrannten Foto war und den wir für Petri Isaksson hielten«, sagte Stenman, sowie wir draußen auf dem Hof waren. »Ikonen hatte den Vornamen des Jungen herausgefunden, irrte sich aber beim Nachnamen.«

Mein Gehirn lief auf Hochtouren. Ich spürte wieder, dass ich etwas außerordentlich Wichtiges in Reichweite hatte, aber nicht richtig danach greifen konnte.

»Wir hätten uns mehr auf den Jungen konzentrieren müssen. Wir haben ihn vergessen, nachdem sich herausgestellt hatte, dass er nicht Erkkiläs Kind war«, ärgerte ich mich. »Jemand hat sein Foto verbrannt. Wir müssen klären, warum.«

»Gehen wir doch noch mal die Alternativen durch«, sagte Stenman, ehe sie den Motor startete.

Ich rekapitulierte, wie weit wir gekommen waren. »Zunächst hielten wir es für eindeutig klar, dass dieselbe Person, die Erkkilä und Ikonen tötete, auch die Fotos und Negative verbrannte. Dann kamen wir zu dem Schluss, dass Ikonen sie verbrannte, da er fürchtete, dass seine einstige Beziehung mit Erkkilä publik würde. Lass uns überlegen, wie sich die Situation jetzt ändert, nachdem wir wissen, dass Ikonen getäuscht wurde.«

»Fakt ist, dass Ikonen nach dem Kind zu suchen begann. Und wenn er nun herausfand, dass er betrogen wurde und ganz umsonst zigtausend Mark bezahlte? Wäre da jemand, der Ikonens Rache so sehr fürchtete, dass er beschloss, zuerst zuzuschlagen?«

»Es gab nur zwei, die Ikonen betrogen, nämlich die Erkkilä und die richtige Mutter des Kindes. Wer sonst hätte etwas zu befürchten gehabt? Und warum musste auch Maija Erkkilä getötet werden?«

»Die Erkkilä hatte ja von Drohungen erzählt und sie suchte jemanden, der sie schützte. Wenn es nun Ikonen war, der sie bedrohte? Nikutin erwähnte, dass sie von einem verrückten Polizisten sprach, als er sie anrief und ihr mitteilte, dass er Lappalainens Leiche gefunden hatte.«

»Schwer vorstellbar, dass Ikonen jemandem gedroht hätte, selbst als er von dem Betrug erfahren hatte.«

Wir verstummten für eine Weile, jeder grübelte vor sich hin.

Dann sagte ich: »Starten wir eine neue Runde: Die Erkkilä hat also nicht die Fotos verbrannt, weil sie keinen Grund dazu hatte. Hätte sie irgendeinen Grund gehabt, hätte sie die Fotos schon früher verbrannt, denn die nützten ihr nichts mehr, nachdem sie aufgehört hatte, Ikonen zu erpressen. Noch schwerer ist es, einen Grund dafür zu finden, warum Ikonen die Fotos verbrannt haben sollte. Er suchte seinen Sohn, seine Frau war tot und er selbst war bereits im Ruhestand. Er hatte nichts zu befürchten. Bleibt nur die Alternative, dass dieselbe Person, die Ikonen und Erkkilä tötete, auch die Fotos verbrannte. Der Täter kommt am Freitag in die Wohnung ohne Tötungsabsichten, tötet dann aber zwei Personen mit dem Messer, das er zwischen Nikutins Werkzeug findet. Anschließend verbrennt er die Fotos. Er muss also seine Opfer gekannt, von den Fotos gewusst und auch gewusst haben, wo er sie findet. Und die Sache ist damit nicht beendet. Am Sonnabend fährt er nach Espoo und versucht, Maija Erkkiläs frühere Knastkumpanin umzubringen. Wir wissen außerdem, dass der Täter ein Mann um die sechzig ist, der am rechten Handgelenk ein Spielkartentattoo hat, aber wissen wir das sicher?«

»Was meinst du?«, fragte Stenman verwundert.

»Wir wissen lediglich, dass in beiden Fällen dasselbe *Mora*-Messer verwendet wurde, aber bedeutet das auch zwangsläufig, dass der Benutzer des Messers derselbe war?«

»Du vermutest, dass nach dem Mord an Erkkilä und Ikonen jemand anderer in Erkkiläs Wohnung war, das Messer an sich nahm und es dann in Espoo benutzte?«

»Durchaus möglich. Laut der Beschreibung, die Tuula Uotila lieferte, war es Petteri Väistö, der sie angriff. Und wenn die Uotila nun gelogen hat und uns glauben machen wollte, dass Väistö der Angreifer war, weil sie den wirklichen Angreifer nicht zu verraten wagte oder es nicht wollte? Allerdings würde Väistö auch gut als Ikonens und Erkkiläs Mörder passen. Der einzige Widerspruch ist, dass Väistö laut Salos Worten tot ist. Auch Erkki Laurila war sich sicher, dass Väistö umgebracht worden ist. Von der ganzen Truppe ist nur Isaksson übrig, zu dem wir nicht den kleinsten Hinweis haben.«

Stenman trat auf die Bremse, dass die Reifen quietschten. »Es ist Isaksson. Er hat sich ein Spielkartentattoo auf die Hand gemalt. Er hat die Uotila überfallen, nur um den Verdacht auf Väistö zu lenken. Dasselbe Muster wie bei dem von Ikonen und Lappalainen geplanten Bankraub.«

»Wir haben die Brandstiftung in Ikonens Haus vergessen«, warf ich ein.

»Bring nicht meine schönen Konstellationen durcheinander«, tadelte mich Stenman halb im Ernst, wie aus ihrer Miene zu schließen war.

Kapitel 23

»Weißt du was?«, sagte mein Onkel Dennis und sah sich interessiert um. »Du bist eigentlich zu deinen Wurzeln zurückgekehrt. Als dein Großvater einst von Vyborg nach Helsinki kam, wohnte er zuerst hier in Punavuori. Dein Vater und ich sind hier geboren ... Bieg an der nächsten Kreuzung rechts ab.«

Ich gehorchte und bog aus der Albertinkatu in die Merimiehenkatu ein.

»Ich weiß nicht, wie viel dein Vater von den Großeltern erzählt hat, aber vermutlich ziemlich wenig. Er war kein sehr redseliger Mensch, leider. Dass diese Dinge deine Mutter nicht interessierten, konnte man ja halbwegs verstehen.«

Ich gab zu, dass der Onkel recht hatte. Mein Vater hatte nur bruchstückhaft von der Geschichte seiner Familie erzählt, sodass mein Gesamtbild unvollständig war. Meine Mutter wiederum hatte nie von den ›traurigen und alten Dingen‹ reden wollen. Einiges hatte ich auch von Verwandten und Bekannten gehört. Juden gab es in Helsinki so wenige, dass die Geschichte einer jeden Familie auf die eine oder andere Weise auch ein Teil der kafkaschen Geschichte war.

»Ich werde versuchen, die Lücken in deinem Wissen zu füllen, das ist meine Pflicht als Ältester der Familie. Wenn es dir recht ist?«

»Natürlich ist es mir recht.«

»Gut. Dein Großvater und deine Großmutter kamen im Jahre 1921 nach Helsinki. Sie fanden eine Wohnung ... Halt an!«

Ich trat auf die Bremse und hielt am Rand des Gehsteigs.

»Dort, wo jenes hässliche Haus steht, befanden sich früher mehrere Holzhäuser. Sie wurden Anfang der Sechzigerjahre abgerissen. Deine Großeltern wohnten anfangs dort und dein Vater und ich kamen dort zur Welt, ebenso unsere kleine Schwester Lea, aber sie starb mit zwei Jahren an irgendeiner Epidemie ... Damals geschah das noch häufig. Fast aus jeder Familie starb mindestens ein Kind, jedenfalls hier in Punavuori.«

Der Blick des Onkels schweifte über das Gebiet zwischen Werft und Hietalahti.

»Die Toiletten befanden sich hinten im Hof und es gab auch sonst keinen Komfort, trotzdem kam man zurecht. Kinder gab es scharenweise und im Allgemeinen spielten wir in jenem Park.«

Der Onkel stieg überraschend behände aus dem Auto. Ich folgte ihm. Er blieb am Rande des Parks stehen und blickte eine Weile in die Ferne, in eine Zeit, die schon vor sechzig Jahren in die Ewigkeit eingegangen war.

Ich hatte ihn ins Krankenhaus von Eira begleitet, wo ein Professor, den er kannte, die halbjährlich fällige Gesundheitsuntersuchung vorgenommen hatte. Der Onkel war wohl in nostalgischer Stimmung, da er nicht gleich wieder in seine Wohnung nach Töölö gewollt, sondern mich gebeten hatte, den Umweg über Punavuori zu machen.

Er schüttelte verwundert den Kopf. »Schwer zu glauben, dass es mehr als sechzig Jahre her ist. Wo sind all die verbrauchten Jahre, Monate, Wochen und Stunden geblieben? Ich würde gern einige zurückkaufen, um ein paar Details zu überprüfen. Ich wäre bereit, jeden erdenklichen Preis für einen Aprilabend des Jahres 1951 zu zahlen. An jenem Abend hatte ich die erste Verabredung mit deiner Tante Ester und danach wusste ich, dass ich sie heiraten und mit ihr leben würde, bis der Tod uns scheidet. Ich war allerdings stets sicher, dass ich zuerst sterben würde.«

»Wo wart ihr verabredet?«, wollte ich wissen.

»Wir trafen uns am Runeberg-Denkmal und gingen ins *Kappeli* auf einen Kakao. Anschließend spazierten wir durch Kaivopuisto. Dann begleitete ich sie nach Hause. Sie wohnte damals in Katajanokka.«

»Und damit begann es.«

»Ja, damit begann es in der Tat. Unsere Familie zog 1938, also kurz vor dem Winterkrieg, aus der Merimiehenkatu in die Sepänkatu. Das Haus dort war fast neu und bot allen Komfort, Innentoilette, warmes Wasser, Gasherd. Das Schneidergeschäft deines Großvaters befand sich anfangs in der Perämienhenkatu, dann gründete er eine Schneiderwerkstatt in der Tehtaankatu und ein Bekleidungsgeschäft in der Iso Roobertinkatu. Dein Vater und ich arbeiteten sommers in der Werkstatt, außer in den Wochen, die wir im Sommerhaus in Lohja verbrachten. Ich weiß heute noch, wie es in der Werkstatt roch. Deinem Großvater ging es anfangs recht gut, doch dann kam der Krieg. Er musste an die Front und blieb dort länger als zwei Jahre. Schließlich wurde er am Arm und am Bein verwundet und 1943 wieder nach Hause entlassen.«

Ich war meinem Großvater nie begegnet, denn er starb schon vor meiner Geburt. An die Großmutter erinnerte ich mich, sie starb, als ich acht war. Sie war eine schüchterne und sanft lächelnde Frau gewesen. Zu Hause hatte sie stets eine Schale mit Eukalyptuspastillen und *Fazers* Mischung stehen, und ich erinnere mich, wie sie die Bonbons lutschte und lächelte. Sie lächelte nicht nur mit dem Mund, sondern auch mit den Augen und dem ganzen Wesen, sogar mit der Stimme. Auf ihrem Jugendbild sah sie genau so aus wie meine Schwester Hanna. Der Großvater wiederum sah aus wie Eli. Er war klein und stämmig. Ich besaß ein Foto, auf dem der Großvater selbstbewusst mit einem Spazierstock in der Hand, einem breitkrempigen Hut auf dem Kopf und einer Zigarre im Mund vor seinem Geschäft in der Iso Roobertinkatu stand. Mein Vater hatte die sanften Augen der Großmutter und die kräftige Statur des Großvaters geerbt. In jungen Jahren war er ein guter Turner und eifriger Sportler gewesen.

»Nach dem Krieg verlor dein Großvater irgendwie das Interesse an der Werkstatt und sie ging pleite, als er Ende der

Fünfzigerjahre starb«, fuhr der Onkel fort. »Damit verlor die Familie Kafka ihren gesamten Besitz, die Wohnung in der Sepänkatu, die Sommervilla, alles. Deine Großmutter musste zur Miete wohnen. Sie führte noch ein paar Jahre das Geschäft weiter, aber dann wurde auch das geschlossen. Weder dein Vater noch ich wollten es übernehmen. Dein Vater war mehr ein Forschertyp, auf keinen Fall ein Geschäftsmann. Er genoss es, wenn er durch Lapplands Wälder und Sümpfe wandern konnte, manchmal hielt er sich dort viele Monate hintereinander auf. Ich wiederum war urbaner, mich interessierten andere Dinge.«

Der Onkel setzte sich auf eine Parkbank, obwohl sie noch feucht war vom Regen, der vorhin gefallen war.

»Vielleicht machen wir mit der Familiengeschichte ein andermal weiter. Wie geht es deinem Bruder? Ist er schon zu seiner Familie zurückgekehrt?«

Ich erzählte ihm, dass Eli immer noch bei mir wohnte.

»Und du? Wie läuft denn die Sache mit der Tochter des Polizisten?«

»Ist an einem guten Anfang.«

Der Onkel merkte, dass ich weder über Eli noch über meine Frauengeschichten sprechen mochte. Also wechselte er das Thema.

»Wie ich hörte, hast du mit dem ehemaligen Sicherheitschef unserer Bank telefoniert. Konntest du den Fall klären?«

»Noch nicht, aber wir kommen allmählich voran.«

»Routala rief mich reuemütig an und fragte, ob er dir auch alles Inoffizielle, das damals eine Rolle spielte, hätte erzählen sollen. Er hat im Gespräch mit dir etwas Wichtiges verschwiegen.«

»Weißt du, was es war?«

»Ich fragte ihn danach und er erzählte, dass nach dem Überfall eine Frau in der Bank angerufen hat. Sie hat ihren Namen nicht genannt, aber behauptet zu wissen, wer der mit dem Geld geflüchtete Räuber sei. Sie wollte allerdings, dass ihr die Bank für den Hinweis eine Belohnung zahlt.«

»Hat die Bank gezahlt?«

»Ja. Zuvor überprüfte Routala den Hinweis und der schien der Wahrheit zu entsprechen.«

»Wie hieß der Räuber?«, fragte ich gespannt.

»Die Räuber ... Es waren zwei. Der eine hieß Petteri Väistö und der andere Keijo Lappalainen. Sagen dir die Namen etwas?«

»Allerdings, beide.«

Ich erzählte kurz, was wir über Väistö und Lappalainen wussten.

»Was laut Routala die Sache besonders heikel machte, war der Umstand, dass die Frau behauptete, ein Polizist, der zugleich Sicherheitsberater der Bank war, hätte den Räubern geholfen. Deshalb wagte Routala das nicht mal dir gegenüber zu erwähnen. Es handelt sich um jenen Polizisten, der vor ein paar Tagen getötet wurde und dessen Fall du untersuchst, nicht wahr?«

»Stimmt. Der Polizist hieß Aimo Ikonen. Wurden die Hinweise, die von der Frau kamen, weitergegeben?«

»Lappalainens und Väistös Namen wurden an die Raubermittler weitergegeben. Wie Routala sagte, wussten die zwar von Väistö, aber dass auch Lappalainen beteiligt gewesen war, war ihnen neu. Die Ermittler wollten natürlich wissen, woher die Information stammte, aber Routala sagte nur, dass er einen anonymen Hinweis erhalten hätte. Über Ikonen fiel kein Wort, allerdings wurden seine Dienste danach von der Bank nicht mehr in Anspruch genommen.«

»Spätestens beim Auszahlen der Belohnung stellte sich dann ja wohl heraus, wer die Frau war, von der der Hinweis stammte?«

»Leider nicht. Sie hat ihren Namen nie genannt, und die Belohnung wurde schwarz aus einer für solche Zwecke bestimmten inoffiziellen Kasse gezahlt. Die Sicherheitsleute konnten allerdings Fotos von ihr machen, als sie das Geld abholte.«

»Wo sind die Fotos?«

»Routala hat Kopien davon. Er bat darum, dass du ihn aufsuchst.«

Mein Handy klingelte.

Huovinen meldete sich. »Aus dem Gefängnis von Vantaa wurde angerufen. Kotala möchte dich sprechen, kannst du hinfahren?«

Huovinens Stimme klang zu Recht neugierig. Ich hatte selbst keine Idee, was Elis traurig-berühmter Mandant von mir wollte.

»Warum gerade mich?«

»Hat er nicht gesagt.«

»Alles klar, ich fahre hin.«

Ich brachte den Onkel zu seiner Wohnung nach Töölö und fuhr von dort direkt weiter nach Vantaa. Am Ziel angekommen, trug ich dem Wachhabenden mein Anliegen vor und er beauftragte einen Wärter, Kotala ins Besucherzimmer zu bringen. Unsere letzte Begegnung lag nun schon eine Weile zurück. Dienstlich hatten wir zuletzt zusammengearbeitet, als ich den Totschlag an einem Drogendealer aus Espoo untersuchte.

Kotala setzte sich mir gegenüber, legte die Hände auf den Tisch und faltete sie. Er war ein groß gewachsener Mann und bewegte sich schwerfällig wie ein Bagger. In seinem Gesicht zuckte ein Muskel, obwohl er, aus seiner starren Miene zu schließen, Beruhigungsmittel genommen hatte.

»Danke, dass du kommen konntest …« Er blickte auf seine Hände nieder und rieb die Daumen aneinander.

»… um einen Massenmörder zu treffen.«

Der Versuch eines Lächelns verstärkte nur das Zucken im Gesicht.

»Ich bin gern gekommen, obwohl ich dich lieber unter angenehmeren Vorzeichen getroffen hätte.«

»Diese angenehmeren Vorzeichen dürften in meinem Leben endgültig vorbei sein … Ich habe dich hergebeten, weil ich wollte, dass jemand weiß, was geschah …, und dass du mit deinem Bruder sprichst. Er bat mich, auf Unzurechnungsfähigkeit zu beharren. Ich will keine psychiatrische Untersuchung und ich will auch nicht den Verrückten spielen. Natürlich war ich sehr wütend, als ich das tat, aber trotzdem war ich im Vollbesitz meiner geistigen und körperlichen Kräfte. Hätte ich als Polizist einen Fall wie meinen untersuchen müssen, hätte ich zum Täter gesagt, dass er sich eines höllischen Verbrechens schuldig gemacht hat und dass er Manns genug sein muss, die Verantwortung zu tragen.«

Die gefalteten Hände öffneten sich und klammerten sich um die Tischkante.

»Warum hast du es dann getan?«, fragte ich.

Kotala hatte sich offensichtlich darauf vorbereitet, zu mir zu sprechen. »Die Dinge kamen ins Rollen, eine Tat führte zur zweiten, die wieder zur dritten, die dritte zur vierten. Es ist kaum zu glauben, wie hilflos man sich fühlt ... So als wollte man mit bloßen Händen eine Schneelawine aufhalten. Du weißt ja sicher, dass meine Frau einen anderen Partner gefunden hatte und die Scheidung verlangte. Das Schlimmste war jedoch, dass sie die Kinder mit ins Ausland nehmen wollte. Wie kann jemand einem Vater die Kinder entziehen und sie zwingen, einen neuen Vater zu akzeptieren? Das war mir unbegreiflich. Ich, der richtige Vater der Kinder, wurde annulliert, ausgelöscht, so als hätte es mich nie gegeben.«

Kotala ließ den Tisch los und ich sah, dass seine Hände zitterten. Er griff erneut nach der Tischkante wie ein Mensch mit Höhenangst nach dem Geländer.

»Eines Tages rief mich meine Frau auf der Arbeit an und bat mich, mich abends um die Kinder zu kümmern, während sie irgendwo mit ihrem neuen Mann unterwegs war. Ich war ungefähr zwei Stunden dort und dann ging ich mit dem Hund raus. Wir besaßen eine Golden-Retriever-Hündin namens Berit. Sie war zehn Jahre alt und die Kinder liebten sie, besonders der jüngere Sohn Timo. Ich ging mit Berit in den Wald und plötzlich begriff ich, dass ich auch sie verlieren würde. Ich nahm meine Dienstwaffe, und als Berit zu mir kam, streichelte ich ihren Kopf und erschoss sie. Ich konnte noch den verwunderten Ausdruck in ihren Augen erkennen. Mit letzter Kraft leckte sie mir die Hand.«

Kotala presste den Tischrand so fest, dass die Adern auf seinen Händen hervortraten.

»Als ich nach Hause kam, lag mein jüngerer Sohn Timo schon im Bett und wollte, dass ich ihm ein Märchen vorlese. Dann fragte er, wo Berit sei. Timo ging nie schlafen, ehe er nicht Berit gute Nacht gesagt hatte. Er hatte sich sogar extra einen Einschlafspruch für sie ausgedacht: Berit, Berit, träume süß vom schönen Hundeparadies ...«

Ich musste an Elis Albtraum denken, in dem er seine Familie umgebracht hatte. Kotala würde seinen Albtraum auch beim Aufwachen nicht loswerden.

»Ich ... ich konnte Timo unmöglich sagen, dass ich Berit getötet hatte. Ich wollte ihm, meinem kleinen Jungen, diesen Kummer nicht zufügen. Ich sagte ihm, wenn er für einen Moment die Augen schließt und sie dann wieder öffnet, ist Berit bei ihm. Er schloss die Augen. Ich drückte das Kissen auf sein Gesicht ... Dann ging ich ins Wohnzimmer. Mein älterer Sohn Jari guckte fern. Ich sagte ihm, dass ich eine spannende Überraschung für ihn habe und dass er die Augen schließen und bis zehn zählen soll ... Als auch Jari tot war, trug ich beide Kinder ins Ehebett unseres gemeinsamen Schlafzimmers und legte mich zwischen sie. Ich nahm meine Waffe und steckte den Lauf in den Mund. Im selben Moment hörte ich die Haustür klappen und ich wusste, dass es meine Frau war. Sie ging als Erstes in die Zimmer der Kinder, und als sie niemanden fand, spähte sie ins Schlafzimmer. Sie glaubte zunächst, dass die Kinder schliefen, aber als sie meine Waffe sah, begriff sie ... Ich schoss ihr in den Kopf.«

»Warum willst du mir das alles erzählen?«

»Weil es die Ermittler nur als technisches Ereignis interessierte, so als wäre nur wichtig gewesen, wo ich mich befand, als ich meine Frau erschoss, wo sie selbst zu dem Zeitpunkt stand und ob sie auf den Rücken oder auf den Bauch fiel.«

»Möchtest du noch weitersprechen?«

»Ich hob die Leiche meiner Frau auf, legte sie neben die Kinder und wischte ihr das Blut aus dem Gesicht. Danach legte ich mich selbst auf die andere Seite.«

Kotala hob den Blick und sah mir zum ersten Mal offen in die Augen. Jetzt wirkte er wie ein Mann, der an seine Sache glaubte. Auch seine Stimme war gefestigt.

»Ich wollte schon abdrücken, als in meinem Kopf jemand sagte: ›Wenn du jetzt abdrückst, kommst du geradewegs in die Hölle und bist für immer von deinen Kindern getrennt. Wenn du dich jedoch nicht umbringst, erleidest du höchstens dreißig Jahre lang Höllenqualen und, falls es einen Himmel gibt und dir deine Tat vergeben wird, siehst du deine Familie anschließend wieder.‹ Danach war die Entscheidung einfach.«

»Du meinst also, dass du nicht genug büßt, wenn bei deinem Urteil von mangelnder Zurechnungsfähigkeit ausgegangen wird?«

»Ja. Erzähl das alles deinem Bruder, dann wird er mich verstehen.«

Von Vantaa aus fuhr ich direkt zu Routala, dem ehemaligen Sicherheitschef der Vereinsbank. Er wohnte in Leppävaara. Er gab mir die Fotos, die die Sicherheitsleute von der Frau gemacht hatten, die für ihren Hinweis eine Belohnung von der Bank kassiert hatte.

Die Fotos waren aus der Entfernung gemacht worden und durch die starke Vergrößerung waren sie körnig. Zu sehen war eine Frau mit Kopftuch, die eine große, weiße Sonnenbrille trug. Sie ging vornübergebeugt und blickte nach unten. Auf einem der Fotos blickte sie jedoch zur Seite und direkt in die Kamera.

Ich erkannte sie sofort.

Sowie ich in der Dienststelle war, schloss ich mich in meinem Büro ein, setzte mich bequem hin und versuchte, alles zu vergessen, was Kotala mir erzählt hatte, und mich wieder auf den Fall Ikonen und Erkkilä zu konzentrieren. Ich starrte aus dem Fenster in die Ferne und noch weiter weg. Mein Kopf war wie ein Lottoziehungsgerät, in dem die Kugeln in unberechenbarer Ordnung durcheinanderkullerten. Sie stießen gegeneinander, sprangen von der durchsichtigen Plastikwand ab und suchten schließlich den Ausgang. Jedes Mal, wenn das Gerät eine Kugel auswarf, reihte sie sich hinter der Vorgängerin ein, um auf die nächste zu warten. Die Kugeln waren nicht mehr nur Kugeln, sondern zusammen bedeutete ihre Reihenfolge etwas, sie waren mehr als nur die Summe ihrer Zahlen. Währenddessen wiederholte ich ein lautloses Mantra: Ikonen, das Kind, Erpressung, Isaksson, Uotila, das Messer, Ikonen, das Kind, Erpressung, Isaksson, Uotila, das Messer …

Ich holte den Zettel aus der Tasche, auf dem ich mir in der Nacht nach Elis Albtraum notiert hatte: VERLUSTANGST, SCHUTZ.

Ich ließ das Gerät noch einen Augenblick laufen.

Plupp. Eine neue Kugel fiel.

Ich zählte die Treffer, bis ich mir des Ergebnisses ganz sicher war.

Sechs Richtige.

Kapitel 24

Tuula Uotila war in ein Krankenzimmer verlegt worden, in dem sie allein sein konnte. Der Raum war hell und die Frühlingssonne warf hohe Schatten an die Wand. Auf dem Nachtschrank standen drei Vasen mit Blumen, eines war ein großer Strauß roter Rosen, daneben lag ein Stapel Frauenzeitschriften. Die Uotila saß im Rollstuhl, sie warf mir einen Blick über die Schulter zu, dann wandte sie sich wieder ab und schaute nach draußen.

»Warum kommen Sie allein? Im Allgemeinen sind Sie doch mindestens zu zweit.«

»Ich dachte mir, dass es für Sie besser wäre, wenn wir uns zunächst unter vier Augen unterhalten, inoffiziell.«

»Worüber sollten wir uns unterhalten?«

»Das wissen Sie genau.«

»Ich weiß es nicht, aber wenn Sie es wissen, dann erzählen Sie es mir.«

»Wir sind gezwungen, Ihre Schwester wegen Beihilfe zu verhaften, sowie sie aus Frankreich zurückkommt. Sie hat uns alles erzählt, als wir damit drohten, die dortige Polizei auf sie anzusetzen.«

Die Uotila zeigte keine große Regung. »Sie konnte nichts erzählen, weil sie gar nicht alles weiß.«

In den Worten lag keine Ironie. Die Frau stellte lediglich Tatsachen fest.

»Sie weiß zumindest, was sie auf Ihre Bitte hin tat. Dass sie nämlich am Samstagabend zum Einkaufszentrum Pukimäki fuhr, aus einer Telefonzelle die Notrufnummer der Polizei wählte und anonym zwei Leichen in Puistola meldete. Sie benutzte ein öffentliches Telefon, damit der Anruf nicht zurückverfolgt werden konnte.«

»So, so, also diese Geschichte hat Ihnen meine Schwester erzählt.«

»Ja, allerdings, und ich glaube ihr. Sie hatten ihr gesagt, dass Sie in der Wohnung Ihrer Freundin zwei Leichen gefunden haben, aber nicht selbst anrufen können, weil Sie dadurch mit der Polizei zu tun bekämen und Ihr Mann von Ihrer Vergangenheit erfahren würde.«

»Ich finde, das ist eine ziemlich gute Erklärung.«

»Gut mag sie sein, aber sie stimmt nicht, auch nicht Ihr Bericht über die Messerattacke. Nicht ein tätowierter Mann hat Sie angegriffen, sondern Ihr ehemaliger Freund Heikki Isaksson. Sie erzählten uns von der Tätowierung, weil Sie ahnten, dass wir dadurch auf Petteri Väistö kommen würden. Väistö ist jedoch zufällig tot, schon seit zwanzig Jahren. Deshalb glaubten Sie, dass Sie ihn ohne Risiko beschuldigen könnten.«

Sie drehte sich um und sah mich zum ersten Mal richtig an. In ihrem Blick lag Neugier.

»Wie können Sie wissen, dass Väistö tot ist?«

»Anscheinend haben wir dieselben Informationsquellen.«

»Stimmt nicht.«

»Wie haben Sie dann von Väistös Tod erfahren?«

»Durch Lappalainen, schon vor langer Zeit. Er war dabei, als es geschah. Ich weiß nicht wo und wie, ich weiß nur, dass Väistö tot ist.«

»Hat Lappalainen ihn getötet?«

»Das glaube ich nicht. Irgendetwas Seltsames war daran, weil sich Lappalainen über die Sache königlich amüsierte. Als ich ihn fragte, was mit Väistö geschehen ist, lachte er und sagte, dass Petteri in der Hölle bestimmt die ganze Zeit vor sich hin brabbelt: ›Wie konnte das bloß passieren, wie konnte das bloß passieren …‹ Mehr hat er nicht erzählt.«

Ich betrachtete die Rosen auf dem Nachtschrank. »Schön. Von wem sind sie?«

Die Uotila antwortete nicht.

»Ich wette, dass der große Rosenstrauß von Ihrem Mann, der andere Strauß von Ihrer Schwester und der dritte von Ihrem Sohn Petri ist. Stimmt das?«

Sie antwortete immer noch nicht.

»Sie haben einen wunderbaren Sohn und sind bestimmt ebenso stolz auf ihn wie sein Vater.«

»Er ist das einzig Gute, was ich zustande gebracht habe. Lassen Sie ihn in Ruhe.«

»Ich habe keinen Grund, ihn in irgendetwas hineinzuziehen, wenn sich der Fall anderweitig klären lässt. Sie haben das alles nur wegen Ihres Sohnes getan, nicht wahr?«

Sie starrte eine Weile regelrecht durch mich hindurch. »Ich ließ ihn im Stich, als er ein kleines Kind war, gab ihn weg wie einen Hundewelpen. Das habe ich mein Leben lang bereut. Ich wollte etwas für ihn tun, wenigstens ein Mal eine gute Mutter sein.«

»Maija Erkkilä erpresste Heikki Isaksson, den Vater des Jungen, nicht wahr?«

»Sie erpresste jeden, den sie in die Fänge bekam. Heikki sagte Petri nichts davon, aber schließlich ging Maija zu weit. Sie war tatsächlich ein gieriges Miststück, ein Blutegel, saugte alles Blut aus dem Menschen.«

Die Erinnerung an die Erkkilä trieb der Frau einen Ausdruck des Abscheus ins Gesicht.

»Ich drohte ihr damit, dass ich mir aus Estland einen Killer besorgen würde, und Maija erschrak, aber dann kam sie auf die Idee, Lappalainen zu Hilfe zu rufen. Sie bildete sich ein, dass sie zu zweit von Heikki und Petri noch mehr Geld erpressen könnten, weil Heikki versuchen würde, sich so vor Lappalainen zu retten.«

»Dann jedoch tötete jemand passenderweise Lappalainen.«

»Aber nicht ich. Und Heikki auch nicht. Wir haben damit nichts zu tun und ich weiß auch nicht, wer es getan hat. Ich habe erst durch Maija davon erfahren. Sie glaubte, dass ich einen Killer besorgt hätte. Anfangs schien es, als würde sie uns in Ruhe lassen, aber dann zeigte sie uns einen Brief und drohte damit, ihn an die *Helsingin Sanomat* zu schicken. Darin verriet sie alles über Heikkis Vergangenheit und über mich.«

»Was geschah in Erkkiläs Haus?«

»Ich ging mit Ikonen hin. Ich hatte ihn jahrelang gemeinsam mit Maija erpresst, ihm aber später alles Geld mitsamt der Zinsen zurückgezahlt. Ikonen wusste von Maijas neuerlicher Erpressung und versprach, mir zu helfen. Er wusste auch, dass Heikki zurückgekommen war, wusste es schon seit Jahren, aber er wollte Heikki eine neue Chance geben und ließ ihn unbehelligt. Als Maija uns sah, begriff sie, dass Ikonen auf meiner Seite war und ihr Spiel auf der Stelle beenden würde. Mir entging, dass Maija aus der Werkzeugkiste, die im Flur stand, ein Messer nahm. Sie stach viele Male auf Ikonen ein, und ich konnte nicht so schnell reagieren … Sie stach noch zu, als er schon am Boden lag. Dann warf sie das Messer weg und sagte, dass wir jetzt zusammen auf demselben Galgenpodest stünden, dass uns aber nichts passieren könnte, wenn wir die Leiche beseitigten. Danach wäre alles wie vorher … Wie konnte sie nur so verrückt sein, genau das wollte ich ja nicht! Ich hob das Messer auf, Maija bemerkte es und begriff, dass ich es ernst meinte. Im Flur holte ich sie ein und stach zu. Sie fiel sofort zu Boden und ich stach erneut zu. Ich fühlte überhaupt nichts, es war, als hätte ich eine Spinne getötet, ein ekliges, giftiges Tier … Ich genoss es, als ich die Angst in ihren Augen sah …«

Entweder die Uotila wollte alles wahrheitsgemäß erzählen oder sie war nicht darauf vorbereitet, überführt zu werden. Gerade gestand sie nämlich mindestens einen Totschlag, obwohl sie sich auf Notwehr hätte herausreden können.

»Als ich eben gehen wollte, bemerkte ich, dass meine Schuhe Schmutzspuren hinterlassen hatten. Ich zog die Männerschuhe an, die im Flur standen, ging damit über den Hof, und als ich wieder hereinkam, trat ich auf meine alten Spuren. Dann wechselte ich wieder die Schuhe, steckte die Männerschuhe zusammen mit dem Messer in einen Plastikbeutel und ging.«

Die Uotila wirkte erschöpft. Es war, als hätte das Geständnis ihre Kräfte aufgezehrt. Der geeignete Augenblick, mehr aus ihr herauszuholen.

»Zu Hause riefen Sie Heikki Isaksson an und erzählten ihm, was geschehen war, nicht wahr?«

Sie sah mich an, antwortete aber nicht.

»Als alter Betrüger riet er Ihnen, wie Sie verfahren sollten. Er hatte die Idee, dass Sie eine Messerattacke inszenieren sollten. Wer würde schon ein Opfer des Angriffs verdächtigen, besonders, wenn Sie einen guten Täterkandidaten ins Spiel bringen könnten, nämlich Petteri Väistö.«

»Das habe ich mir selbst ausgedacht und mir auch selbst alle Verletzungen beigebracht.«

Ich glaubte ihr nicht, verstand sie aber. Sie wollte Isaksson aus allem heraushalten und wusste, dass wir keine Beweise gegen ihn hatten.

»Wann erfuhr die Erkkilä, dass Isaksson wieder in Finnland war und seinen Namen in Henrik Nyholm geändert hatte?«

»Vor zwei Jahren. Sie fand in einer Frauenzeitschrift einen Bericht mit einem Foto meines Sohnes und seinem Namen. Sie erkannte Petri und zog Erkundigungen über ihn ein.«

»Er sieht aus wie Sie, aber ich brauchte eine Weile, ehe ich begriff, an wen er mich erinnerte«, sagte ich.

»Er hat meine Augen und meinen Mund. Heikki selbst versuchte, im Hintergrund zu bleiben, eben damit ihn keiner seiner alten Ganovenkumpane wiedererkannte. Aber das Unternehmen wuchs zu schnell, sodass auch das nicht gelang. Maija war so frech, Heikki einfach anzurufen und über die Vergangenheit zu plaudern. Dann dauerte es nicht mehr lange und sie verlangte Geld. Sie wusste, dass die Firma gut dastand und dass es lohnte, für das Schweigen zu zahlen. Petri hat nie von der Sache erfahren. Als Maija erklärte, dass sie eine Wohnung in Spanien wollte, sagte Heikki, dass es ihm jetzt reichen und dass er nicht länger zahlt.«

»Und wann fand Ikonen heraus, dass Nyholm in Wirklichkeit Isaksson ist?«

»Vor vielen Jahren, als er nach seinem Sohn suchte ... Oder nach dem Kind, das er für seinen Sohn hielt. Er glaubte, dass er den Jungen mit Heikkis Hilfe finden könnte.

Zunächst vermutete er, dass bei der Firma irgendetwas nicht legal war, aber als er begriff, dass alles seine Richtigkeit hatte, versprach er, Heikki in Ruhe zu lassen. Er hielt sein Wort … Er war ein guter Mann. Wenn er etwas Falsches tat, tat er es immer im Interesse anderer. Trotzdem, was er am meisten bereute, war, dass er sich auf eine Beziehung mit Maija eingelassen hatte. Sie haben davon gewusst.«

»Stimmt. Erzählen Sie mehr von Keijo Lappalainen. Wer hat ihn getötet?«

»Ich weiß es nicht, glauben Sie mir endlich.«

»Sie hatten aber Angst vor ihm, weil Sie gegen Zahlung einer Belohnung der Bank verraten hatten, dass er einer der Räuber gewesen war.«

»Das habe ich nicht wegen des Geldes getan, sondern …«

»Sondern weshalb?«

Sie schwieg.

»Sondern weil Sie Heikki Isaksson helfen und alle glauben machen wollten, dass Väistö und Lappalainen den Überfall begingen, nicht wahr? Danach würde niemand mehr nach Isaksson suchen. Er behielt wahrscheinlich die Beute. Gründete er damit seine Firma?«

Sie antwortete immer noch nicht.

»Sie wussten also, dass Lappalainen in Finnland war?«

»Maija erzählte uns schadenfroh, dass sie ihn angerufen hatte und dass er ihr zu Hilfe kommen würde. Sie selbst fuhr sicherheitshalber nach Estland, damit er sie in nichts hineinziehen könnte.«

»Wer wusste sonst noch, dass Lappalainen kommen würde?«

»Zumindest Ikonen. Ich erzählte es ihm. Er versprach, mir nach besten Kräften zu helfen.«

»Hat Ikonen ihn getötet?«

»Das glaube ich nicht. Ich nehme an, dass man Lappalainen an dem Tag tötete, an dem Ikonens Tochter beerdigt wurde. Ich rief Ikonen am nächsten Tag aus dem Skiurlaub in Lappland an und fragte ihn, ob er etwas von Lappalainen wüsste. Er sagte, dass er den ganzen Sonnabend mit der

Beerdigung beschäftigt war und dass er Lappalainen am Sonntag aufsuchen wollte. Als ich nach Hause kam, rief ich ihn erneut an und er erzählte mir, dass er beim Haus gewesen war, aber niemanden angetroffen hatte. Ich bin sicher, dass er nichts mit dem Mord an Lappalainen zu tun hatte.«

Sie packte meinen Ärmel und zog mich näher heran.

»Ich möchte wissen, ob Sie mich verstehen. Was würde eine gute Mutter nicht alles für ihr Kind tun …«

Ich überlegte ein paar Sekunden lang und sagte dann die erlösenden Worte: »Ich verstehe. Und was würde ein guter Vater nicht alles tun? Ikonen war der Vater Ihres Kindes, deshalb half er Ihnen. Wusste die Erkkilä das nicht?«

Sie packte mein Handgelenk und drückte es mit einem flehentlichen Blick in den Augen.

Ich sagte ihr, dass Petri das Lächeln seines Vaters hatte.

»Maija erfuhr die Wahrheit unmittelbar vor ihrem Tod. Da begriff sie, dass Aimo nie zulassen würde, dass sie dem Jungen Schaden zufügt, und sie tobte. Versprechen Sie, dass sie meinen Jungen aus allem heraushalten! Und Heikki ebenfalls, sonst habe ich das Ganze umsonst getan! Ich werde in jeder Weise kooperieren und alles wahrheitsgemäß erzählen, wenn Sie nur die beiden in Ruhe lassen, denn sie tragen an alledem keine Schuld!«

»Das weiß ich und ich werde mein Bestes tun … Eine Frage noch. Weiß Isaksson, dass er nicht der Vater des Jungen ist?«

»Nein. Und ich hoffe, dass er es nie erfährt.«

Als ich ging, spürte ich Uotilas Blick in meinem Rücken.

Ich ging an vier Etagen voller Krankheit, Angst und Qual vorbei und war erleichtert, als ich nach draußen kam. Ich atmete tief und tauschte die Luft in meinem Inneren aus, pustete sämtliche Luftmoleküle heraus, die ich innerhalb der weißen und sterilen Wände des Krankenhauses eingeatmet hatte. Ich setzte mich einen Augenblick auf die Bank vor dem Haupteingang und ruhte mein Gehirn aus.

Nach einer Weile stand ich auf und sagte laut: »Sechs Richtige. Fehlt nur noch die Zusatzzahl.«

Kapitel 25

Salo saß auf einem Gartenstuhl und sah mir und Simolin nachdenklich entgegen.

Der Garten war in jeder Weise gepflegt, auch der mit Steinsplitt bedeckte Weg war sauber geharkt.

Ich setzte mich Salo gegenüber, Simolin blieb stehen.

»Wir haben Ikonens und Erkkiläs Mörder gefunden«, sagte ich.

Salos Gesten wirkten verlangsamt und seine Miene war ausdruckslos. »Ach ja? Gratuliere.«

»Fragst du gar nicht, wer sie sind?«

»Nein, interessiert mich nicht.«

»Aimo Ikonen wurde von Maija Erkkilä getötet und die Erkkilä wiederum von Isakssons früherer Freundin Tuula Uotila.«

Ich erzählte von Isaksson, seiner Namensänderung und seiner Firma, die heute von Uotilas Sohn geleitet wurde. Ich erzählte auch, dass Erkkilä beabsichtigt hatte, den Sohn mit der Drohung zu erpressen, dass sie enthüllen würde, wer der Firmeninhaber wirklich war und woher das Anfangskapital stammte.

»Die Uotila wollte ihren Jungen schützen, der von der Vergangenheit seines Vaters und seiner Mutter nichts wusste. Sie wollte nicht, dass der unschuldige Bursche ihretwegen leiden müsste. Ich hatte einen Fehler gemacht, als ich nicht begriff, welche starke Kraft Mutter- oder Vaterliebe ist.«

»Viele Unschuldige leiden«, sagte Salo leise.

»Und deshalb hast du Lappalainen getötet?«

Er schnaubte nur und sah mich stechend an. »Fang an, falls du zu wissen glaubst, wie dieses Spiel gespielt wird.«

»Du hörtest von Ikonen, dass Lappalainen nach Finnland kommt und sich bei Erkkilä einquartiert. Du sagtest dir, dass es wie ein Geschenk des Himmels ist. Tarjas Beerdigung fand am selben Tag um dreizehn Uhr statt. Lappalainens Fähre kam um zehn Uhr im Hafen an, laut Taxiquittung war er um elf Uhr dreißig vor Erkkiläs Haus. Du wartetest im Auto, bis er hineinging, bist hinterhergegangen und hast ihn erschossen.«

»Welchen Grund sollte ich gehabt haben, ihn zu töten?«

»Deiner Meinung nach war Lappalainen einer der Schuldigen an Tarjas Schicksal. Er hatte ihr Drogen verkauft und sie in jeder Weise benutzt. Du warst ihr Patenonkel und hattest das Gefühl, dass es deine Pflicht war, sie zu rächen, weil Ikonen das nicht mehr tun wollte.«

»Ein guter Zug, aber er reicht noch nicht.«

»Nachdem du Lappalainen erschossen hattest, fuhrst du direkt zum Friedhof Hietaniemi. Zwischendurch nach Hause zu fahren, hättest du nicht geschafft. Hier ist ein Foto, das auf der Beerdigung gemacht wurde.« Ich reichte Salo die Aufnahme.

Er sah flüchtig hin und fragte: »Ja, und?«

»Wenn du dir mal dein Jackett genauer ansiehst, findest du etwas Interessantes.«

Salo betrachtete das Foto. »Bedaure, ich sehe nichts Interessantes. Ich bin wahrscheinlich nicht so klug wie du.«

»Am Kragenaufschlag befindet sich der Anstecker des Schachklubs, ein Springer, und unten am Ärmel sind drei Knöpfe.«

»Stimmt. Ich kann zählen, es sind tatsächlich drei Knöpfe. Und?«

Salo hatte eine gute Pokermiene. Er zeigte mit keiner Regung, dass er begriff, worauf ich hinauswollte.

»Als wir deine Wohnung durchsuchten, fanden wir ein Jackett mit demselben Anstecker, aber an den Ärmeln waren jeweils nur zwei Knöpfe. Es fehlten jedoch keine, also war das Jackett nicht dasselbe wie auf dem Beerdingungsfoto. Du wusstest, dass vom Schießen Schmauchspuren auf der Kleidung zurückbleiben, deshalb hast du das Jackett gleich nach der Beerdigung vernichtet und dir eines angeschafft, das genauso aussah. Das vorige war jedoch altmodischer gewesen und hatte mehr Knöpfe am Ärmel gehabt. Das merktest du natürlich, aber du dachtest, dass es sonst keinem auffällt.«

»Du hast recht, das Jackett war altmodisch und abgetragen, deshalb warf ich es in den Sammelcontainer und kaufte mir ein neues. Ein besserer Zug, aber wir haben noch lange nicht Schach.«

»Deine Frau sagte, dass das Jackett zwar alt, aber noch gut in Ordnung war, sodass überhaupt kein Grund bestanden hätte, es wegzuwerfen. Nach ihren Worten war es dein Lieblingsjackett.«

»Sprich nur weiter.«

»Nachdem Ikonen und Erkkilä getötet worden waren, wurde dir klar, dass Ikonen möglicherweise Aufzeichnungen über eure Vergangenheit hinterlassen hatte und dass die Polizei sie eventuell findet. Am Abend des Mordes warst du auf der Veranstaltung des Schachklubs und kamst so spät nach Hause, dass du nichts mehr unternehmen konntest, nachdem wir da waren. Deshalb zündetest du Ikonens Haus erst am nächsten Abend an.«

»War das ein Zug?«

»Ja.«

»Ich hielt es für eine Vermutung.«

»Erzähl uns, was im Hotel *Marski* wirklich geschah, sonst finde ich für den Rest meines Lebens nachts keinen Schlaf mehr.«

Salo wurde deutlich munterer. »Nichts so Ungewöhnliches, wie du wahrscheinlich glaubst. Kaipio hatte eine Beziehung mit der Frau des Haushandwerkers, die im Hotel einen Friseursalon betrieb. Ihr Mann erfuhr von der Beziehung und veranstaltete ein Spektakel. Matinoja konnte fliehen und rief die Polizei an, ohne zunächst weiter als bis zur eigenen Nasenspitze zu sehen. Als er dann nachdachte, begriff er, was los wäre, wenn die Zeitungen die Story auf der Titelseite ausschlachten würden. Der Außenminister und der Generaldirektor saufen im Salon auf Kosten der Sozialversicherung und der Generaldirektor geht auch noch während der Dienstzeit fremd. Er rief den Chef des Geheimdienstes an und der wiederum rief Aimo Ikonen an und bat ihn, den Schlamassel im Interesse des Allgemeinwohls zu beseitigen. Es war nicht gut, wenn die Bürger erfuhren, was in den Salons geschah, zumindest nicht, was führende Männer der Präsidentenpartei im Hotelsalon trieben.«

»Und Ikonen managte alles?«

»Ja. Als Erstes erfand er eine passende diffuse Geschichte für die Streife der Ordnungspolizei. Dann mussten Sündenböcke her. Er kannte Väistö und Isaksson, die ihrerseits noch von irgendwo einen dritten Mann besorgten. Allen wurde eine gute Belohnung versprochen, wenn sie die Sache auf ihre Kappe nahmen. Der Staatsanwalt war dann allerdings übereifrig und sie bekamen Urteile ohne Bewährung. Matinoja musste weitere Zahlungen leisten, damit das Trio den Mund hielt. Eine kleine und schmutzige Geschichte, für deren Vertuschung eine große und schmutzige Geschichte erforderlich war. Ikonen wurde belobigt und zum Oberkommissar befördert.«

»Und du und unser heutiger Vizepolizeichef Leivo?«

»Ich wurde später Kommissar. Leivo wiederum erfuhr überhaupt nicht, worum es eigentlich ging. Er war wirklich so brav, dass er lieber keine überflüssigen Fragen stellte. Das dazu.«

»Ich habe von Minister Matinoja eine andere Geschichte gehört.«

»Hat er erzählt, dass ihm ein Aktenkoffer gestohlen wurde, der äußerst geheime Papiere enthielt, und dass Ikonen sie in die Finger bekam und ihn damit erpresste?«

»Etwas in der Art.«

»Es gab keinen Aktenkoffer, oder falls doch, so gab es jedenfalls keine geheimen Papiere.«

»Womit hat Ikonen also Matinoja erpresst?«, wollte Simolin wissen.

»Er hat ihn gar nicht erpresst, sondern ein anderer. Dessen ungeachtet verlor Matinoja sein meistes Geld in schlechten Geschäften und schließlich legte ihn noch jemand richtig rein. So eine nationale Größe wie er will nicht mal sich selbst, geschweige denn anderen eingestehen, dass er ein Volltrottel gewesen ist. Deshalb musste er sich eine Erklärung für seine Talfahrt ausdenken.«

Ich begriff, dass Salo hinsichtlich Matinoja fast dieselben Worte verwendete wie Inspektor Sillanpää.

»Woher weißt du, dass die Geschichte erfunden ist?«

»Er erzählte sie genau in dieser Form seiner Frau, allerdings ohne Namen des Erpressers, und sie erzählte sie Aimo Ikonen, um von ihm Hilfe zu erhalten. Aimo wusste natürlich, dass Matinoja log. Er war ja als Erster vor Ort gewesen und es waren keine Papiere verschwunden. Er nahm Matinoja ins Gebet und der gab zu, sich die Geschichte ausgedacht zu haben. Ich weiß es, weil Aimo mir das alles erzählt hat.«

»Warum hat Matinoja uns gegenüber dann behauptet, dass es gerade Ikonen war, der ihn erpresste?«

»Er hasste ihn wahrscheinlich. Aimo war der erste Freund seiner Frau gewesen, an dem sie immer noch hing, obwohl er nur ein lumpiger Polizist war. Außerdem rettete Aimo ihn aus dem Schlamassel im *Marski.* Und dann auch noch seine Frau ... Und als Aimo tot war, konnte er sich nicht mehr wehren. Diese selbst gemachten großen Männer können es nicht ertragen, wenn jemand auf allen Ebenen besser ist als sie ...«

»Kennst du zufällig Oberinspektor Sillanpää vom Geheimdienst?«, unterbrach ich ihn.

»Aber ja, den kenne ich. Er ist Mitglied im Schachklub der Polizei.«

»Hast du dich je mit ihm über die Ereignisse im *Marski* unterhalten?«

»Allerdings. Er fragte mich mal danach, das ist nun schon länger als ein Jahr her, und ich erzählte ihm, wie dort alles ablief. Ich war damals schon pensioniert. Die Geschichte amüsierte Sillanpää. Ziemlich bald danach rief jener Journalist an und fragte nach den gleichen Dingen. Ich dachte mir, dass Sillanpää ihm wohl einen Wink gegeben hatte.«

Ich dachte das ebenfalls. Sillanpää hatte auch mir einen Wink gegeben, aber ich hatte ihn falsch verstanden.

»Hast du auch dem Journalisten erzählt, was im *Marski* wirklich geschah?«

»Nein. Ich riet ihm, sämtliche diesbezüglichen Protokolle zu lesen, ein paar Leute anzurufen und seine eigenen Schlussfolgerungen zu ziehen. Ich habe nicht gehört, dass je ein Artikel über die Sache erschienen wäre.«

»Du sagtest, dass es ein anderer war, der Minister Matinoja erpresste. Du meinst Väistö, nicht wahr?«

»Einer der Männer starb im Gefängnis, Isaksson ging nach Schweden und änderte sein Leben, Väistö nicht.«

»Hat Ikonen ihn getötet?«

»Sagen wir mal so: Väistö verschwand und machte danach niemandem mehr Ärger.«

Ich begriff plötzlich, warum Väistös Tod Lappalainen so sehr amüsiert hatte. Väistö war von einer Person getötet worden, die er und Lappalainen für völlig ungefährlich gehalten hatten.

»Lappalainen und Väistö haben Matinoja gemeinsam erpresst und Matinojas Frau tötete Väistö, um ihren Mann zu schützen. Ikonen kam zu Hilfe und beseitigte den Schlamassel, den seine ehemalige Freundin angerichtet hatte, nicht wahr?«

Salo blickte mich an und schwieg, aber ich sah die Antwort in seinen Augen.

»Du wusstest, dass Väistö tot ist«, sagte ich. »Deshalb wusstest du auch, dass er nicht der Mann mit dem Spielkartentattoo sein konnte und dass Tuula Uotila log. Warum hast du uns nicht geholfen?«

»Das hab ich ja. Ich sagte, dass Vergangenes vergangen ist und dass ihr euch auf die Gegenwart konzentrieren sollt. Ihr habt mir nicht geglaubt.«

»Du wusstest außerdem auch, dass Ikonen an dem Bankraub in Pitäjänmäki beteiligt war?«

»Ja, ich wusste es, aber die Geschichte ist nicht so gelaufen, wie du vielleicht glaubst.«

»Wie ist sie dann gelaufen?«

»Aimo wollte Lappalainen um jeden Preis und traf mit Isaksson eine Vereinbarung. Er versprach, dass Isaksson die gesamte Beute behalten und flüchten kann, wenn er, Aimo, dafür Lappalainen bekommt. Es war vereinbart, dass Isakssons Frau ihren Mann und Lappalainen aus der Hütte in Vihti abholen sollte. Isaksson sollte sie an der nahen Kreuzung erwarten und zur Hütte führen. Er ließ die Beute aus dem Überfall in der Hütte zurück, damit Lappalainen nicht misstrauisch würde. Allerdings schloss er das Geld im Schrank ein und nahm den Schlüssel mit. In Wahrheit blieb er in der Nähe der Hütte und wartete, dass Ikonen und ein zweiter Polizist kämen und Lappalainen festnahmen. Der ahnte vermutlich etwas und machte sich im letzten Moment aus dem Staub. Isaksson behielt die gesamte Beute.«

Jetzt verstand ich, warum Lappalainen so wütend auf Isaksson und Ikonen gewesen war und auf Rache gesonnen hatte. Ich verstand außerdem, warum er versucht hatte, den ganzen Banküberfall ausschließlich Ikonen anzuhängen. Vermutlich hatte er gewusst, dass Isaksson am Leben war, und hatte dessen Schulden bei ihm direkt eintreiben wollen, wenn er ihn nur erst gefunden hätte. Als die Erkkilä mit ihm Kontakt aufnahm, bot sich die Gelegenheit dazu.

»Während der zweite Polizist Verstärkung rief, schoss Isaksson ein Mal in Ikonens Bein und ein Mal in die Luft. Auch Ikonen schoss zwei Mal in die Luft«, fuhr Salo fort. »Eine kleine Fleischwunde im Bein machte die Sache viel überzeugender ... Unmittelbar nach dem Schusswechsel verschwand Isaksson mit der Beute. Ich will nicht sagen, dass ich Aimos Vorgehen billigte, aber ich verstand es.«

»Aber warum musste denn Väistö in der Geschichte vorkommen?«

»Es war eine gute Methode, die Spuren des Getöteten auszulöschen, und zugleich erleichterte es Isakssons Position. Alle glaubten, dass Väistö mit dem Geld ins Ausland verschwunden war.«

»Und Ikonens Bargeld in der Kassette und seine Millionenanlagen?«

»Er bekam quasi Insiderwissen und nutzte die Gelegenheit. Die Firma schoss innerhalb weniger Jahre hoch wie eine Rakete.«

»Du sprichst von *Elektrada.* Er kaufte Aktien von Isakssons Firma.«

»Isaksson, oder Nyholm, wie er heute heißt, war dankbar, dass Ikonen ihn nicht verriet und ihm eine neue Chance gab. Als die Firma einen großen Zulieferervertrag bekam, riet er Ikonen, sich für all sein Geld Aktienanteile zu kaufen. Ikonen nahm zusätzlich noch einen Kredit auf und er stieß auf eine Goldader. Glaub mir und erteil Aimo Absolution. Er war ein guter Polizist und verdient es. Jetzt bist du am Zug. Und der sollte wirklich gut sein.«

»Nur du, Maija Erkkilä, Tuula Uotila und Ikonen wusstet, dass Lappalainen kommen würde. Ikonen hat ihn nicht getötet, denn er war mit der Beerdigung beschäftigt. Die Erkkilä wiederum war in Estland und die Uotila lief Ski in Lappland. Nur du bleibst übrig.«

Salo starrte an mir vorbei. »Ziemlich gut. Wenn man alles zusammenzählt, würde ich sagen: Schach, aber das reicht noch nicht. Denn für den Sieg braucht man Schach und matt.«

»Du hast Lappalainen erschossen und bist direkt zur Beerdigung gefahren. Das bedeutet, dass du die ganze Zeit deine Waffe bei dir hattest. Es war helllichter Tag und du hattest es eilig, du hattest nicht die Zeit und hast es auch nicht gewagt, die Waffe irgendwo zu verstecken. Auf dem offiziellen Beerdigungsfoto trägst du einen großen Blumenstrauß, aber auf den anderen Fotos ist er nicht mehr zu sehen, nicht mal am Grab. Wohin verschwand er? Was, glaubst du, passiert, wenn wir mit einem Metalldetektor auf den Friedhof gehen? Ich kann das Grab jederzeit öffnen lassen.«

Salo sah mich lächelnd an. »Du hast behauptet, dass du nicht Schach spielen kannst. Du lernst anscheinend schnell. Schach und matt. Möchtest du wissen, warum ich es getan habe?« Er wartete keine Antwort ab. »Ich hielt Tarja im Arm, als sie getauft wurde. Beide Mädchen waren wie Engel, solche, die das Licht mit sich tragen. Lappalainen hat einem meiner Engel wehgetan und das Licht in ihm gelöscht. Du kannst dir nicht vorstellen, wie sehr wir litten, als wir das sahen. Es war richtig, dass Lappalainen dafür bezahlte, und ich bin froh, dass ich die Möglichkeit hatte, etwas für mein Patenkind zu tun ... Tatsache ist allerdings, dass ich nicht hinging, um den Mann zu töten, sondern um ihm Angst einzujagen. Er hatte jedoch zufällig eine Waffe bei sich und versuchte, sie zu benutzen. Ich sage das nicht, damit ich mit Totschlag davonkomme, sondern weil es die Wahrheit ist.«

»Ich glaube dir, wir haben seine Waffe gefunden. Woher hattest du deine?«

»Ich habe sie Aimo gestohlen. Ich wusste, dass er sie in seiner Geldkassette aufbewahrte.«

»Mit derselben Waffe wurde ihm bei der Hütte von Vihti ins Bein geschossen«, merkte ich an.

»Ich weiß. Aimo nahm sie einem Ganoven ab und behielt sie.«

»Und damit hat Matinojas Frau dann schließlich Väistö erschossen?«

Salo antwortete nicht.

»Merkte Ikonen, dass du die Waffe genommen hattest?«

»Natürlich.«

»Also wusste er auch die ganze Zeit, dass du Lappalainen erschossen hast?«

Salo nickte, und seine Schultern sanken um ein paar Zentimeter.

Seine Frau kam mit einem Tablett aus dem Haus. Sie sah uns anders an als vorher. Ich war mir sicher, dass sie begriff, dass die Zeit des lockeren Austausches von Erinnerungen vorbei war. Trotzdem sah sie keinen Grund, auf ihre Gastfreundschaft zu verzichten.

»Entschuldigung, wenn ich die sicherlich wichtige Beratung unterbreche, aber hätten die Herren Lust auf Saft und frisch gebackenen Kuchen?«

Salo sah seine Frau zärtlich an, strich ihr sanft über den Handrücken und sagte: »Sicher, Schatz. Würdest du danach aus meinem Arbeitszimmer die Tasche holen, die ich gestern gepackt habe?«

Epilog

Um Ikonens Haus waren immer noch die Absperrbänder der Polizei gespannt und die Zerstörung schien nach den Löscharbeiten und den polizeilichen Untersuchungen noch gründlicher, als sie mir in Erinnerung war. Die Ziegelwände hatten infolge der Hitze und des Wassers tiefe Risse. Es war klar, dass es nicht lohnte, das Haus zu reparieren, da half nur noch der Bagger.

Saara hob einen kleinen, verrußten Alpaka-Pokal von der Erde auf und untersuchte ihn.

»Den habe ich in der Schule bei Schwimmwettbewerben gewonnen, als ich in der zweiten Klasse war. Platz zwei über fünfzig Meter Freistil.« Sie sah sich wehmütig um. »Das eigene Haus war Vaters größter Traum gewesen, vielleicht auch irgendwann mal der meiner Mutter, ich bin mir nicht sicher. Ich war sechs, als wir hier einzogen. Ich weiß heute noch, wie mein Vater mir sagte, dass ich mein eigenes Zimmer bekomme und es mir einrichten kann, wie ich möchte. Ich sagte ihm, dass es so werden soll wie bei Pippi Langstrumpf. Das hier war ein schöner Wohnort für Kinder, in der Nachbarschaft gab es viele Spielkameraden.«

Auf dem Hügel gegenüber stand Salos schmuckes Häuschen, ich sah ringsum keinerlei Bewegung und empfand fast Schuld. Wir hatten Frühlingsbeginn und Haus und Hof warteten umsonst auf Pflege.

»Salo hat ja keine Kinder«, sagte ich.

»Nein, ich hörte, dass es an seiner Frau lag, sie konnte wohl keine Kinder bekommen. Es war ganz bestimmt schwer für sie, denn beide liebten Kinder. Immer, wenn Tarja und ich zu ihnen gingen, tischte Kaija uns Leckerbissen auf.« Saara musterte den schiefergedeckten Weg, der durch den Hof führte. »Hier ist es … Sieh mal, da sind meine Initialen.«

Ich bückte mich über den Stein, den sie mir zeigte, und konnte auf der Oberfläche mit Mühe die Buchstaben SI erkennen.

»Tarjas Glas liegt ein Stückchen weg, dort, drei Steine weiter. Da sind ihre Initialen. Vater hat sie damals für uns eingeritzt ... Findest du etwas, mit dem wir die Steine anheben können?«

Im Gewächshaus stand ein Pflanzspaten aus Metall, ich nahm ihn mit.

»Möchtest du es selbst tun?«

»Natürlich.«

Saara griff nach dem Spaten und hockte sich neben Tarjas Stein. Der Boden war schon vom Frost geschmolzen und der Stein löste sich leicht. Ein magerer Wurm schlängelte sich über die Erde und ein paar schnelle Tausendfüßler sausten davon. Saara stieß den Spaten in die Erde und trug die oberste Schicht ab. Dann scharrte sie ein Marmeladenglas frei und hob es heraus. Als sie es von Sand und Erde befreit hatte, wurde in seinem Innern ein zweites, kleineres Glas sichtbar. Der Deckel des äußeren Glases saß sehr fest und ich musste beim Aufschrauben helfen. Ich schüttelte das kleine Glas heraus, öffnete es und reichte es Saara. Sie behandelte es wie eine Reliquie und eine solche war es vielleicht auch.

Das zusammengerollte Blatt Papier war ein wenig vergilbt und feucht, aber sonst überraschend gut erhalten. Saara rollte es auf und starrte darauf nieder. Tränen rannen ihr über die Wangen und sie übergab mir das Papier.

Tarja Ikonen, Alter 13 Jahre, vergrub diesen Brief zusammen mit ihrer jüngeren Schwester Saara am 16. Juni des Jahres 1976. Wir graben die Briefe erst wieder aus, wenn wir fünfzig werden oder wenn zwanzig Jahre vergangen sind. Ich bin dann 33 und Saara ist 28. Ich hoffe, dass ich dann ein eigenes Haus habe, drei Kinder, zwei Mädchen und einen Jungen, sowie einen gut aussehenden

und reichen Mann, vielleicht einen Piloten oder Arzt. Er könnte auch ein berühmter Sänger sein.
Ich hoffe, dass ich, wenn ich erwachsen bin, Krankenschwester oder Kindergärtnerin und ein richtig glücklicher Mensch werde.

»Möchtest du deines auch öffnen?«, fragte ich.

Saara antwortete nicht, sondern machte sich über den zweiten Stein her. Darunter lag ein ähnliches Glas mit einem zweiten, kleineren in seinem Inneren.

Saara konnte beide ohne meine Hilfe aufschrauben und sagte erstaunt: »Jemand hat es geöffnet.«

»Wieso?«

»Hier sind zwei Briefe und einer davon ist ganz neu.«

Sie öffnete den ersten und zeigte ihn mir.

»Das ist meiner, den lohnt es gar nicht zu lesen, denn es steht nichts Besonderes drin. Das einzige Geheimnis ist, dass ich in den Sänger Mikko Alatalo verliebt war.«

Sie musterte den zweiten und sagte verwundert: »Der ist von Vater.«

Sie trat ein Stückchen beiseite, so als wollte sie mit ihrem Vater allein sein.

Ich sah zu, wie sie las. Es dauerte mehrere Minuten und währenddessen schluchzte sie, ohne dass sie versuchte, es zu verbergen. Dann reichte sie mir den Brief. Er war, bis auf die Unterschrift, mit Maschine geschrieben. Als ich den Inhalt las, hatte ich wieder das Gefühl, etwas Unerlaubtes zu tun.

Liebe Saara.

Ich schreibe diesen Brief nur eine Woche nach Tarjas Tod. Ich weiß nicht, wann du ihn liest, aber ich glaube, dass ich dann nicht mehr bin.
Ich weiß, dass ich dir und deiner Schwester kein guter Vater war, aber du kannst mir glauben, dass ich es hätte sein mögen.

Es war leicht, als ihr noch klein wart, aber als ihr dann euren eigenen Willen hattet und als es zwischen eurer Mutter und mir nun mal so lief, wie es lief, wurde das Ganze schwierig und am Ende fast unmöglich. Wenn man sich selbst genug hasst, überträgt man den Hass schließlich auch auf andere, sogar auf die, die man liebt.
Ich bin sicherlich mit dafür verantwortlich, wie es Tarja erging. Wenn zwischen den Eltern eine solche Mauer der Kälte steht wie zwischen deiner Mutter und mir, muss sich das auch auf die Kinder auswirken. Tarja war die Ältere von euch und litt sicherlich am meisten. Hoffentlich hast du nicht auch eine bleibende Wunde in deiner Seele zurückbehalten.
Als Tarja starb, hätte auch ich sterben mögen. Dann beschloss ich, deinetwegen weiterzuleben, um Gelegenheit zu haben, an dir etwas wieder gutzumachen. Ich hoffe, dass es mir gelungen ist. Jetzt habe ich kein Verlangen mehr nach Rache, auch wenn ich weiß, gegen wen ich meine Rache richten könnte.
Wenn ich zurückblicke, merke ich, wie schnell die Jahre vergangen sind, wie schnell ihr Kinder herangewachsen seid. Ich trauere besonders darüber, dass ich sogar diese kurze Zeit habe verstreichen lassen. Als ich es begriff, war es schon zu spät.
Vor einiger Zeit tötete einer meiner ehemaligen Mitarbeiter seine Frau und seine beiden Kinder, weil die Frau sich scheiden lassen wollte. Zunächst war ich schockiert, dann wütend und zum Schluss traurig.
Ich begriff, dass auch ich letztlich eines meiner Kinder, Tarja, getötet habe. Jener andere Mann benutzte die Waffe, ich ein noch grausameres Mittel. Ich gab ihr keine Vaterliebe. Ich habe mich oft gefragt, warum Menschen wie deine Mutter und ich Kinder bekommen, statt dass Menschen wie Kauko und Kaija welche geschenkt werden. Ich bin sicher, dass ihre Kinder in einer Atmosphäre der Liebe hätten aufwachsen dürfen. Ich bin jedoch dankbar dafür,

dass sie euch so viel Zeit schenkten und dass sie Tarja als Patenkind annahmen. Sag ihnen in meinem Namen Dank.

Falls du je erfahren möchtest, was für ein Mensch dein Vater war, dann rate ich dir, mit Kauko zu sprechen. Er kennt mich besser als jeder andere. Ich hoffe, dass du mit ihm Kontakt hältst, solange er lebt, denn ich weiß, dass er dich wie sein eigenes Kind liebt, so wie er auch Tarja geliebt hat. Wenn du gute Ratschläge oder Hilfe brauchst, bekommst du sie bestimmt von Kauko, wie auch ich sie im Laufe der Jahre bekommen habe.

Ich hoffe, dass dein Leben, wenn du diese Zeilen liest, so verlaufen ist, wie du es dir in deinem Brief vor zwanzig Jahren gewünscht hast. Ich muss gestehen, dass ich eure beiden Briefe schon vor längerer Zeit gelesen habe. Und so hoffe ich, dass du inzwischen einen gut aussehenden, dunkelhaarigen Mann, zwei Kinder, ein Schloss in Frankreich und ein Pferd hast und eine berühmte Künstlerin bist.

Dein Vater, der dich immer geliebt hat

Der Brief aus dem Jenseits ließ mich verstummen, ebenso Saara.

»Vater lernte zum Schluss noch zu sagen, was ihm am Herzen lag … dass er uns liebt.«

»Er tat es sehr schön«, bestätigte ich.

Saara sah sich zerstreut um. »Ich werde wohl doch das Grundstück behalten … Vielleicht baue ich hier irgendwann ein neues Haus.«

»Ein guter Gedanke.«

»Aber vorerst nicht. Ich gehe nächste Woche nämlich wieder nach Kopenhagen. Ich habe ein gutes Angebot bekommen, das ich unmöglich ablehnen kann, sonst bereue ich es mein Leben lang.«

Ich hatte das Gefühl, als hätte ich plötzlich etwas für mich Wichtiges verloren. Ich hatte mir eingebildet, dass es zwischen uns ein schüchternes Versprechen gab, doch Saara zog es jetzt kurzerhand zurück.

»Was für ein Angebot?«, fragte ich steif.

»Ich bekomme ein Stipendium und die Möglichkeit, eine eigene Ausstellung zu veranstalten. Außerdem kann ich eine Lehrtätigkeit ausüben, wenn ich möchte.«

»Feine Sache.«

»Ich hätte dich gern besser kennengelernt – und meinen neuen Bruder«, sagte Saara und blickte vor sich hin.

»Vielleicht dann, wenn du wiederkommst.«

Ihre schlanken Finger strichen mir sanft über die Wange.

»Ja. Vielleicht dann.«

Als ich nach Hause kam, hatte Eli bereits seine Sachen gepackt und war gegangen. Als Profi hatte er bestimmt gute Rückkehrbedingungen und neue, steuerfreie Ehevorteile ausgehandelt. In der Küche waren von seinem Besuch ein paar leere und eine halb volle Flasche vierzehn Jahre alten Whiskeys zurückgeblieben. Ich goss mir einen Schluck ein und zapfte aus dem Wasserhahn einen Tropfen kaltes Wasser dazu. Dann warf ich mich aufs Wohnzimmersofa und lauschte der sich ringsum verdichtenden Einsamkeit, die Eli, trotz seiner ganzen Nerverei, für eine Weile vertrieben hatte. Die Einsamkeit zischte in meinen Ohren, so als würde ein alter Mensch durch ein loses Gebiss atmen.

Auf dem Tisch lag ein kleiner farbiger Prospekt, ebenfalls Elis Hinterlassenschaft. Oben am Rand stand *Madame Bettina* und darunter waren Fotos junger Frauen abgebildet. Jedes Foto war mit einem Namen versehen: Maria, Natascha, Nina, Olga, Katja …

Mein Blick verharrte bei Natascha. Große Augen, hohe Wangenknochen, ein breiter Mund und ein etwas schüchternes Lächeln. Vielleicht war sie eine Literaturstudentin aus Sankt Petersburg, die sich ein wenig Geld zum Leben verdiente. Für sich selbst, ihre kleine Schwester und ihre arme Großmutter. Oder vielleicht war sie nur eine gewöhnliche

Hure, egal. Natascha war ein schöner Name und Natascha war eine schöne Frau. Nur ein Anruf und sie würde kommen. Vielleicht wüsste gerade sie das richtige Mittel, um das Zischen aus meinen Ohren zu vertreiben.

Ich holte das Handy und tippte die Nummer ein, die unter dem Foto stand.

Nur ein kurzer Augenblick und eine Frauenstimme mit slawischem Akzent sagte: »Natascha. Wie kann ich helfen?«

Der erste Fall für Ariel Kafka

Harri Nykänen
Ariel. Mord vor Jom Kippur
Kriminalroman
Aus dem Finnischen von Regine Pirschel
ISBN 978-3-89425-565-7

In Helsinki erreicht das Verbrechen eine neue Dimension: Zwei Araber werden bei der Eisenbahnbrücke von Linnunlaulu ermordet aufgefunden. Nur kurze Zeit später entdecken Ariel Kafka und sein Team zwei weitere Leichen, auch sie Muslime – und sie bleiben nicht die letzten Toten innerhalb nur weniger Tage.

Hat der jüdische Gemeindevorsitzende recht mit seiner Warnung vor einem geplanten Terroranschlag auf die Synagoge? Aber warum stoßen dann die Mordermittler immer wieder auf Mitglieder der Gemeinde?

»Ein fesselndes und vielschichtiges Milieu. ... Kafka, der sicher nicht ohne Grund so heißt, ist eine der sympathischsten und vielversprechendsten Detektivfiguren, die in den letzten Jahren das Licht der Buchwelt erblickt haben. Trocken und nachdenklich, dabei mit einem besonders schnodderigen Humor gesegnet, lässt er sich vor keinen Karren spannen – auch nicht, wenn der Druck zunimmt.«
Westfalenpost

»Ein jüdischer Kriminalkommissar in Finnland ist eine unerwartete Kombination. Aber eine, die spannende Einsichten verspricht, die der Autor mit flotter Schreibe auch einzulösen weiß. ... Mehr davon!«
Gießener Allgemeine Zeitung

»Ein kluges Beispiel dafür, wie Vernunft und ein wacher Verstand vor Vorurteilen schützt, ist Harri Nykänens Kriminalroman ›Ariel. Mord vor Jom Kippur‹.« Badische Zeitung

»Die komplizierten Verwicklungen beschreibt der 56-jährige Harri Nykänen verständlich, klischeefrei und vor allem so spannend, dass man das Buch ungern aus der Hand legt. Und noch etwas ist bemerkenswert: Nykänen kommt ohne die von den schwedischen Nachbarn zur Schau getragene politische Moral aus.«
Märkische Allgemeine

Finnlands Newcomer: Marko Kilpi

Erforene Rosen

Aus dem Finnischen von Gabriele Schrey-Vasara
ISBN 978-3-89425-566-4

FINNISCHER KRIMIPREIS 2008

Ein Praktikum führt Polizeianwärter Olli Repo ausgerechnet in seine verhasste Heimatstadt. Zudem wird ihm Tossavainen als Betreuer zugeteilt und der entspricht genau dem Typ, den Olli verabscheut.

Doch als in einem Kaufhaus eine Bombendrohung eingeht und in einer stillgelegten Fabrik tatsächlich eine Bombe explodiert, lernt Olli die nüchterne Arbeitsweise seines Kollegen zu schätzen. Denn ihn selbst verunsichern die Ermittlungen immer mehr: Olli muss sich nach Jahren des Schweigens mit seinem herrschsüchtigen Vater auseinandersetzen. Wieso weiß ausgerechnet der so viel über die Bombendrohung und das mögliche Muster, nach dem der Täter vorgeht?

»Mit ›Erfrorene Rosen‹ hat der finnische Autor und Polizist Marko Kilpi einen der ungewöhnlichsten Romane der vergangenen Jahre vorgelegt. Er ist nämlich Krimi, Gesellschaftsporträt und Entwicklungsroman in einem. Und dazu hochgradig spannend.«
Oberösterreichische Nachrichten

»Kilpis Krimi folgt einer raffinierten Dramaturgie und überzeugt mit einer Hauptfigur, die das Zeug zu einem Serienhelden hat.«
Sächsische Zeitung

»Der Prolog ist furios. Man hält beim Lesen von Marko Kilpis Roman ›Erfrorene Rosen‹ förmlich die Luft an.«
Gießener Zeitung

»Das ist Polizeiarbeit von innen heraus beschrieben – ohne Beschönigungen, noch dazu in schnörkelloser Sprache und durchgängig im Präsens. Dafür wurde Kilpi 2008 mit dem Finnischen Krimipreis ausgezeichnet – zu Recht.«
Schleswig-Holstein Journal